商务馆对外汉语教学专题研究书系
总主编　赵金铭
审　订　世界汉语教学学会

汉语作为第二语言的学习者语言系统研究

主　编　王建勤

商务印书馆
2006年·北京

图书在版编目（CIP）数据

汉语作为第二语言的学习者语言系统研究/王建勤主编. —北京：商务印书馆，2006
（商务馆对外汉语教学专题研究书系）
ISBN 7-100-04933-4

Ⅰ.汉… Ⅱ.王… Ⅲ.对外汉语教学－教学研究—文集 Ⅳ.H195

中国版本图书馆 CIP 数据核字（2006）第 021172 号

所有权利保留。

未经许可，不得以任何方式使用。

HÀNYǓ ZUÒWÉI DÌ-ÈR YǓYÁN DE XUÉXÍZHĚ YǓYÁN XÌTǑNG YÁNJIŪ
汉语作为第二语言的学习者语言系统研究
主编　王建勤

商　务　印　书　馆　出　版
（北京王府井大街36号　邮政编码 100710）
商　务　印　书　馆　发　行
北 京 瑞 古 冠 中 印 刷 厂 印 刷
ISBN 7-100-04933-4/H·1208

2006年7月第1版　　　　　开本 880×1230　1/32
2006年7月北京第1次印刷　　印张 15⅞
印数 5 000 册
定价：29.00 元

总主编 赵金铭
主　编 王建勤
编　者 王建勤　李建成
作　者 （按音序排列）

蔡整莹	曹　文	曹秀玲	陈　晨
陈　绂	陈　慧	陈小荷	傅氏梅
高立群	高宁慧	胡明光	江　新
李大忠	李　华	刘　艺	柳燕梅
彭利贞	全香兰	施正宇	王功平
王建勤	王韫佳	吴门吉	武惠华
肖奚强	邢红兵	杨　春	张维佳
赵金铭			

目 录

从对外汉语教学到汉语国际推广(代序) ·················· 1

综述 ·· 1

第一章 汉语语音偏误分析 ·· 1
 第一节 泰国学生汉语语音偏误分析 ························ 1
 第二节 越南学生汉语声母偏误分析 ······················· 14
 第三节 美国学生汉语声调偏误分析 ······················· 35
 第四节 日韩学生汉语声调偏误分析 ······················· 51
 第五节 越南学生汉语声调偏误分析 ······················· 61
 第六节 印尼华裔学生汉语三声连读声调
     偏误分析 ··· 73

第二章 汉语词语偏误分析 ··· 92
 第一节 留学生汉语合成词偏误统计分析 ················ 92
 第二节 韩国学生学习汉韩同形词的偏误
     分析 ·· 114
 第三节 留学生汉语表人名词偏误分析 ···················· 127

第三章 汉语语法偏误分析 ··· 137
 第一节 基于中介语语料库的汉语副词
     "也"的偏误分析 ································· 137
 第二节 日本留学生汉语助动词偏误分析 ················ 151

    第三节　外国学生语法偏误句的等级序列 ……… 170
    第四节　"使"字兼语句偏误分析 …………………… 186
    第五节　外国学生汉语语法功能偏误分析 ……… 196
    第六节　韩国学生语法偏误分析 ………………… 210

第四章　汉语语篇偏误分析 …………………………… 223
    第一节　外国学生汉语语篇偏误分析综述 ……… 223
    第二节　外国学生汉语照应偏误分析 …………… 241
    第三节　外国学生代词偏误分析与代词在
            篇章中的使用 ………………………………… 251
    第四节　英语国家初级学生汉语语篇照应
            偏误分析 ……………………………………… 273
    第五节　英语国家中高级学生汉语语篇
            偏误分析 ……………………………………… 285
    第六节　韩国学生汉语语篇指称偏误分析 ……… 302

第五章　汉字偏误分析 ………………………………… 318
    第一节　外国学生汉字书写中部件偏误分析 …… 318
    第二节　外国学生汉字形符书写偏误分析 ……… 330
    第三节　外国学生汉语形声字识别错误分析 …… 344
    第四节　外国学生汉语规则字偏误分析 ………… 353
    第五节　拼音文字背景的外国学生汉字书写
            偏误分析 ……………………………………… 368

第六章　汉语中介语研究 ……………………………… 388
    第一节　国外早期的中介语理论研究 …………… 388
    第二节　中介语研究的理论与方法 ……………… 411
    第三节　汉语中介语的语篇分析 ………………… 429

后记 ……………………………………………………… 448

从对外汉语教学到汉语国际推广
（代序）

赵 金 铭

  新中国的对外汉语教学在经过55年的发展之后，于2005年7月进入了一个新时期。以首届"世界汉语大会"的召开为契机，我国的对外汉语教学在继续深入做好来华留学生汉语教学工作的同时，开始把目光转向汉语国际推广。这在我国对外汉语教学发展史上是一个历史的转捩点，是里程碑式的转变。

  语言的传播与国家的发展是相辅相成的，彼此互相推动。世界主要大国无不不遗余力地向世界推广自己的民族语言。我们大力推动汉语的传播不仅是为了满足世界各国对汉语学习的急切需求，也是我国自身发展的需要，是国家软实力建设的一个有机组成部分，是一项国家和民族的事业，其本身就应该成为国家发展的战略目标之一。

  回顾历史，对外汉语教学的每一步发展，都跟国家的发展、国际风云的变幻以及我国和世界的交流与合作息息相关。

  新中国对外汉语教学肇始于1950年7月，当时清华大学开始筹办"东欧交换生中国语文专修班"，时任该校教务长的著名物理学家周培源先生为班主任;9月成立外籍留学生管理委员会,前辈著名语言学家吕叔湘先生任主任;同年12月第一批东欧学生入校学习。这是新中国对外汉语教学事业的滥觞。那时,全部留学生只有33人。十几年之后,到1964年也才达到229人。1965年猛增至3 312人。这自然与当时中国的国际地位和世界局势变化密切相关。经"文革"动乱,元气大伤。1973年恢复对外汉语教学,当时的留学生也只有383人。此后数年逐年稍有增长,至1987年达到2 044人,还没有恢复到1965年的水平。①

改革开放以后,特别是近十几年来,对外汉语教学事业飞速发展。从20世纪90年代开始,来华留学生数量呈逐年上升趋势,至2003年来华留学生已达8.5万人次。据不完全统计,目前全球学习汉语的人数已达3 000万。

对外汉语教学事业的蓬勃发展,一直得到国家的高度重视和大力支持。早在1988年,国家教委、国家对外汉语教学领导小组在北京召开"全国对外汉语教学工作会议"时,时任国家对外汉语教学领导小组常务副组长、国家教委副主任的滕藤同志在工作报告中,就以政府高级官员的身份第一次提出,要推动对外汉语教学这项国家与民族的崇高事业不断发展。

会议制定了明确的发展目标,即"争取在半个多世纪的时间内做到:在教学规模上能基本满足各国人民来华学习汉语的需求;在教学理论和教学方法上,赶上并在某些方面超过把本民族语作为外语教学的世界先进水平;能根据各国的需要派遣汉语

---

① 参见张亚军《对外汉语教法学》,现代出版社1990年版。

教师、提供汉语教材和理论信息；在教学、科研、教材建设及师资培养和教师培训等方面都能很好地发挥我国作为汉语故乡的作用"。①

今天距那时不过十几年时间，对外汉语教学的局面却发生了翻天覆地的变化。对外汉语教学不再仅仅是满足来华留学生汉语学习的需要，汉语正大步走向世界。对外汉语教学的持续、快速发展，以至汉语国际推广的迅猛展开，正是势所必至，理有固然。目前，汉语国际推广正处在全新的、催人奋进的态势之中。

国家在世界范围内推广汉语教学，我们谓之"致广大"；我们在此对对外汉语教学进行全方位的研讨，我们谓之"尽精微"。二者结合，构成我们的总体认识，这里我们希望能"博综约取"，作些回首、检视和瞻念，以寻求符合和平发展时代的汉语国际推广之路。

一　汉语作为第二语言教学的理论研究

对外汉语教学，即汉语作为第二语言教学，作为一个学科，从形成到现在不过几十年，时间不算太长，学科基础还比较薄弱，理论研究也还不够深厚。但汉语作为第二语言教学作为一个学科有它持续的社会需要，有自身的研究方向、目标和学科体系，而且更重要的是它正按照自身发展的需要，不断地从其他的有关学科里吸取新的营养。诚然，要使对外汉语教学形成跨学科的边缘学科，牵涉的领域很广，理论的概括和总结实非易事。

---

① 参见晓山《中国召开全国对外汉语教学工作会议》，《世界汉语教学》1988年第4期。

综览世界上的第二语言教学,真正把语言教学(在西方,"语言教学"往往是指现代外语教学)作为一门独立学科而建立是在上一个世纪 60 年代中叶。

桂诗春曾引用 Mackey(1973)说过的一句意味深长的话:"(语言教学)要成为独立的学科,就必须像其他科学那样,编织自己的渔网,到人类和自然现象的海洋里捞取所需的东西,摒弃其余的废物;要能像鱼类学家阿瑟·埃丁顿那样说,'我的渔网里捞不到的东西不会是鱼'。"[1]

应用语言学是一门独立的交叉学科,分广义和狭义两种。狭义的应用语言学研究语言教学。广义的应用语言学指应用于实际领域的语言学,除传统的语言文字教学外,还包括语言规划、语言传播、语言矫治、辞书编纂等。我们这里取狭义的理解,即指语言教学,主要研究汉语作为第二语言教学或外语教学。所以,我们说对外汉语教学是应用语言学,或者说是应用语言学的一个分支学科。我们把对外汉语教学归属于应用语言学,或者说对外汉语教学的上位是应用语言学。

应用语言学作为一门应用型的交叉学科,它的基本特点是在学科中间起中介作用,即把各种与外语教学有关的学科应用到外语教学中去。组织外语教学的许多重要环节(如教育思想、教学管理、教学组织、教学安排、教材、教法、教具、测试、教师培训等等),既有等级的,也有平面的关系。而教学措施上升为理论之后,语言教学就出现了很大的变化。[2] 那么,这些具有不同

---

[1] 参见桂诗春《外国语言学及应用语言学研究》第一辑发刊词,首都师范大学外国语学院主办,中央编译出版社 2002 年版。

[2] 参见桂诗春《外语教学的认知基础》,《外语教学与研究》2005 年第 4 期。

等级的或处于同一平面的各种关系是如何构筑成对外汉语教学的学科理论的呢？

李泉在总结对外汉语教学学科基本理论时，提出应由四部分组成：(1)学科语言理论，包括面向对外汉语教学的语言学及其分支学科理论，面向对外汉语教学的汉语语言学；(2)语言学习理论，包括基本理论研究、对比分析、偏误分析和中介语理论；(3)语言教学理论，包括学科性质理论、教学原则和教学法理论；(4)跨文化交际理论。①

这些理论，在某种意义上都有其自身存在的客观规律，这也是作为学科的对外汉语教学所必须遵循的。我们尤其应该强调的是对语言教学理论的应用，这个应用十分重要，事关教学质量与学习效率，这个应用包括教学设计与技巧、汉语测试的设计与实施。只有应用得当，理论才发生效用，才能在教学和学习过程中起提升与先导作用。

几十年来，我们一直把对外汉语教学作为一个学科来建设，建设中也是从理论与应用两方面来思考的。陆俭明在探讨把汉语作为第二语言教学当作一个独立的学科来建设时，提出了更高的要求，他认为这个学科应有它的哲学基础，有一定的理论支撑，有明确的学科内涵，有与本学科相关的、起辅助作用的学科。② 我们认为，所谓的哲学基础，关涉到对语言本质的认识，反映出不同的语言观。比如语言是一种交际工具，还是一种能

---

① 参见李泉《对外汉语教学的学科基本理论》，《海外华文教育》2002年第3、4期。

② 参见陆俭明《增强学科意识，发展对外汉语教学》，《世界汉语教学》2004年第1期。

力？语言是先天的,还是后得的？这都关系着语言教学的发展,特别是教学法与教学模式的确立。总之,我们应树立明确的学科意识,共同致力于对外汉语教学的学科理论建设。

二 关于学科研究领域

汉语作为第二语言教学,作为一个学科,业内是有共识的,并且希望参照世界上第二语言教学的学科建设,来完善和改进汉语作为第二语言教学的学科体系,不断推进学科建设的开展,其中什么是学科的本体研究,是首先要考虑的问题。

本体的观念是古希腊亚里士多德范畴说的核心。亚里士多德把现实世界分成本体、数量、性质、关系、地点、时间、姿态、状况、动作、遭受等十个范畴。他认为,在这十个范畴中,本体占有第一的、特殊的位置,它是指现实世界不依赖任何其他事物而独立存在的各种实体及其所代表的类。从意义特征上看,本体总是占据一定的时间,是看得见、摸得着的事物。其他范畴则是附庸于本体的,非独立的,是本体的属性,或者说是本体的现象。因此,本体是存在的中心。①

早在上世纪末,对外汉语教学界就有人提出对外汉语教学"本体研究"和"主体研究"的观点。"对外汉语教学学科研究的领域,概而化之,可分为两大板块:一是对汉语言本身,包括汉语语音、词汇、语法和汉字等方面的研究,可谓之学科本体研究;二是对作为第二语言教学的汉语理论与实践体系和学习与习得规

---

① 参见姚振武《论本体名词》,《语文研究》2005 年第 4 期。

律、教学规律、途径与方法论的研究,可谓之学科的主体研究。学科本体研究是学科主体研究的前提与基础,学科主体研究是学科本体研究的目的与延伸。对这种学科本体、主体研究的辩证关系的正确认识与把握,是至关重要的,它关系着对外汉语教学学科发展的方向与前途。否则,在学科理论研究上,就容易偏颇、失衡,甚至造成喧宾夺主。"①

不难看出,这里所说的"本体研究"即为"知本",它占有第一的、特殊的位置,是存在的中心。这里所说的"主体研究"即为"知通",是附庸于本体的,本固枝荣,只有把作为第二语言的汉语研究透、研究到家,在此基础上"教"与"学"的研究才会不断提高。

我国对外汉语教学的历史毕竟不长,经验也不足,对于汉语作为第二语言教学之本体研究,也还存在不同的认识。当然,若从研究领域的角度来看,大家是有共识的。只是观察的视角与侧重考虑的方面有所不同。总的说来,对对外汉语教学的基础研究还应进一步地深入思考,以期引起有关方面的足够重视。

对此,陆俭明是这样认识的:"在这世纪之交,有必要在回顾、总结我国对外汉语教学的基础上,认真思考并加强汉语作为第二语言的本体研究,特别是对外汉语教学的基础研究。汉语作为第二语言之本体研究,按我现在的认识和体会,应包括以下五部分内容:第一部分是,根据汉语作为第二语言教学的需要而开展的服务汉语教学的语音、词汇、语法、汉字之研究。第二部分是,根据汉语作为第二语言教学需要而开展的学科建设理论

---

① 参见杨庆华《对外汉语教学研究丛书·序》,北京语言文化大学出版社1997年版。

研究。第三部分是,根据汉语作为第二语言教学需要而开展的教学模式理论研究。第四部分是,根据汉语作为第二语言教学需要而开展的各系列教材编写的理论研究。第五部分是,根据汉语作为第二语言教学需要而开展的汉语水平测试及其评估机制的研究。"[1]这里既包括理论研究的内容,也包括应用研究的内容,可供参酌。根据第二语言教学的三个组成部分的思想,即"教什么""怎样学""如何教",上述的观点非常正确地强调了"教什么"和"如何教"的研究,却未包括"怎样学"的研究。

陆先生认为,对外汉语教学学科的本体研究必须紧紧围绕一个总的指导思想来展开,这个总的指导思想是:"怎么让一个从未学过汉语的外国留学生在最短的时间内能最快、最好地学习好、掌握好汉语。"[2]正是基于这样的指导思想,才有上述五个方面的研究。

业内也有人从研究对象的角度出发,认为"教学理论是对外汉语教学的本体理论"。吕必松认为,"每一门学科都有自己特定的研究对象,这种特定的研究对象就是这门学科的本体"。那么,"对外汉语教学的研究对象是作为第二语言的汉语教学,作为第二语言的汉语教学就是对外汉语教学研究的本体"。[3]

我们认为,几十年来,对外汉语教学这门学科的建设取得了长足的进步与巨大的发展。它由初始阶段探讨学科的命名,学科的性

---

[1] 参见陆俭明《汉语作为第二语言之本体研究》,载《作为第二语言的汉语本体研究》,外语教学与研究出版社 2005 年版。

[2] 参见陆俭明《增强学科意识,发展对外汉语教学》,《世界汉语教学》2004 年第 1 期。

[3] 参见吕必松《谈谈对外汉语教学的性质与对外汉语教学的本体理论研究》,载《语言教育与对外汉语教学》,外语教学与研究出版社 2005 年版。

质和特点,学科的定位、定性和定向,发展到今天,概括汉语作为第二语言教学需要而开展的服务于汉语教学的汉语本体研究,与教学研究互动结合已成为学科建设的主要内容,教学理论与学习理论研究,形成有力的双翼,加之现代教育技术的应用,从而最终构架并完善了学科体系。对外汉语教学作为第二语言教学或外语教学,经业内同仁几代人的苦心孤诣、惨淡经营,目前在世界上汉语作为第二语言教学领域已占主流地位,这是值得欣慰的。

对于学科建设上的不同意见,我们主张强调共识,求大同存小异。面对欣欣向荣、蓬勃发展的"汉语国际推广"的大好局面,共同搞好汉语作为第二语言教学的学科建设,以便为"致广大"的事业尽力,是学界同仁的共同愿望。因此,我们赞赏吕必松下面的意见,并希望能切实付诸学术讨论之中:

"我国对外汉语教学界在对外汉语教学的学科性质和特点等问题上一直存在着不同的意见。因为对外汉语教学是一门年轻的学科,学科理论还不太成熟,出现分歧在所难免。就是学科理论成熟之后,也还会出现新的分歧。开展不同意见的讨论和争论,有利于学科理论的发展。"[①]

三 关于汉语作为第二语言研究

汉语作为第二语言研究,不少人简称为"对外汉语研究"。比如上海师范大学创办的刊物就叫《对外汉语研究》,已由商务

[①] 参见吕必松《语言教育与对外汉语教学·前言》,外语教学与研究出版社2005年版。

印书馆于 2005 年出版了第一期。

1993 年,中共中央和国务院颁布了《中国教育改革和发展纲要》,里面提到要"大力加强对外汉语工作"。此后,在我国的学科目录上"对外汉语"专业作为学科的名称出现。

汉语作为一种语言,自然没有区分为"对外"和"对内"的道理,这是尽人皆知的。我们理解所谓的"对外汉语",其实质为"作为第二语言的汉语",也即"汉语作为第二语言"。它是与汉语作为母语相对而言的。在业内,在"对外汉语"的"名"与"实"的问题上,也存在着不同意见。我们认为,随着"汉语国际推广"大局的推进,"对外汉语教学"无论从内涵还是外延看都不能满足已经变化了的形势。我们主张从实质上去理解,也还因为"名无固宜","约定俗成"。

在这个问题上,我们同意刘珣早在 2000 年就阐释清楚的观点:"近年来出现了'对外汉语'一词。起初,连本学科的不少同仁也觉得这一术语难以接受。汉语只有一个,不存在'对外'或'对内'的不同汉语。但现在'对外汉语'已逐渐为较多的人所认同,而且已成为专业目录上我们专业的名称(专业代码050103)。这一术语的含义也许应理解为'作为第二语言教学与研究的汉语',也就是从一个新的角度来研究汉语。""对外汉语教学是汉语作为第二语言的教学,它与汉语作为母语的教学的巨大差别也体现在教学内容,即所要教的汉语上,这是从对外汉语教学事业初创阶段就为对外汉语教学界所重视的问题。"①

---

① 参见刘珣《近 20 年来对外汉语教育学科的理论建设》,《世界汉语教学》2000 年第 1 期。

汉语作为第二语言,这是对外汉语教学的主要内容,是要解决"教什么"的问题,故而对外汉语作为第二语言的研究就成为学科建设的极其重要的组成部分,随着国家"汉语国际推广"战略的提出,汉语作为第二语言教学,无论从学术研究上,还是从应用研究上,都会得到极大的提升,名实相副的情况,当会出现。

还有人从另一个新的角度,即世界汉语教育史的研究,阐释了作为第二语言的汉语研究之必要,张西平说:"世界汉语教育史是一个全新的研究领域。这一领域的开拓必将极大地拓宽我们汉语作为第二语言教学的研究范围,使学科有了深厚的历史根基。我们可以从汉语作为第二语言教学的悠久历史中总结、提升出真正属于汉语本身的规律。"①

那么,服务于对外汉语教学的汉语本体研究,或称作作为第二语言的汉语本体研究,其核心是什么呢?潘文国对此作出解释:所谓"对外汉语研究,应该是一种以对比为基础、以教学为目的、以外国人为对象的汉语本体研究"。②

我们认为,"对外汉语"作为一门科学,也是一门学科,首先应从本体上把握,研究它不同于其他学科的本质特点及其成系统、带规律的部分,这也就是"对外汉语研究",也就是汉语作为第二语言的研究。

这种汉语作为第二语言的研究,以及汉语作为第二语言的教学研究和汉语作为第二语言的学习研究,加之所有这些研究

---

① 参见张西平《简论世界汉语教育史的研究物件和方法》,载李向玉等主编《世界汉语教育史研究》,澳门理工学院2005年印制。

② 参见潘文国《论"对外汉语"的科学性》,《世界汉语教学》2004年第1期。

所依托的现代科技手段和现代教育技术,共同构筑了对外汉语教学研究的基本框架。这就是我们所说的本体论、方法论、认识论和工具论。①

从接受留学生最初的年月,对外汉语教学的前辈们就十分注意汉语作为第二语言的研究。这是因为"根本的问题是汉语研究问题,上课许多问题说不清,是因为基础研究不够"。也可以说"离开汉语研究,对外汉语教学就无法前进"。②

我们这里分别对作为第二语言的汉语语音、词汇、语法和汉字的研究与教学略作一番讨论,管中窥豹,明其现状,寻求改进。

(一) 作为第二语言的汉语语音

作为第二语言的汉语语音的研究与教学,近年来因诸多原因,重视不够,有滑坡现象,最明显的是语音教学阶段被缩短,以至于不复存在;但是初始阶段语音打不好基础,将会成为顽症,纠正起来难上加难。本来,对外汉语教学界曾有很好的语音教学与研究的传统,有不少至今仍可借鉴的研究成果,包括对汉语语音系统的研究和对《汉语拼音方案》的理解与应用,遗憾的是,近来的教材都对此重视不够。

比如赵元任先生那本《国语入门》,大部分是语音教学,然后慢慢地才转入其他。面对目前语音教学的局面,著名语音学家、对外汉语教学的前辈林焘先生发出了感慨:"发展到今天,语音

---

① 参见赵金铭《对外汉语研究的基本框架》,《世界汉语教学》2001年第3期。
② 参见朱德熙《在纪念〈语言教学与研究〉创刊10周年座谈会上的发言》,《语言教学与研究》1989年第3期。

已经一天一天被压缩,现在已经产生危机了。我们搞了52年,外国人说他们学语音还不如在国外。这说明我们在这方面也是太放松了,过于急于求成了,就把基础忘掉了。语音和文字是两个基础,起步我们靠这个起步;过于草率了,那么基础一没打稳,后边整个全过程都会受影响。"①加强语音教学是保证汉语教学质量的重要一环,无论是教材还是课堂教学,语音都不应被忽视。

(二)作为第二语言的汉语词汇

长期以来,在汉语作为第二语言教学中,比较重视语法教学,而在某种程度上却忽视了词汇教学的重要性,使得词汇研究和教学成为整个教学过程中的薄弱环节。

其实,在掌握了汉语的基本语法规则之后,还应有大量的词汇作基础,尤其应该掌握常用词的不同义项及其功能和用法,唯其如此,才能真正学会汉语,语法也才管用,这是因为词汇是语言的唯一实体,语法也只有依托词汇才得以存在。学过汉语的外国人都有这样的体会,汉语要一个词一个词地学,要掌握每一个词的用法,日积月累,最终才能掌握汉语。近年来,我们十分注意汉语词汇及其教学的研讨,尤其注重词汇的用法研究。

有两件标志性的事可资记载:

一是注重对外汉语学习词典的编纂研究。2005年在香港

---

① 参见林焘(2002)的座谈会发言,载《继往开来——新中国对外汉语教学52周年座谈会纪实》,北京语言大学内部资料。

城市大学召开了"对外汉语学习词典国际研讨会",其特色是强调计算语言学家和词典学家密切合作,依据语料库语言学编纂学习词典的思路,为对外汉语教学的词汇教学与学习服务,有力地推动了汉语的词汇研究与教学。

二是针对汉语词汇教学中的重点,特别是中、高级阶段,词义辨析及用法差异是教学之重点,学界努力打造一批近义词辨析词典,从释义、功能、用法方面详加讨论。例如《汉英双语常用近义词用法词典》《对外汉语常用词语对比例释》《汉语近义词词典》《1700对近义词语用法对比》。①

这些词典各有千秋,在释文、例证、用法、英译等方面各有特色,能在一定程度上满足汉语教学和学习者的需要。

(三) 作为第二语言的汉语语法

作为第二语言教学的汉语语法研究与语法教学研究,如果从数量上看一直占有最大的分量,这当然与它受到重视有关。近年来,汉语语法研究范围更加广泛,内容也更加细致、深入,结合教学的程度也更加紧密,达到了前所未有的高度。

首先,理清了理论语法与教学语法之关系,为汉语作为第二语言教学语法的研究理清了思路。理论语法是教学语法的来源与依据,教学语法的体系可灵活变通,以便于教学为准。目前,

---

① 参见邓守信主编《汉英双语常用近义词用法词典》,北京语言学院出版社1996年版;卢福波编著《对外汉语常用词语对比例释》,北京语言文化大学出版社2000年版;马燕华、庄莹编著《汉语近义词词典》,北京大学出版社2002年版;王还主编《汉语近义词词典》,北京语言大学出版社2005年版;杨寄洲、贾永芬编著《1700对近义词语用法对比》,北京语言大学出版社2005年版。

教学语法虽更多地吸收传统语法的研究成果,而一切科学的语法都会对汉语作为第二语言教学语法有帮助。教学语法是在不断地吸收各种语法研究成果中迈步、发展和不断完善的。

其次,对汉语作为第二语言的教学语法进行了科学的界定,即:第二语言的教学目的决定了教学语法的特点,它主要侧重于对语言现象的描写和对规律、用法的说明,以方便教学为主,也应具有规范性。

再次,学界认为应建立一部汉语作为第二语言教学的汉语教学参考语法,无论是编写教材,还是从事课堂教学,或是备课、批改作业,都应有一部详细描写汉语语法规则和用法的教学参考语法作为依据。其中应体现汉语作为第二语言教学的自己的语法体系,应有语法条目的确定与教学顺序的排序。

最后,应针对不同母语背景的教学对象,排列出不同的语法点及其教学顺序。事实证明,很难排出适用于各种母语学习者的共同的语法要点及其顺序表。

对欧美学生来说,受事主语句、存现句、主谓谓语句,以及时间、地点状语的位置,始终是学习的难点,同时也体现汉语语法特点。而带有普遍性的语法难点,则是"把"字句、各类补语以及时态助词"了""着"等。至于我们所认为的特殊句式,其实并非学习的难点,比如连动句、兼语句、"是"字句、"有"字句以及名词谓语句、形容词谓语句。这也是从多年教学中体味出的。

(四)汉字研究与教学

汉字教学是对外汉语教学的重要组成部分。然而,与其他汉语要素相比,汉字教学从研究到教学一直处于滞后状态。为了改变这一局面,除了加强对汉字教学的各个环节的研究之外,要突破汉字教学的瓶颈,首先应澄清对汉字的误解,建立起科学的汉字观。汉字本身是一个系统,字母本身也是一个系统。字母属于字母文字阶段,汉字属于古典文字阶段,它们是一个系统的两个阶段。这个概念的改变影响很大,这是科学的新认识。①当我们把汉字作为一个科学系统进行研究与教学时,要清醒地认识到汉字是汉语作为第二语言教学与其他第二语言教学的重要区别之一。在对外汉语教学中,究竟采用笔画、笔顺教学,还是以部件教学为主,或是注重部首教学,抑或是从独体到合体的整字教学,都有待于通过教学试验,取得相应的数据,寻求理论支撑,编出适用的教材,寻求汉字教学的突破口,从而使汉语书面语教学质量大幅度提高。与汉字教学相关的还应注意"语"与"文"的关系之探讨,字与词的关系的研究,以及汉语教材与汉字教材的配套,听说与读写之关系等问题的研究。

四 关于汉语作为第二语言教学研究

我们所说的教学研究,包括以下五个部分:课程教学设计、教学方法与教学技巧、教材编写理论与实践、语言测试理论与汉语考试、跨学科研究之一——现代教育技术在教学中的应用。

(一) 关于教学模式研究

近年来,对外汉语教学界尤其注重教学模式的研究,寻求教

---

① 参见周有光《百岁老人周有光答客问》,《中华读书报》2005年1月22日。

学模式的创新。什么是教学模式？教学模式是指具有典型意义的、标准化的教学或学习范式。

具体地说,教学模式是在一定的教学理论和教学思想指导下,将教学诸要素科学地组成稳固的教学程序,运用恰当的教学策略,在特定的学习环境中,规范教学课程中的种种活动,使学习得以产生。① 更加概括简洁的说法则为:教学模式,指课程的设计方式和教学的基本方法。②

教学模式具有不同的类型。我们所说的对外汉语教学模式,就是从汉语和汉字的特点及汉语应用的特点出发,结合汉语作为第二语言的教学理论,遵循大纲的要求,提出一个全面的教学规划和实施方案,使教学得到最优化的组合,产生最好的教学效果。这是一种把汉语作为第二语言教学的特定的教学模式。

教学模式研究表现在课程设计上,业内主要围绕着"语"和"文"的分合问题而展开,由来已久,且持续至今。

早在1965年,由钟梫执笔整理成文的《十五年汉语教学总结》就对"语"与"文"的分合及汉字问题进行了讨论。③ 当时提出三个问题：

1. 有没有学生根本不必接触汉字,完全用拼音字母学汉语？即学生只学口语,不学汉字。当时普遍认为,这种学生根本不必接触汉字。

---

① 参见周淑清《初中英语教学模式研究》,北京语言大学出版社2004年版。
② 参见崔永华《基础汉语教学模式的改革》,《世界汉语教学》1999年第1期。
③ 参见钟梫(1965)《十五年汉语教学总结》,载《语言教学与研究》(试刊,第4期,1977年内部印刷),又收入盛炎、砂砾编《对外汉语教学论文选评》,北京语言学院出版社1993年版。

2. 需要认汉字的学生是否一定要写汉字？即"认"与"写"的关系。一种意见认为不写汉字势必难以记住，"写"是必要的；另一种意见认为，"认离不开写"这一论点根本上不能成立，即不能说非动笔写而后才能认，也就是说"认"和"写"可以分离。

3. 需要认（或认、写）汉字的学生是不是可以先学"语"后学"文"呢？后人的结论是否定了"先语后文"，采用了"语文并进"。而"认汉字"与"写汉字"也一直是同步进行的。

这种"语文并进""认写同步"的教学模式，从上世纪50年代起一直是占主流的教学模式，延续至今。80年代以后，大多沿用以下三种传统教学模式："讲练—复练"模式，"讲练—复练＋小四门（说话、听力、阅读、写作）"模式，"分技能教学"模式。

目前，对外汉语教学界广泛使用的是一种分技能教学模式，以结构—功能的框架安排教学内容，采用交际法和听说法相结合的综合教学法。这种教学模式大约在80年代定型。

总的看来，对外汉语教学界所采用的教学模式略显单调，似嫌陈旧。崔永华认为："从总体上看，这种模式反映的是60年代至70年代国际语言教学的认识水平。30年来，国内外在语言学、第二语言教学、语言心理学、语言习得研究、语言认知研究等跟语言教学相关的领域中都取得了巨大的进步，研究和实验成果不可计数。但是由于种种原因，目前的教学模式对此吸收甚少。"[1]

这种局面应该改变，今后，应在寻求反映汉语和汉字特点的教学模式的创新上下功夫，特别要提升汉字教学的地位，特别要

---

[1] 参见崔永华《基础汉语教学模式的改革》，《世界汉语教学》1999年第1期。

注意语言技能之间的平衡,大力加强书面语教学,着力编写与之相匹配、相适应的教材,进行新的教学实验,切实提高汉语的教学质量。

(二)教学法研究

教学方法研究至关重要。"用不同的方法教外语,收效可以悬殊。"①对外汉语教学界历来十分注重教学方法的探讨。早在1965年之前,对外汉语教学界就创造了"相对的直接法"的教学方法,强调精讲多练,加强学生的实践活动。同时,通过大量的练习,画龙点睛式地归纳语法。②

但是,对外汉语教学还是一个年轻的学科,教学法的研究多借鉴国内外语教学法的研究,这也是很自然的事情。而国内外语教学法的研究,又是跟着国外英语教学法的发展亦步亦趋。有人这样描述:

"纵观20世纪国外英语教学法历史,对比当前主宰中国英语教学的各种模式,不难发现很多早被国外唾弃的做法或理念,却仍然被我们的英语老师墨守成规地紧追不放。"③

对外汉语教学界也有类似情况。在上个世纪70年代,当我们大力推广"听说法",强调对外汉语教学应"听说领先"时,这个产生于40年代末的教学法,已并非一家独尊。潮流所向,人们

---

① 参见吕叔湘《语言与语言研究》,载《语文近著》,上海教育出版社1987年版。
② 参见钟梫(1965)《十五年汉语教学总结》,载《语言教学与研究》(试刊,第4期,1977年内部印刷),又收入盛炎、砂砾编《对外汉语教学论文选评》,北京语言学院出版社1993年版。
③ 参见丁杰《英语到底如何教》,《光明日报》2005年9月14日。

已不再追求最佳教学法,而转向探讨各种有效的教学法路子。70年代至80年代,当我们在教学中引进行为主义,致力于推行"结构法"和"句型操练"之时,实际上行为主义在国际上已逐渐式微,而代之以基于认知心理学的"以学生为中心"的认知法。

在国际外语教学界,以结构为主的传统教学法与以交际为目的的功能教学法交替主宰语言教学领域之后,80年代末至90年代初,在英语教学领域"互动性综合教学法"便应运而生,盛行一时。所谓综合,偏重的是内容;所谓互动,强调的是方法。①

90年代末,体现这种互动关系的任务式语言教学模式在欧美逐渐兴盛起来。这种教学方法的基本理论可概括为:通过"任务"这一教学手段,让学习者在实际交际中学会表达思想,在过程中不断接触新的语言形式并发展自己的语言系统。

任务法是交际教学法中提倡学生"通过运用语言来学习语言",这一强势交际理论的体现,突出之处是"用中学",而不是以往交际法所强调的"学以致用"。

这种通过让学生完成语言任务来习得语言的模式,既符合语言习得规律,又极大地调动了学习者学习的积极性,本身也具有极强的实践操作性。因此,很受教师和学生的欢迎。以至于"20世纪末、21世纪初在应用语言学上可被称为任务时代"。②

在我国英语教学界,人民教育出版社于2001年遵循任务型教学理念编写并出版了初中英语新教材《新目标英语》,并在若干中学进行教学模式试验,取得了可喜的成绩。在对外汉语教

---

① 参见王晓钧《互动性教学策略及教材编写》,《世界汉语教学》2005年第3期。

② 参见周淑清《初中英语教学模式研究》,北京语言大学出版社2004年版。

学界,马箭飞基于任务式大纲从交际范畴、交际话题和任务特性三个层次对汉语交际任务项目进行分类,提出建立以汉语交际任务为教学组织单位的新教学模式的设想,并编有教材《汉语口语速成》(共五册)。①

这种交际教学理论在教学中被不断应用,影响所及,所谓"过程写作"教学即其一。"写"是重要的语言技能之一,"过程写作法"认为:写作是一个循环式的心理认知过程、思维创作过程和社会交互过程。写作者必须通过写作过程的一系列认知、交互活动来提高自己的认知能力、交互能力和书面表达能力。②

过程写作的宗旨是:任何写作学习都是一个渐进的过程。这个过程需要教师的监督指导,更需要通过学生自身在这个过程中对文章立意、结构及语言的有意学习。由过程写作引发而建立起来的过程教学法理论,也对第二语言教学的大纲设计、语法教学、篇章分析等产生了深刻的影响。③

交际语言教学理论的另一个发展,是近几年来在西方渐渐兴起的体验式教学。这种教学法的特点是把文化行为训练纳入对外汉语教学之中,而不主张单纯从语言交际角度看待外语教学。在整个教学过程中,自始至终贯穿着"角色"和"情景"的观念。2005年,我国高等教育出版社出版有陈作宏、田艳编写的《体验汉语》系列教材,是这种理念的一次尝试。

---

① 参见马箭飞《任务式大纲与汉语交际任务》,《语言教学与研究》2002年第4期。
② 参见陈玟《教学模式与写作水平的相互作用——英语写作"结果法"与"过程法"对比实验研究》,《外语教学与研究》2005年第6期。
③ 参见杨俐《过程写作的实践与理论》,《世界汉语教学》2004年第1期。

今天，在教学法研究中人们更注重过程，外语教学是个过程，汉语作为第二语言教学也是一个过程。过程是组织外语教学不可忽视的因素。桂诗春说："在70年代之前，人们认为提高外语教学质量的关键是教学方法，后来才发现教学方法只是起局部的作用。"[①]我们已经认识到并接受了这样的观点。

现在我们可以说，汉语作为第二语言教学在教学法研究方面，我们已经同世界上同类学科的研究相同步。

(三) 教材研究与创新

教材的创新已经提出多年，教材也已编出上千种，但无论是数量还是质量均不能完全满足世界上学习汉语的热切需求。今后的教材编写，依然应该遵循过去总结出来的几项原则：(1)要讲求科学性。教材应充分体现汉语和汉字的特点，突破汉字教学的瓶颈，要符合语言学习规律和语言教学规律。体系科学，体例新颖。(2)要讲求针对性。教材要适应不同国家(地区)学习者的特点，特别要注意语言与文化两方面的对应性。不同的国家(地区)有不同的文化、不同的国情与地方色彩，要特别加强教材的文化适应性。因为"语言是文化的符号，文化是语言的管轨"[②]，二者相辅相成。因此，编写国别教材与地区教材，采取中外合编的方式，是今后的发展方向。(3)要讲求趣味性。我们主张教材的内容驱动的魅力，即进一步提升教材内容对学习者的驱动魅力。有吸引力的语言材料可以引起学习者浓厚的学习兴

---

① 参见桂诗春《外国语言学及应用语言学研究》第一辑发刊词，首都师范大学外国语学院主办，中央编译出版社2002年版。
② 参见邢福义《文化语言学·序》，湖北教育出版社2000年版。

趣。要靠教材语言内容的深厚内涵,使人增长知识,启迪学习;要靠教材的兴味,使人愉悦,从而乐于学下去。(4)要注重泛读教材的编写。要保证书面语教学质量的提高,必须编有大量的、适合各学习阶段的泛读教材。远在 1956 年以前就曾有人提出"学习任何一种外语都离不开泛读"。认为"精读给最必需的、要求掌握得比较牢固的东西,泛读则可以让学生扩大接触面,通过大量、反复阅读,也可以巩固基本熟巧"。① 遗憾的是,长期以来,我们忽视了泛读教材的建设。

(四) 汉语测试研究

语言测试应包括语言学习能力测试、语言学习成绩测试和语言水平测试。前两种测试的研究相对薄弱。学能测试多用于分班,成绩测试多由教师自行实施。而汉语水平考试(HSK)取得了可观的成绩,让世界瞩目。HSK 是一项科学化程度很高的标准化考试。评价一个考试的科学化程度,最关键的是看它的信度和效度。所谓信度,就是考试的可靠性。一个考生在一定的时段内无论参加几次 HSK 考试,成绩都是稳定的,这就是信度高。所谓效度,就是能有效地测出考生真实的语言能力。HSK 信守每一道题都必须经过预测,然后依照区分度选取合适的题目,从而保证了试卷的科学水准。目前,国家汉办又开发研制了四项专项考试:HSK(少儿)、HSK(商务)、HSK(文秘)、HSK(旅游)。这些考试将类似国外的

---

① 参见钟梫(1965)《十五年汉语教学总结》,载《语言教学与研究》(试刊,第 4 期,1977 年内部印刷),又收入盛炎、砂砾编《对外汉语教学论文选评》,北京语言学院出版社 1993 年版。

TOEIC。HSK作为主干考试,测出考生汉语水平,可作为入学考试的依据。而四个分支考试,是一种语言能力考试,它将测出外国人在特殊职业环境中运用语言的能力。主干考试与分支考试形成科学的十字结构。目前,HSK正致力于改革,在保证科学性的前提下,考虑学习者的广泛需求,鼓励更多的人参加考试,努力提高汉语学习者的兴趣,吸引更多的人学习汉语,以适应汉语国际推广的需要。与此同时,"汉语水平计算机辅助自适应考试"正在研制中。

(五)跨学科研究

近十几年来,对外汉语教学界的跨学科研究意识越来越强烈,集中表现在两个方面。一方面是与心理学、教育学等相结合进行的学习研究。另一方面便是与信息科学和现代教育技术的结合,突出体现在对外汉语计算机辅助教学的研究与开发上。

对外汉语计算机辅助教学是个大概念。我们可以从三个不同的角度来观察。

一是中文信息处理与对外汉语教学。研究重点是以计算语言学和语料库语言学为指导,研究并开发与对外汉语教学相关的语料库,如汉语中介语语料库、对外汉语多媒体素材库和资源库,以及汉语测试题库等。这些库的建成,有力地推动了教学与研究的开展。

二是计算机辅助汉语教学,包括在多媒体条件下,对学习过程和教学资源进行设计、开发、运用、管理和评估的理论与实践,比如多媒体课堂教学的理论与实践,多媒体教材的编写与制作,多媒体汉语课件的开发与运用。这一切给传统的教学与学习带来一场革命,运用得当,师生互动互利,教学效果会明显提高。目前国家对外汉语教学领导小组办公室正陆续推出的重大项目《长城汉语》,就是一种立体化的多媒体系列教材。

三是对外汉语教学网站的建立和网络教学的研究与开发。诸如远程教学课件的设计、网络教学中师生的交互作用等,都是研究的课题。中美网络语言教学项目所研制的《乘风汉语》是目前网络教材的代表作。

所有这一切都离不开对现代教育技术的依托。诸如影视技术、多媒体技术、网络技术以及虚拟现实技术等在教学与研究中都有广泛应用。

放眼未来,人们越来越认识到计算机辅助教学的作用与前景。当然,与此同时,仍然应当注重面授的优势与不可替代性。教师的素质、教师的水平、教师的指导作用仍然不容忽视,并有待不断提高。

五 关于汉语作为第二语言的学习研究

20世纪90年代,对外汉语教学学科理论研究的一个重要进展是开拓了语言习得理论的研究。① 近年来汉语习得研究更显上升趋势。

中国的对外汉语教学中的学习研究,因诸多因素,起步较晚。80年代初期,国外有关第二语言习得理论开始逐渐被引

---

① 参见李泉《对外汉语教学学科理论研究概述》,载《对外汉语教学理论思考》,教育科学出版社2005年版。

进,对外汉语教学研究的重心也逐步从重视"教"转向对"学"的研究。回顾近 20 年来对外汉语教学领域的第二语言习得研究,主要集中于四个方面:汉语偏误分析、汉语中介语研究、汉语作为第二语言的习得过程研究、汉语习得的认知研究。而从学习者的外部因素、内部因素以及学习者的个体差异三个侧面对学习者进行研究,还略嫌薄弱。

学习研究是逐步发展起来的,徐子亮将 20 年的对外汉语学习理论研究历史划分为三个阶段:1992 年以前,在语言对比分析的基础上,致力于外国人学汉语的偏误分析;1992—1997 年,基于中介语理论研究的偏误分析成为热点,并开始转向语言习得过程的研究;1998—2002 年,在原有基础上研究深化、角度拓展,出现了学习策略和学习心理等研究成果。研究方法向多样化和科学化方向发展。[①]

汉语认知研究与汉语习得研究是两个并不相同的研究领域。对外汉语教学的汉语认知研究是对把汉语作为第二语言的学习者的汉语认知研究(或简称非母语的汉语认知研究)。国内此类研究始于 20 世纪 90 年代后期,20 世纪 90 年代末和本世纪初是一个成果比较集中的时期。因其使用严格的心理实验方法,研究范围包括:学习策略的研究、认知语言学基本理论的研究、汉语隐喻现象研究、认知域的研究、认知图式的研究、语境和语言理解的研究等。[②] 我国心理学界做了不少母

---

① 参见徐子亮《对外汉语学习理论研究二十年》,《世界汉语教学》2004 年第 4 期。

② 参见崔永华《二十年来对外汉语教学研究热点回顾》,《语言文字应用》2005 年第 1 期。

语为汉语者的汉语认知研究,英语教学界也做了一些外语的认知研究,而汉语作为第二语言的学习者的汉语认知研究,还有待深入。

语言学习理论的研究方法是跨学科的。彭聃龄认为:"语言学习是一个极其复杂的过程,其自变量、因变量的关系必须通过实验法和测验法相结合来求得。实验可求得因果,测验能求得相关,两者结合才能得出可靠的结论。"①

汉语作为第二语言的习得与认知研究,以理论为导向的实验研究已初见成果。与国外同类研究相比,我们的研究领域还不够宽,研究的深度也有待提高。在研究方法上,经验式的研究还比较多,理论研究比较少;举例式研究比较多,定量统计分析少;归纳式研究多,实验研究少。总之,与国外第二语言习得与认知研究相比,我们还有许多工作要做。②

今后,对外汉语学习理论研究作为一个可持续发展的领域,还必须在下列方面进行努力:(1)突出汉语特点的语言学习理论研究;(2)加强跨学科研究;(3)研究视角的多维度、内容的丰富与深化;(4)研究方法改进与完善;(5)理论研究成果在教学实践中的应用。③

这五个方面的努力,会使学习理论研究这个很有发展前景

---

① 参见《语言学习理论座谈会纪要》,载《世界汉语教学》编辑部、《语言文字应用》编辑部、《语言教学与研究》编辑部合编《语言学习理论研究》,北京语言学院出版社 1994 年版。

② 参见王建勤《汉语作为第二语言的习得研究·前言》,北京语言文化大学出版社 1997 年版。

③ 参见徐子亮《对外汉语学习理论研究二十年》,《世界汉语教学》2004 年第 4 期。

的领域,为进一步丰富学科基础理论发挥重要作用。

六　回首·检视·瞻念

(一) 回首

回首近十几年来,正是对外汉语教学如火如荼蓬勃发展的时期,学科建设取得了令人瞩目的成绩。赅括言之如下:

1. 明确了对外汉语教学的学科定位,对外汉语教学在国内是汉语作为第二语言教学,在国外(境外)是汉语作为外语教学。目前,汉语国际推广的大旗已经揭起,作为国家战略发展的软实力建设之一,随着国际汉语学习需求的激增,原有的对外汉语教学的理念、教材、教法以及师资队伍等,都将面临新的挑战,自然也是难得之机遇。我们经过几十年的努力所建立起的汉语作为第二语言教学学科的覆盖面会更宽,对学科理论体系的研究更加自觉,学科意识更加强烈。

2. 对外汉语教学开辟了新的研究领域。重要的进展就是开拓了语言习得与认知理论的研究,确立了对外汉语研究的基本框架,即:作为第二语言教学的汉语本体研究(本体论)、作为第二语言的汉语认知与习得研究(认识论)、作为第二语言教学的教学理论和教学法研究(方法论)、现代科技手段与现代教育技术在教学与研究中的应用(工具论),在此基础上规划了学科建设的基本任务。

3. 更加清醒地认识到要不断更新教学理念,特别是教材编写、教学法以及汉语测试要有新的突破。要深化汉语作为第二语言教学的教学模式与教学方法的探索,加强教学实验,以满足世界上广泛、多样的学习需求。更加强教材的国别(地区)性、适应性与可接受性研究,不断创新,以适应汉语国际推广的各种模式。要加强语言测试研究,结合世界上汉语学习的多元化需求,努力开发目的明确、针对性强、适合考生心理、设计原理和方法科学、符合现代语言教学和语言测试发展趋势的多类型、多层次的考试。

4. 跨学科意识明显加强,汉语作为第二语言教学与相关学科的结合更加密切,不同类型语言教育的对比与综合研究开始引起注意,在共性研究中发展个性研究。跨学科研究特别表现在现代教育技术与多媒体技术在教学中的广泛应用,以及心理学研究与汉语作为第二语言教学研究的联手,共同研究汉语作为第二语言的认知与习得过程、习得顺序、习得规律。

5. 不断吸收世界第二语言教学的研究成果,与国外第二语言教学理论的结合更加密切,"新世纪对外汉语教学——海内外的互动与互补"学术演讲讨论会的召开即是标志[①],"互动互补"既非一方"接轨"于另一方,亦非一方"适应"另一方,而是互相借鉴、相互启发,但各有特色,各自"适应"。就国内汉语教学来说,今后还应不断借鉴国内外语言教学与研究的先进成果,充分结合汉语的特点,为我所用。

(二) 检视

在充分肯定汉语作为第二语言学科建设突出发展的同时,

---

① 北京语言大学科研处《"新世纪对外汉语教学——海内外的互动与互补"学术演讲讨论会举行》,《世界汉语教学》2005 年第 1 期。

检视学科建设之不足,我们发现在学科理论、学科建设、教材建设、课堂教学与师资队伍建设上均存在尚待解决的问题。从目前汉语国际推广的迅猛态势出发,教学问题与师资问题是为当务之急。

1. 关于教学。

目前,汉语作为第二语言的课堂教学依然是以面授为主,绝大多数学习者还是通过课堂学会汉语。检视多年来的课堂教学,总体看来,教学方法过于陈旧,以传统教法为主,多倾向于以教师为主,缺乏灵活多变的教学路数与教学技巧。我们虽不乏优秀的对外汉语教师以及堪称范式的课堂教学,但值得改进的地方依然不少。李泉在经过详细地调查后发现的问题,值得我们深思。他归结为四点:(1)教学方式上普遍存在"以讲解为主"的现象;(2)教学原则上对"精讲多练"有片面理解现象;(3)课程设置上存在"重视精读,轻视泛读"现象;(4)教学内容上仍存在"以文学作品为主"现象。①

改进之方法,归结为一点,就是加强"教学意识"。我们赞成这样的观点:

"对外汉语是门跨文化的学科,不同专业的教师只要提高教学意识,包括学科意识、学习和研究意识、自尊自重的意识,就一定能把课上好。"②

2. 关于师资。

---

① 参见李泉《对外汉语教学理论和实践的若干问题》,载赵金铭主编《对外汉语教学研究的跨学科探索》,北京语言大学出版社 2003 年版。

② 参见陆俭明《汉语作为第二语言之本体研究》,载《作为第二语言的汉语本体研究》,外语教学与研究出版社 2005 年版。

对外汉语教学事业发展至今,已形成跨学科、多层次、多类型的教学活动,因之要求对外汉语教师也应该是多面手,在研究领域和研究内容上也应该是宽阔而深入的。

据国家汉办统计,目前中国获得对外汉语教师资格证书的共3 690人,国内从事对外汉语教学的专职、兼职教师共计约6 000人。其中不少人未经严格训练,仓促上阵者不在少数。以至外界这样认为:"很多高校留学生部的教师都是非专业的,没有受过专业训练,更没有搞过语言教学,其教学效果可想而知。"①而在国际上,情况更为不堪,简直是汉语教师奇缺,于是人们感叹,汉语教学落后于"汉语热"的发展,全球中文热引起了"中文教师荒",成为汉语国际推广的瓶颈。

据调查,我们认为,在教学实践中带有普遍性的问题,还是教师没能充分了解并掌握汉语作为第二语言教学的特点和规律,或缺乏作为一名语言教师的基本素质,没有掌握汉语作为第二语言教学的方法与技巧。其具体表现正如李泉在作了充分的观察与了解之后所描述的现象,诸如:忽视学习者的主体地位,忽视对学习者的了解,忽视教学语言的可接受性,忽视教学活动的可预知性,缺乏平等观念和包容意识。②

什么是合格的对外汉语教师,已经有很多讨论。国外也同样注重语言教师的素质问题,如,2002年美国国会通过了 No Child Left Behind(《没有一个孩子掉队》)的新联邦法。于是,

---

① 参见许光华《"汉语热"的冷思考——兼谈对外汉语教学》,《学术界》2005年第4期。

② 参见李泉《对外汉语教学理论和实践的若干问题》,载赵金铭主编《对外汉语教学研究的跨学科探索》,北京语言大学出版社2003年版。

各州都以此制定教师培训计划,举国上下都讨论什么样的教师是合格、称职的教师。①

我们可以说,教好汉语,不让一个学习汉语的学生掉队,这是对教师的最高要求。

(三) 瞻念

当今旬旬盛世,汉语国际推广的前景已经显露出曙光,我们充满信心,也深感历史责任的重大。汉语国际推广作为国家和民族的一项事业,是国家的战略决策,是国家的大政方针。而汉语作为第二语言教学,或汉语作为外语教学,则是一门学科。作为学科,它是一门科学,它是一项复杂的系统工程,要进行跨学科的、全方位的研究。在不断引进国外先进的教学理念的同时,努力挖掘汉语和汉字的特点,创新我们自己的汉语作为第二语言的教学模式和教学法。我们要以自己的研究,向世人显示出汉语作为世界上使用人口最多的一种古老的语言,像世界上任何一种语言一样,可以教好,可以学好,汉语并不难学。我们认为,要达此目的,重要的是要转变观念,善于换位思考,让不同的思维方式互相渗透和交融,共同建设好学科,做好推广。

1. 开阔视野,放眼世界学习汉语的广大人群。

多年来,我们的对外汉语教学是面向来华留学生的。今后,随着国家汉语国际推广的展开,在做好来华留学生汉语教学的同时,我们要放眼全球,更加关注世界各地的3 000万汉语学习者,要真正地走出去,走到世界上要求学习汉语的人们中去,带

---

① 参见丁杰《英语到底如何教》,《光明日报》2005年9月14日。

着他们认同的教材,以适应他们的教学法,去满足他们多样化的学习需求。这是一种观念的转变。

与此同时,我们应建立一种"大华语"的概念。比如我国台湾地区人们所说的国语,新加坡的官方语言之一华语,以及世界各地华人社区所说的带有方言味道的汉语,统统归入大华语的范畴。这样做的好处首先在于有助于增强世界华人的凝聚力和认同感;其次更有助于推进世界范围的汉语教学。我们的研究范围大为拓展,不仅是国内的汉语作为第二语言教学,还包括世界各地的汉语作为外语教学。

2. 关注学习对象的更迭。

对外汉语教学的对象是来华留学生,他们是心智成熟、有文化、母语非汉语的成年人。当汉语走向世界,面向世界各地的汉语学习者,他们的构成成分可能十分繁杂。其中可能有心智正处于发育之中的青少年,可能有文化程度不甚高的市民,也可能有家庭主妇,当然更不乏各种希望了解中国或谋求职业的学习者。我们不仅面向大学,更要面向中、小学,甚至是学龄前的儿童。从学习目的上看,未来的汉语学习者中,为研究目的而学习汉语的应该是少数,绝大多数的汉语学习者都抱有实用的目的。

3. 注意学习环境的变化。

外国人在中国学习汉语,是处在一个目的语的环境之中,耳濡目染,朝夕相处,具有良好的交际环境。世界各地的汉语学习者在自己的国家学习汉语是母语环境,需要设置场景,才能贯彻"学以致用"或"用中学"。学习环境对一个人的语言学习会产生重大影响,比如关涉到口语的水平、词汇量的多寡、所见语言现象的丰富与否、学习兴趣的激发与保持等。特别是不同的学习环境会在文化距离、民族心理、传统习惯等方面显示更大的差距,这又会对学习者的心理产生巨大的影响。于是,这就涉及教材内容的针对性问题。我们所主张的编写国别(地区)教材,可能某些教材使用的人数不一定多,但作为一个泱泱大国,向世界推广自己的民族语言时,应关注各种不同国家(地区)的汉语学习者的心态。

4. 教学理念的更新与教学法的适应性。

对国内来华留学生的汉语教学,囿于国内的语言环境及所受传统语言教学法的影响,课堂上常以教师为主,过多地依赖教材,课堂教学模式僵化,教学方法放不开,不够灵活多变。在国外,外语教学历史较长,理论纷呈,教学法流派众多,教学中多以学生为主,不十分拘泥教材,强调师生互动,教师要能随机应变。

一般说来,在东方的一些汉字文化圈国家如东北亚的日、韩等国,以及海外华人社区或以华人为主的教学单位,我们的教学理念与教学方法基本上可以适应,变化不甚明显。在西方,在欧美,特别是在北美地区,因语言和文化传统差异较大,我们在国内采用的教学方法在那里很难适应,必须做相应的改变,入乡随俗,以适应那里的汉语教学。

5. 汉语国际推广:普及为主兼及提高。

新中国的对外汉语教学已经走过55个春秋。多年来,我们一直竭力致力于汉语作为第二语言教学的学科建设,重视学科基础理论的扎实稳妥,扩大、拓宽学科的研究领域,搭建对外汉语教学的基本框架,探讨教学理论和学习理论,这一切都在改变社会上认为对外汉语教学"凡会说汉语都能教"以及对外汉语教学是"小儿科"等错误看法。而今,汉语作为第二语言教学已经成为一门新兴的、边缘性的、跨学科的科学,研究日益精深,已成"显学"。今天,我们已经可以与国际上第二语言教学界的同行对话,在世界上成为汉语作为第二语言教学的主流。目前,随着国家发展战略目标的建设,汉语正加速走向世界,我们要面向世界各地的3000万汉语学习者。这将不仅仅是从事国内对外汉语教学的几千名教师的责任与义务,更是全民的事业,是民族的大业,故而需要千军万马,官民并举,千方百计,全力推进。面对这种局面,首先是普及性的教学,也就是首先需要的是"下里巴人",而不是"阳春白雪"。我们要在过去反复强调并身体力行地注重对外汉语教学的科学性、系统性、完整性的同时,更加注重世界各地汉语教学的大众化、普及性与可接受性。因此,无论是教材、教学大纲还是汉语考试大纲,首先要考虑的是普及,是面向大众,因为事实上,目前我们仍然是汉语教学市场的培育阶段,要想尽办法让世界上更多的人接触汉语、学习汉语,在此基础上,才能培养出更多的高水平的国际汉语人才,也只有在此基础上才能"尽精微",加深研究,不断提高。

七 关于研究书系

恰是香港回归祖国那一年,当时的北京语言文化大学编辑、出版了一套《对外汉语教学研究丛书》,凡九册。总结、归纳了该校对外汉语教师在这块难以垦殖的处女地上,几十年风风雨雨,辛勤耕耘所取得的成果。这是一定范围内一个历史阶段的成果,不是结论,更不是终结。至今,八易春秋,世界发生了巨大的变化,祖国更加繁荣、富强,对外汉语教学,正向汉语国际推广转变,这项国家和民族的事业获得了空前的大发展,也面临着重大的机遇与挑战。

目前,多元文化架构下的"大华语"教学的新格局正逐渐形成,汉语国际推广正全面铺开。欣逢其时,具有百年历史的商务印书馆以其远见卓识,组织编纂"对外汉语教学专题研究书系",计七个系列,22种书,涵盖对外汉语教学研究的方方面面。所涉研究成果虽以近十年来为主,亦不排斥前此有代表性的、具有影响的论文。该书系可谓对外汉语教学成果50年来的大检阅。从中不难看出,对外汉语教学作为一个学科,内涵更加丰富,体系更加完备,视野更加开阔,范围更加广泛,研究理念更加先进,研究成果更加丰厚。汉语作为第二语言教学作为一门科学,已跻身于世界第二语言教学之林,或曰已取得与世界第二语言教学同行对话的话语权。

"对外汉语教学专题研究书系"的七个系列及其主编如下:
1. 对外汉语教学学科理论研究

  主编:中国人民大学 李泉

  《对外汉语教学学科理论研究》

  《对外汉语教学理论研究》

  《对外汉语教材研究》

  《对外汉语课程、大纲与教学模式研究》

2. 对外汉语课程教学研究

  主编:北京大学 李晓琪

  《对外汉语听力教学研究》

  《对外汉语口语教学研究》

  《对外汉语阅读与写作教学研究》

《对外汉语综合课教学研究》

《对外汉语文化教学研究》

3. 对外汉语语言要素及其教学研究

   主编:北京语言大学　孙德金

   《对外汉语语音及语音教学研究》

   《对外汉语词汇及词汇教学研究》

   《对外汉语语法及语法教学研究》

   《对外汉字教学研究》

4. 汉语作为第二语言的学习者习得与认知研究

   主编:北京语言大学　王建勤

   《汉语作为第二语言的学习者语言系统研究》

   《汉语作为第二语言的学习者习得过程研究》

   《汉语作为第二语言的学习者与汉语认知研究》

5. 语言测试理论及汉语测试研究

   主编:北京语言大学　张凯

   《汉语水平考试(HSK)研究》

   《语言测试理论及汉语测试研究》

6. 对外汉语教师素质与教学技能研究

   主编:北京师范大学　张和生

   《对外汉语教师素质与教师培训研究》

   《对外汉语课堂教学技巧研究》

7. 对外汉语计算机辅助教学研究

   主编:北京语言大学　郑艳群

   《对外汉语计算机辅助教学的理论研究》

   《对外汉语计算机辅助教学的实践研究》

这套研究书系由北京语言大学、北京大学、北京师范大学和中国人民大学的对外汉语教师共同协作完成,赵金铭任总主编。各系列的主编都是我国对外汉语教学界的教授,他们春秋鼎盛,既有丰富的教学经验,又有个人的独特的研究成果。他们几乎是穷尽性地搜集各自研究系列的研究成果,涉于繁,出以简,中正筛选,认真梳理,以成系统。可以说从传统的研究,到改进后的研究,再到创新性的研究,一路走来,约略窥测出本领域的研究脉络。从研究理念,到研究方法,再到研究手段,层层展开,如剥春笋。诸位主编殚精竭虑,革故鼎新,无非想"囊括大典,网罗众家",把最好的研究成果遴选出来,奉献给读者。为了出好这套书系,世界汉语教学学会陆俭明会长负责审订了全书。在此,向他们谨致谢忱。

我们要特别感谢商务印书馆对这套书系的大力支持,从总经理杨德炎先生到总经理助理周洪波先生,对书系给予了极大的关怀和帮助。诸位责编更是日夜操劳,付出了极大的辛苦,我们全体编者向他们致以深深的谢意。

书中自有取舍失当或疏漏、错误之处,敬请读者不吝指正。

2005 年 12 月 20 日

综　述

王　建　勤

　　上世纪 70 年代,对比分析衰落,偏误分析代之而起,并兴盛一时。虽然偏误分析不是什么新理论,但它是第一个关于第二语言学习者语言系统的研究方法。它不仅为研究者描写第二语言学习者的习得过程打开了一个窗口,而且提出了一套描写和分析学习者偏误的程序和方法。因此,偏误分析成为第二语言习得研究公认的一部分。但由于偏误分析在研究方法以及研究范围上的不足和局限,70 年代后开始衰落。然而,有学者认为,目前(80 年代末,90 年代初)有迹象表明,偏误分析开始复苏。事实上,偏误分析的方法一直在继续运用,仍然具有生命力,而且常常和其他分析方法结合在一起。① 这一事实在本书收集的大量的汉语偏误分析研究中也有所体现。

　　中介语理论在 70 年代是继偏误分析之后,影响最大的第二语言习得理论。后来的一些理论大都受到中介语理论的影响。无论是偏误分析还是中介语理论,二者有一个共同点,即二者都是关于第二语言学习者语言系统的研究。本书所收的文章主要

---

　　① 参见 Ellis *The Study of Second Language Acquisition*. Oxford University Press,1994,p.69。

是这两方面的研究。本文仅就这两方面的研究作一简要评述。

一 偏误分析研究的现状与发展

1. 汉语语音偏误分析

关于外国学生汉语语音偏误分析的研究，从研究对象上看，大致有两类：一类是关于外国学生汉语音素偏误的研究，一类是关于外国学生汉语声调偏误的研究。在第一类研究中，一种研究是从发音的角度来考察和分析学习者语音偏误（蔡整莹、曹文，2002），[①]另一种研究则是从语音知觉和发音两个方面来考察学习者的语音偏误（傅氏梅、张维佳，2004）；在汉语声调偏误分析的研究中，既包括欧美学生汉语声调偏误研究（王韫佳，1995），也包括东南亚国家的学生汉语声调偏误的研究（王功平，2004；刘艺，1998）。从语言类型的角度划分，这部分研究既包括有声调语言的学习者习得汉语声调的偏误分析（吴门吉、胡光明，2004），也包括无声调语言的学习者习得汉语声调的偏误分析。由此看来，近十年来，汉语语音偏误分析研究门类比较丰富。研究者从各个角度来考察学习者的语音偏误，使我们对不同母语背景和母语类型的学习者习得汉语语音存在的问题和习得过程有了更为全面的了解。

在汉语语音偏误分析研究中，最受关注的是外国学生习得汉语声调的偏误研究。关于声调偏误分析，主要包括两个方面

[①] 本文所引文献，除个别文献外，大都是本书中所收的文章，因此，这些文章的出处不再列出。

的研究：一是声调的偏误类型，二是四声习得的难易顺序。王韫佳(1995)的研究发现，美国学生习得汉语声调阴平和去声的偏误主要是调型偏误；习得阳平、上声，调型和调域偏误都存在。四声中阴平、去声容易习得，阳平、上声较难习得。刘艺(1998)的研究发现，日韩学生习得汉语所有声调的偏误类型主要是调域偏误；四声中，阴平、上声较容易习得，阳平、去声较难习得。不难看出，这两项尽管都是无声调语言的偏误研究，但不同母语背景对学习者汉语声调习得的影响是不同的，因而偏误类型也有所不同。此外，蔡整莹、曹文(2002)、吴门吉、胡明光(2004)分别对泰国学生和越南学生习得汉语声调的偏误类型及产生的原因进行了分析。从这两项研究中，我们发现，尽管两种母语背景的学习者习得汉语声调的偏误模式有所不同，但汉语声调偏误产生的主要原因是母语声调系统的负迁移。值得进一步指出的是，这种迁移类型与非声调语言有所不同。由于两种语言都是有声调语言，因而，两种母语背景的学习者在学习汉语声调的过程中，都试图建立两个声调系统的对应关系，用相似的母语声调代替汉语声调，这是有声调语言学习者普遍采用的学习策略。

上述语音偏误分析研究证明了一个第二语言习得研究领域争论多年的话题，即语言迁移不是一个"或有或无"的现象。语言迁移现象在汉语声韵调习得的各个层面都表现的非常明显。不同的语言类型和不同的母语背景都会对学习者的语音习得产生影响。

2. 汉语词语偏误分析研究

汉语词语偏误分析研究比较少。本书收集的文章主要包括两类：一类是从构词的角度研究学习者的偏误(邢红兵，2003；李华,2005);另一类是从两种语言对比的角度阐释学习者词汇习得的偏误(全香兰,2004)。这两类研究涉及了词汇习得研究中两个重要的理论问题,即汉语构词意识发展与语言迁移的认知基础问题。

　　汉语构词大概是汉语学习者词汇习得最大的问题。由于汉语词边界不像拼音文字那样一目了然,因此,外国学生常常弄不清楚什么是词,什么是词素,什么是词组。邢红兵(2003)对"汉语中介语语料库系统"中外国学生的合成词偏误进行了详细的统计分析,并将这些偏误分为五种类型,即新造词、语素替代、语素错误、语素顺序错误和其他错误。根据邢的分析,这些偏误的产生并不是由于学习者没有形成汉语构词意识,实际上,他们至少已经形成了比较明确的结构意识,而且表现出极强的构词能力。但由于他们还没形成明确的词边界意识,因此造出一些汉语不存在的生造词。从这些偏误中,我们发现学习者采用了两个普遍的构词策略:一是套用现成的构词格式,如借用"似懂非懂"格式造出"似气非气"这种生造词;二是依据某种构词规则组合新词,如,根据"筷子"造出"碗子"、"茶杯子"等生造词。这些构词策略表明,外国学生具有一定的语素意识和结构意识。

　　邢的研究提出了汉语词汇习得研究的一个重要课题,即汉语构词意识发展问题。汉语构词意识是外国学生汉语词汇习得的重要标志,这一研究可以使我们更为深入、系统地观察和描写学习者汉语词汇习得发展过程。

　　关于语言迁移的认知心理基础问题是一个讨论多年的老话题。全香兰(2004)对韩国学生习得汉韩同形词偏误的分析为这一理论提供了有力的证据。研究表明,韩国学生汉韩同形词偏误产生的主要原因是语际间的迁移。虽然汉韩汉字词同形,但词性、词义、搭配习惯不同,因而产生母语负迁移。按照对比分析的说法,母语负迁移产生的原因是由于两种语言系统的差异。但以往研究表明,两种语言的差异并不是母语负迁移产生的必要条件。越是那些看起来相似的语言特征,越容易产生母语负迁移。全的研究表明,汉韩汉字词同形,这种"语际识别"环境为韩国学生母语负迁移创造了必要条件。语言迁移的认知机制是建立在语际识别的基础之上的。语言迁移虽是老话题,但其认知机制是值得进一步研究的理论问题。

3. 汉语语法偏误分析研究

汉语语法偏误分析一直是汉语习得研究比较密集的研究领域。这些研究反映了学者们在这个领域所作的各种尝试和努力。这方面的研究成果有两个方面:一是采用不同的方法对学习者的语法偏误类型作出详尽的描写,以便发现一些规律;二是尝试从不同的角度对学习者语法偏误产生的原因作出解释。

关于学习者语法偏误的描写,学者们大都采用两种不同的方法:一种是基于"表层偏误特征"(surface feature of errors)的描写方法;另一种是基于"表层策略分类"(surface strategy taxonomy)的描写方法。由于偏误的描写涉及"学习者的语言"与目的语的比较,因此,需要根据学习者的表层偏误特征进行描写。最简单的方法就是根据目的语范畴对学习者的语言进行描写和分类。汉语语法偏误分析大多数是采取这种描写方法。(陈小荷,1996;李大忠,1996;肖奚强,2000 等)基于"表层策略分类"的描写方法是根据学习者偏误产生的方式进行分类描写的方法。如在偏误分析中经常采用的诸如"省略"、"附加"、"替代"等类似的描写方法。许多汉语语法偏误分析采用的就是这种方法。(鲁健骥,1987、1994;①陈绂,2004 等)Krashen 声称,这种描写方法可以标明学习者重建第二语言的认知过程。② 上述描写方法,在某种程度上揭示了学习者语法偏误的一些规律,为这些语法偏误的解释奠定了基础。

偏误描写的目的是为了对偏误作出理论解释。在这方面,学者们从不同的角度进行了尝试。陈小荷(1996)利用"汉语中介语语料库系统"对外国学生使用副词"也"的语序偏误进行了统计分析,并根据"也"出现的语境来阐释偏误产生的原因。武惠华(2002)则从句法成分的同现关系限制的角度分析了外国学生"违规同现"偏误现象。赵金铭(2002)通过"最小差异对"(minimum pair)方法,将外国学生的语法偏误和目的语规则进行对比,排列出了外国学生汉语语法偏误句的等级序列,并对汉语中可能与不可能、正确与错误、推导与类推、句子的高下、标记的有无 5 类句子进行了阐释。这些研究的特点是,语法偏误分析没有止于简单的偏误分类,而是在分类的基础上,试图从多个角度对语法偏误产生的原因作出解释。目前我们看到的这方面研究,大都是根据汉语语法规则和语法特点来分析学习者语法偏误,这在一定程度上可以说明偏误产生的原因,但在解释偏误产生的心理机制方面却显得力不从心。

---

① 参见鲁健骥《外国人学习汉语的词语偏误分析》,《语言教学与研究》1987年第 4 期;鲁健骥《外国人学习汉语的语法偏误分析》,《语言教学与研究》1994 年第 4 期。

② 参见 Krashen, S. *Principles and Practice in Second Language Acquisition*. Oxford: Pergamon Press,1982,p.150.

4. 汉语语篇偏误分析研究

汉语语篇偏误分析的研究在上世纪 90 年代以前还是空白，直到 90 年代后，学者们先后发表了一些关于汉语学习者的语篇偏误分析的文章。但近十年来，汉语语篇偏误分析的研究有了很大的进展。汉语"语篇衔接"(cohesive)和"语篇连贯"(coherent)是语篇分析研究的核心问题。但目前我们见到的文章大部分都是关于外国学生语篇衔接偏误的研究。

关于外国学生汉语语篇衔接的偏误分析，学者们探讨的问题可概括为 3 个方面：即学习者在指称形式、指称类型、衔接手段等方面的偏误问题。

关于语篇的指称形式，按照胡壮麟的分类，包括 4 种：即人称指称、指示指称、比较指称和词语指称。汉语语篇指称偏误分析研究最多的是人称指称和指示指称。① 肖奚强(2001)集中探讨了外国学生经常产生的 6 种名词、代词和零形代词之间互相误代的照应偏误。肖的研究表明，初级水平的外国学生经常把该用零形式照应的地方误用为名词和代词照应，即将高可及性标记替换为低可及性标记，造成篇章结构松散、连贯性差；高年级学生经常把该用名词照应的地方误用为代词或零形式照应，即将低可及性标记替换为高可及性标记，造成表义不明确。肖的研究发现了外国学生在代词照应偏误方面带有规律性的倾向，并从认知语法的可及性的角度对外国学生的照应偏误进行了深入的阐释。在人称指称偏误分析方面，高宁慧(1996)的研

---

① 参见胡壮麟《语篇的衔接与连贯》，上海外语教育出版社 1994 年版，第 53 页。

究也有独到之处。高在外国学生代词偏误类型分析的基础上，系统地描述了汉语篇章中代词使用的原则，即，段落之间趋向名词性成分接应，话题链之间趋向于代词接应，同一话题链的小句间倾向于用零形式接应。高运用这些原则对外国学生使用名词、代词和零形式照应的偏误产生的原因进行了深入的分析。高的研究对汉语语篇指称形式偏误分析以及语篇教学都具有一定的指导意义。

语篇指称类型偏误分析方面，曹秀玲（2000）根据胡壮麟的分类重点考察了韩国学生在指称类型上的偏误。曹在分析中发现，韩国学生使用的指称类型中没有出现"社会指称"，在其他指称类型上出现大量的误用。其中，人物指称类型的延续值与汉语母语者有较大差距。比如，零形式的延续值比汉语母语者高出一倍，说明韩国学生零形式的用量不足；此外，韩国学生名词性成分的延续值远低于汉语母语者，说明韩国学生名词性成分的用量远高于汉语母语者。曹的研究从语篇延续值的角度揭示了韩国学生在汉语语篇指称类型上普遍存在的问题。其结论在一定程度上验证了肖奚强的结论，即外国学生在语篇表达中，零形式指称用量不足，名词代词用量过多。如果我们对学习者母语的语篇指称形式作一步研究的话，这一现象也许可以得到更为充分的解释。

外国学生汉语语篇衔接手段的研究，是从总体上探讨外国学生在语篇形式接应上的偏误研究。陈晨（2001）在这方面作了比较系统的描写和探索。她从语法手段、词汇手段以及连接成分 3 个方面对英语国家中高级水平的学习者的语篇衔接偏误类型进行了详细的统计分析。从陈的统计结果可以看出，这些学习者在语义连贯上的偏误很少(2%),而形式衔接的偏误却是大量的(98%)。其中,语法衔接手段中的所指成分省略(该省略未省略,不该省略反而省略)、语序混乱和关联词语使用偏误约占整个偏误的90%。陈的研究结论指出了汉语语篇教学面临的严峻现实。语篇教学环节的缺位带来的后果是十分严重的。因此,汉语语篇衔接手段的教学无论怎么强调都不过分。

5. 汉字偏误分析研究

汉字偏误分析研究是近十年发展起来的一个非常有特色的研究领域。一方面,汉字作为表意文字系统是汉语习得研究独特的研究领域;另一方面,汉字偏误分析无论在理论阐释还是在研究方法上,与其他领域的偏误分析都有所不同。近十年的汉字偏误分析大致可以归为两类研究:第一类是关于汉字书写偏误类型及认知策略的研究(肖奚强,2002;施正宇,2000;江新、柳燕梅,2004);第二类是关于形声字认知策略的研究(陈慧,2001;高立群,2001)。

关于汉字偏误类型的研究,施正宇和肖奚强的研究属于同一类研究。施正宇(2000)的研究收集了五大洲30个国家和地区母语为拼音文字的学生2 000余例汉字书写的错误。并将这些书写错误分为5类。肖奚强(2002)则将学习者的汉字偏误分为3大类。尽管二者所用的术语不同,但在描写方法上都是采用所谓"表层策略分类"的方法。这种分类可以反映出研究者透过汉字书写错误类型对学习者汉字认知策略解析的独特视角。按照施正宇的分类,我们可以发现,学习者汉字书写采取的"替代策略"是建立在形符的形、义相似或相关的基础上;肖奚强描述的"部件改换策略"也是建立在汉字部件形、义相似和相关的基础上。部件的增损和类推,都反映了汉字书写的类化策略。施和肖的研究不同于简单的汉字偏误分类研究。由于他们采取的是表层策略分类法,因而,通过这些分类可以透视研究者对学习者汉字认知策略的分析。换句话说,这是基于学习者汉字认知策略的分类分析。

在这类研究中,江新、柳燕梅(2004)的研究则是基于实验研究的汉字书写偏误分析。这在以往的偏误分析中是很少见的。江、柳的实验结果显示,随着识字量的增加,外国学生汉字书写的错字减少,别字增多;字形错误减少,字音错误增多。这就是说,拼音文字背景的汉语初学者在汉字书写中,字形的作用大于字音的作用,随着识字量的增加,字形作用减弱,字音作用增强。从江、柳的研究可以看出,偏误分析并不意味着简单的分类,同样可以考察学习者汉字认知动态过程。基于实验研究的偏误分析是在研究方法上的根本改变。正如 Ellis(1994:69)指出的那样,偏误分析的弱点并不是偏误分析本身固有的。建立在科学实验方法上的偏误分析同样可以对学习者的偏误作出科学的分析。

在汉字偏误分析中,关于外国学生形声字认知策略的研究也是基于实验研究的偏误分析。陈慧(2001)关于外国学生汉语形声字识别的偏误分析,得出了一个重要结论,初级水平的学生已经意识到形声字声旁的表音作用,因而犯规则性错误的比例相当高;中级水平的学生随着汉语水平的提高,逐渐认识到形声字声旁表音的局限性,因而犯规则性错误的比例比较低。由于陈的偏误分析采取实验研究的方法,因而能够比较清楚地描述出学习者汉字认知的纵向发展过程,对不同水平学习者汉字认知偏误的分析具有一定的说服力。关于外国学生形声字认知的另一项研究是高立群(2001)基于"汉语中介语语料库系统"的规则形声字偏误分析。高基于语料库提供的外国学生规则形声字与不规则形声字,以及成字部件与不成字部件的偏误项目统计分析发现,外国学生对形声字的认知加工主要依赖于字形信息。高的研究在方法上与传统的偏误分析有本质的区别。这项研究完全是基于认知心理学理论的偏误分析。理论基础和研究方法已经超出了传统的偏误分析的范围。由此,我们应该看到,偏误分析不能囿于传统的理论和方法。吸收新的理论、采用更为科学的方法,才是偏误分析发展的根本出路。

二　中介语研究的现状与发展

自上世纪80年代算起,对外汉语教学领域的中介语理论研究已经有20多年的历史了。20多年来,这一领域的研究发生了很大的变化。1984年鲁健骥发表的《中介语理论与外国人学习汉语的语音偏误分析》一文拉开了汉语中介语研究的序幕。90年代《语言教学与研究》、《世界汉语教学》、《语言文字应用》联合召开了汉语学习理论研究座谈会,中介语研究引起了对外汉语教学界的普遍关注。先后发表了一系列探讨中介语理论的文章。但近十年来,中介语研究在对外汉语教学领域已不再是人们关注的热点,引人关注的文章也越来越少。

目前有关中介语的研究基本上是在早期的中介语理论基础上所进行的理论探讨。由于中介语理论的引进不够系统,对外汉语教学界的中介语研究基本上停留在偏误分析的基础上。为此,王建勤(2000)对早期的中介语理论进行了深入的理论探讨。文章在介绍三位学者理论贡献的基础上,着重阐述了中介语理论的理论框架和心理语言学基础,并对中介语理论的理论假设进行了详尽的解读。此外,王(2000)还针对目前中介语研究存在的问题,对中介语研究的理论和方法进行了探讨。上述两项研究表明,目前中介语的研究基本上还停留在早期中介语理论研究的阶段。有相当一部分研究根本不是基于中介语理论的研究,在研究方法上,基本上是学习者偏误的简单分类。

近些年来,中介语研究也有一定的进展。表现之一是研究的范围进一步扩大。从语篇的角度研究学习者的中介语系统,早在上世纪80年代初就引起了国外学者的关注。在汉语习得研究领域,中介语的语篇研究始于90年代末。彭利贞(1997)从语义连贯和与衔接手段两个方面,对外国学生运用汉语交际产生的语篇特征进行了分析。他发现,外国学生单句表达基本上没有什么语法错误,当从语篇的角度分析时,这些句子处于离境化状态。在语篇衔接手段上,连接成分误用、混用相当普遍。彭的研究表明,中介语研究仅仅局限于句法层面是不够的。语篇能力是培养学习者语言交际能力的重要环节。从这个意义上说,中介语的语篇研究是中介语研究的一个重要维度。尽管这方面已经引起学者们的关注,但实质性研究还比较少。

三 偏误分析与中介语研究的得与失

偏误分析和中介语研究是迄今为止对汉语习得研究影响最大的两个领域。偏误分析始终是汉语习得研究最密集的领域。

中介语也曾是学者们最为关注的研究领域。近十年来,汉语习得研究在这两个领域应该说是有得有失。

　　从上述偏误分析的研究成果可以看出,近十年来,偏误分析取得了较大的进展。首先,偏误分析的研究范围不断扩大,涉及了汉语研究的所有层面。其次,汉语偏误分析的理论视野不断开阔。70年代初,偏误分析的产生没有系统的理论基础,这在很大程度上限制了偏误分析的发展。但近十年的汉语偏误分析,并没有局限在传统的偏误分析范围之内。有相当一部分偏误分析是建立在一定的理论基础之上的,如实验语音学理论、认知心理学理论。这些研究使传统的偏误分析有了活力。第三,近十年的汉语偏误分析在研究方法上有所创新。比如,语音和汉字偏误分析基本上是建立在实验研究的基础之上。实验研究使传统的偏误分析方法得到根本性改变。

　　当然,这十年,汉语偏误分析也存在一些值得研究的问题。偏误分析在70年代受到的批评主要有两个方面,一是偏误分析在理论上的局限,二是研究方法上存在的问题。汉语偏误分析中也难免受到影响。首先是理论分析的局限,由于没有一定的理论支撑,汉语偏误分析大都是简单的错误分类,理论分析就事论事,失之肤浅。另外,由于研究方法的缺陷,汉语偏误分析的语料收集,对影响偏误的变量基本上没有控制,材料来源混杂,结论自然不可靠。偏误分类没有统一的标准,仁者见仁,智者见智。这些问题大大地影响了偏误分析的研究质量。

　　中介语研究为我们考察学习者的语言系统提供了系统的理论框架。近十年来,汉语中介语研究在研究领域上有所拓宽,取得了一定的成果。但是我们必须看到,目前汉语中介语的研究仍然停留在早期的中介语理论研究的阶段。有些研究基本上是病句分析，并没有建立在中介语理论的基础之上。这是汉语中介语研究发展缓慢的一个主要原因。当然，中介语理论本身也存在着一些历史局限，学者们的理论视野也不再局限于中介语理论，这也是历史的必然。

四 未来研究的展望

汉语偏误分析和中介语研究在汉语习得研究发展过程中占有重要的理论地位。但是随着第二语言习得理论的发展，新理论不断涌现，偏误分析和中介语研究将不再成为第二语言习得研究的主流。但 Ellis 认为，事实上，偏误分析的方法还在运用。[①] 尽管这种方法不能够作为综合调查学习者语言系统的工具，但是仍然可以作为研究某些特定问题的工具。汉语偏误分析如果和其他理论和方法相结合仍然具有研究价值。同样，中介语理论是第一个试图对第二语言习得过程作出解释的理论。许多后来的理论都是在这一理论基础上发展起来的。因此，中介语理论仍然可以为今后的汉语习得研究提供一定的理论支持。

2006 年 2 月 25 日

---

① 参见 Ellis *The Study of Second Language Acquisition*. Oxford University Press, 1994, p.70.

第一章

汉语语音偏误分析

第一节 泰国学生汉语语音偏误分析[①]

近几年来,泰国学生成为继韩国、日本之后人数最多的来华留学群体,他们的汉语学习规律应当引起我们的重视。泰国学生的发音有非常显著的特点,过去曾有人对此进行过研究。[②]然而,在教学中,我们发现还有许多问题值得进一步探讨。1999年底,我们对北京语言文化大学汉语学院基础系1999—2000学年的22名一年级泰国学生进行了一次调查,目的是为了发现他们汉语语音学习中的偏误规律,进而分析原因,寻找对策。

一 调查方法

我们设计了一个调查字表,包括50个汉语双音节字组和几个常用句。它们涵盖了汉语音节系统中所有的声、韵、调以及二

[①] 本文作者蔡整莹、曹文。原载《世界汉语教学》2002年第2期。
[②] 参见蒋嫦娥《浅谈泰国学生学习汉语语音的难点》,载《古今中国面面观》,北京语言学院出版社1993年版;李红印《泰国学生汉语学习的语音偏误》,《世界汉语教学》1995年第2期;曾富珍《泰国学生学习汉语语音的难点》,载《语言文化教学研究集刊》(I),华语教学出版社1997年版;蒋印莲《泰国人学习汉语普通话语音难点辨析》,载《第五届国际汉语教学讨论会论文选》,北京大学出版社1997年版。

字声调组合,并保证声韵调至少各有一次复现。22名学生逐一录音,每个词语念三遍,再按单字的形式念一遍;常用句采用回答问题的方式。之后我们对每个学生的录音进行听辨,找出每个人的语音错误进行统计和分析。为了作比较,我们还对10位北京人用同样的方法采集了录音样本。对于一些较难判断是非的样本和一些典型的样本,我们运用语音软件Wincecil(美国SIL暑期语言学院研制)采取实验语音学的方法进行分析,力求"信而有征"。

二 调查结果

录音材料中,泰国学生的有效音节共有9 614个。经过听辨,发现他们在发音上存在如下问题:

(一) 声母方面

问题出现在"k,h,j,q,x,z,c,zh,ch,sh,r"等11个声母上。

表1-1 泰国学生汉语发音声母偏误统计

声母	k	h	j	q	x	z	c	zh	ch	sh	r
错误率	25%	17%	25%	25%	100%	58%	67%	41%	67%	23%	25%

注:"错误率"=出现偏误的有关音节数/有关音节总数×100%(下同)。

1."k"的发音有的与h[x]相混,也有的送气不明显,听起来像g[k]。"h"的发音有鼻化现象,此类偏误多出现在"hu-"音节中;另外,发音部位也比较靠后,接近[h]。

2."j、q"的发音类似舌面中音[c]、[cʰ];"q"有的送气不明显,有的发成[ʨʰ];x[ɕ]有的发成sh[ʂ],有的发成[ʃ],多数发成[s]。

3."z"的发音介于[tʂ]和[ts]之间;"c"介于[tʂʰ]和[tsʰ]之间,极似舌叶音[tʃ]、[tʃʰ]。

4.当发"zh"时,舌尖多未靠后;"ch"破擦不够,有时听起来像[ʂ];"sh[ʂ]"有的发成[s];声母"r"有时被发成边音l[l]。

(二)韵母方面

问题出在"o, e, -i, -ī, ü, ao, ei, ie, ua, uo, üe, iu, ui, ian, uan, üan, un, ün, -ng, er"等 20 个韵母中。

表1-2 泰国学生汉语发音韵母偏误统计

韵母	o	e	-i	-ī	ü	ao	ei	ie	ua	uo	üe	iu	ui	ian	uan	üan	un	ün	-ng	er
错误率(%)	45	42	35	35	41	67	33	92	37	73	42	41	36	33	35	25	45	9	50	23

1.单元音韵母中:当"o"与声母相拼时,其发音往往就变成[ua];"e"舌位偏低,近似于央元音[ə];ü[y]的发音变成[u]、[i]或[ui];-i[ɿ]、-ī[ʅ]舌位不稳定,发音不到位。

2.复元音韵母中:"ao"被发成[au],在塞音后尤其明显;"ei"常常发成[ə:i];"ie"发成近似[ia]的音,而且有时还跟"üe"互相混淆;"uo"常常有一个后续音,听起来像[ua],真正的"ua"有时却发成[uo];"iu"和"ui"的中间音完全丢失。

3.鼻音韵母中:"ian"发成[ian]或[iən];"iang"有时变成[iəŋ];"uan"发成[uən];"üan"发成[uan]或[uən],有时发成[ian];很多后鼻音韵母鼻音不够靠后,听起来像前鼻音。

4.卷舌音"er"的卷舌不明显。

（三）声调方面

一个音节一个音节地说时，泰国学生说的汉语声调在区别性方面还是清楚的，但是有明显的口音。

一般来说：第一声不够高，在第四声前后常被抑制，在语句中尤其如此。第二声有较长的预备阶段，上升时起点较低。第三声多以半上声[211]形式出现。第四声音节时长过长，有拖沓感。

三 偏误的声学分析

从表1-1中可以看到，声母中问题最突出的是舌面前擦音 x[ɕ]，错误率为百分之百，这个结果让我们难以相信。为此，我们反复听辨，并用实验语音学的方法得到确认。

请看图1-1、图1-2。两个图中各有三个窗口，1号窗口显示的是声波，3号窗口显示的是三维语图，2号窗口显示的是光标所在瞬间的能量分布情况。两个图的光标所在都是"x"。从图中可以看出，泰国学生的"x"能量峰值高并集中在5 400赫兹左右，而中国人的"x"能量分布较均匀，分别在3 600赫兹、4 800赫兹、5 700赫兹等处出现峰值。这意味着这个泰国学生的"x"发音时声道收紧点偏前而且湍流较强，是一个类似[s]的发音。① 事实上，大部分泰国学生正是用[s]来代替 x[ɕ]的（也有一部分同学的发音是[ʃ]或[ʂ]）。

---

① 参见吴宗济《汉语普通话单音节语图册》，中国社会科学出版社1986年版；吴宗济、孙国华《普通话清擦音协同发音的声学模式》，载《语音研究报告》，中国社会科学院语言研究所语音研究室，1990年。

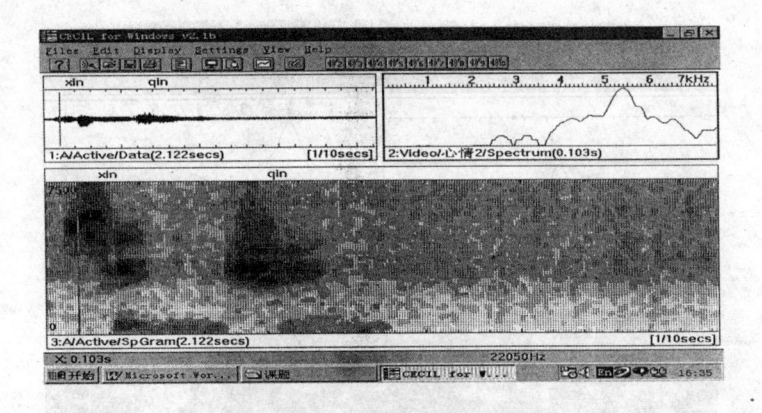

图 1-1　一位泰国女生所说的"心情"

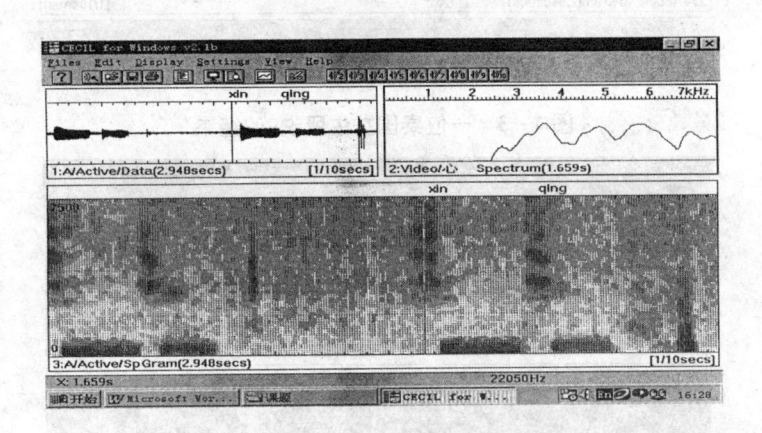

图 1-2　一位北京女性所说的"心情"

除了"x[ɕ]"之外,泰国学生在声母发音上比较普遍的难点还有"c、ch、z、zh"(错误率都在 40％以上)。

韵母中问题出现得最多的是"ie"、"uo"和"ɑo"。以"结果"为例——

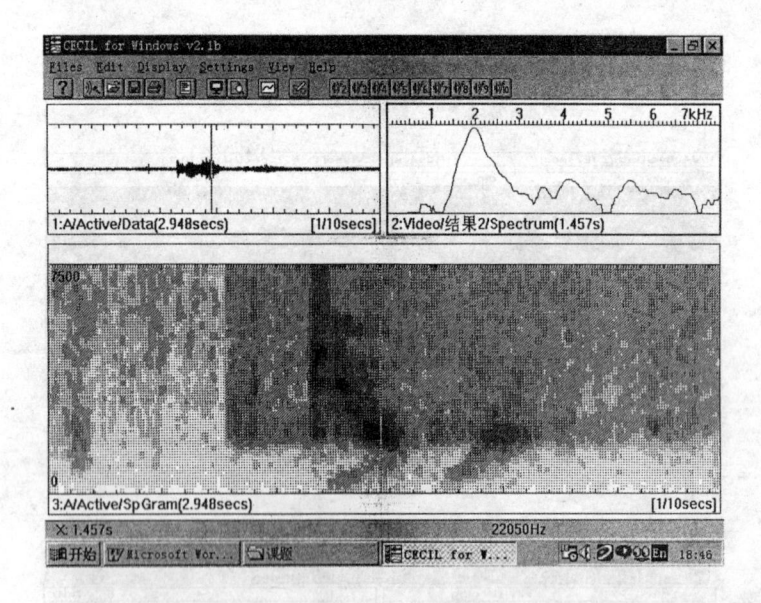

图 1-3　一位泰国女生所说的"结果"

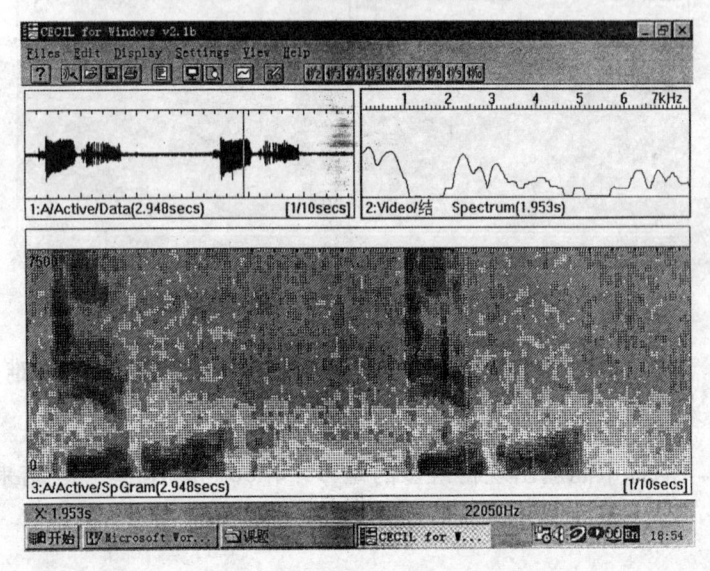

图 1-4　一位北京女性所说的"结果"

第一节 泰国学生汉语语音偏误分析 7

图 1-3、图 1-4 的光标所在都是"jie"的韵腹处,可以看出,泰国学生所说的"结"字的韵腹,其第一、二共振峰靠得很近,甚至到了合并的程度——而这正是"a"的表现。她把"结果"说成了 jiáguǎ。

虽然我们在前面说过,泰国学生说的汉字声调在区别性上是可以接受的,但那是在单字的情况下。两字以上连读时情况有所不同,特别是对于阴平调来说,如果说得过低往往会与上声调相混。请看图 1-5、图 1-6:

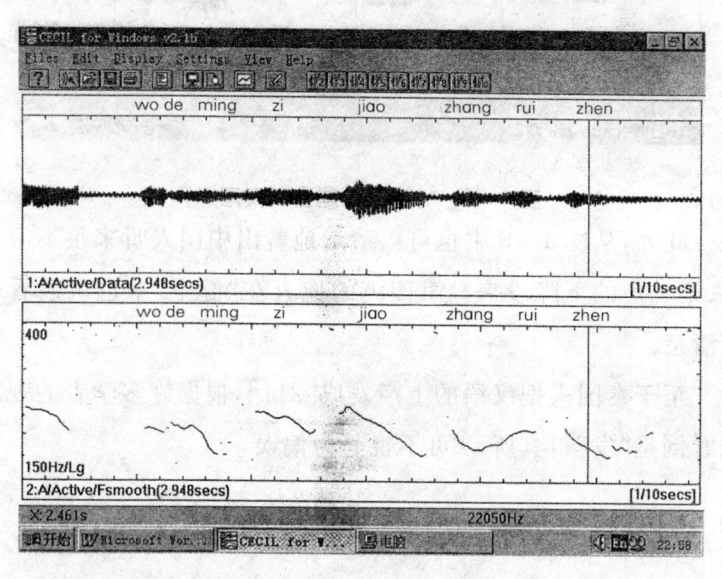

图 1-5 "我的名字叫张瑞真"(泰国人)

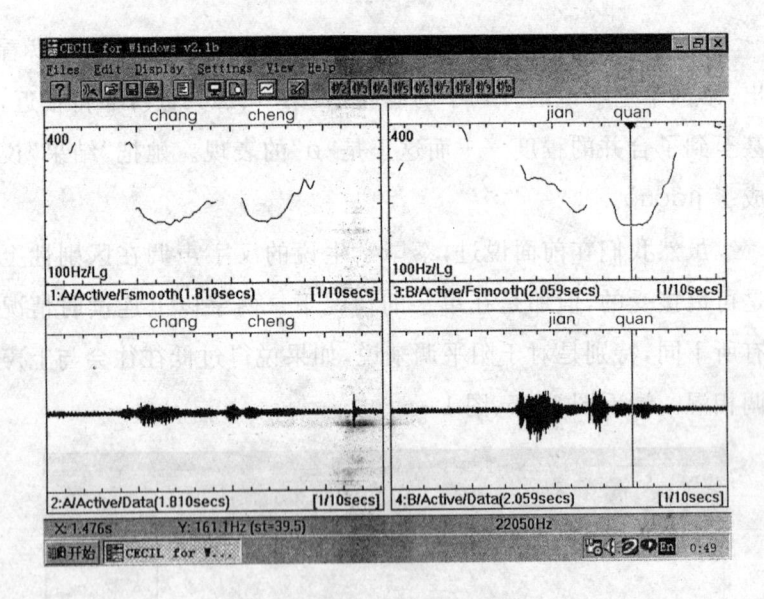

图1-6 "长城"、"健全"(泰国人)

此外,从图1-6中也可以清楚地看出中国人听来很不习惯的、第二声的下降段来。第四声的拖沓在"健全"中也可以看得很清楚。

至于泰国人把汉语的上声发成[211],根据许多学者的观点来看倒是"发"得其所,①可不视其为偏误。

四 偏误产生的原因分析

综合看来,泰国学生汉语语音偏误产生的原因主要有两个方面:

---

① 参见王力《现代汉语语音分析中的几个问题》,《中国语文》1979年第4期;伊藤敬一《在日本汉语教学上的两个问题》,载《第一届国际汉语教学讨论会论文选》,北京语言学院出版社1986年版;林焘《语音探索集稿》,北京语言学院出版社1990年版;曹文《汉语发音与纠音》,北京大学出版社2000年版。

(一) 母语及方言的影响

我们先来分析声调问题。泰语有 5 个声调（见图 1-7）。在学习汉语语音的时候，泰国学生大多使用母语的声调来替代汉语的声调：用泰语的第一声替代汉语的阴平，用泰语的第五声替代汉语的阳平，用泰语的第二声替代汉语的上声，用泰语的第三声替代汉语的去声。这是泰国学生学习汉语时最为常用的一种策略，而且在《现代汉泰词典》②上也是这样注释汉语声调的。这一方面为泰国学生学汉语带来了方便（不像欧美学生那样声调乱窜），另一方面，也造成了负迁移。

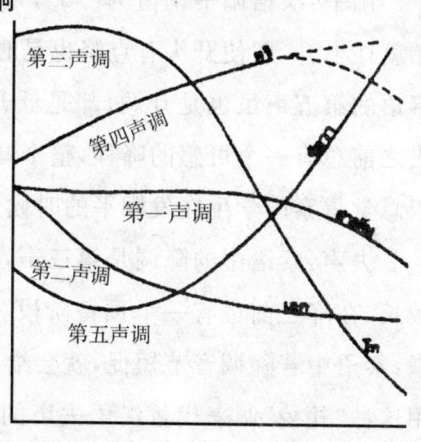

图 1-7　泰语声调示意图①

阴平：泰语第一声低，为中平调，调值为[33]；汉语阴平高而平，调值是[55]，所以我们就会觉得泰国学生说的汉语阴平像东北方言似的，比较低，总达不到[55]。有人曾经做过一个实验，发现当泰国人听到一个[55]调（经过换算）时，它被当作四声（高升调）的可能性约为90%。③也许这可以解释为什么泰国学生老也不愿意发[55]。

---

① 参见傅增有《泰语三百句》，北京大学出版社 1996 年版。
② 参见杨汉川《现代汉泰词典》，RUAM SAN (1997)公司 1999 年版。
③ 参见 Abramson, A.S. The Thai Tone Space, Proceedings of the 18th International Conference on Sino-Tibatan Languages and Linguistics (Bangkok), 1985.

阳平：汉语阳平调值为[35]，是中升调，而且多从发音一开始就往上升，即使开头有点降也是时间很短，一般感觉不到。而泰语的第五声虽也是升调，却是低升，调值为[14]，并且在升上去之前总有一个可感的降程，整个音节时长比汉语阳平要长，所以总觉得泰国学生在发阳平的时候说得太慢。

去声：泰语中的降调是第三声，调值为[41]，而且音节时长较长，在降之前也有一个预备阶段。另外有一个心理方面的因素：泰语中若降调音节短促，就会给人以不礼貌的感觉。当他们用这种"礼貌"调来代替汉语去声的时候，就使得汉语的去声音节拉长了。

由此可见，泰国学生汉语声调的偏误模式是：阴平上不去，阳平去声长。

现在再来看声母偏误问题。泰语（标准语）中没有舌尖前音[ts]、[tsʰ]，没有舌尖后音，也没有舌面前音，只有舌面中音[c]、[cʰ]和舌尖前音[s]。所以当他们遇到汉语的 z/c/s、zh/ch/sh、j/q/x 时，往往用[c]/[cʰ]/[s]来代替。但这似乎并不能解释何以这三组音的错误率相差那么大："x"100%，"c、ch"60%以上，"z、zh"40%以上，"j、q、sh"25%左右。

调查中我们发现有一些来自泰国北部和东北部的同学，他们的"sh"发得都比较好，究其原因是他们的母语中有[ṣ]。① 由"sh"到"zh"自然要比较难一些，再"送气"发"ch"就更难。z/c 也是同理。至于 j/q，情况比较特殊，很可能是因为有逆同化作

---

① 参见 Li，F.G.（李方桂）*A Handbook of Comparative Thai*. University of California Press，1971。

用,舌面中向前移动变成了舌面前——它们后面出现的不是"i"就是"ü",都属于舌面前元音;加之泰语中的[c]、[cʰ]原就有轻微的塞擦现象,①所以 j/q 错误率较低。

最后来看看韵母。由于泰语中没有 e[ɤ]和 ü[y]这两个音,所以学生就用央元音[ə]代替"e",用[i]或[iu]代替 ü[y]。同理,"üe"就念成了"ie","üan"就念成了"ian"。泰语中没有[ei]这样的发音,但有一个近似的[ə:i],所以当他们发"ei"时,听起来就像"e+i"。泰语中也没有 ie[iɛ],近似的只有[i:a],所以学生常用它来代替"ie"。泰语中没有 uo[uo],近似的有[u:a],这个 u 是个长音,学生常用它来代替"uo"。

另外,泰语长元音相当多,单元音中有 9 个,二合元音中有 10 个,而三合元音 3 个都是长音。由于母语的习惯作用,泰国学生在发汉语韵母和拼读音节时往往将音拉长,这也许可以从另一个方面解释为什么他们的发音在汉语阳平和去声调中总显得拖沓。

(二)《汉语拼音方案》引起的偏误

《汉语拼音方案》是一种拼音字母,而不是单纯记音的音标,其中"a、e、i、o"这些字母代表的音素不止一个,如:a、an、ian、iang 这三个韵母中"a"的实际发音是不同的;ei、ie、e、en 这四个韵母中"e"的实际发音也是不同的。但是它们都用同一个字母(a 或 e)来表示,所以学生就容易把它们发成同一个音,于是就造成了把"ian"发成[ian]、把"ei"发成[ɤi]的结果。

---

① 参见蒋嫦娥《浅谈泰国学生学习汉语语音的难点》,载《古今中国面面观》,北京语言学院出版社 1993 年版。

另外,《汉语拼音方案》中有许多省略式也误导了学生的发音。如:"o,-i,ü,üe,iu,ui,üan,un,ün"等韵母的发音偏误,有相当一部分是因为受了省略式的误导,看字母发音而造成的。

五 语音教学初步对策

(一) 在声母教学上

1. 要纠正"x"的偏误,关键是让学生明白发音时不能用舌尖:既不能让舌尖指向上齿背,也不能让舌尖指向硬腭。可以发[i],然后舌位保持不动,口略合,空气摩擦而出。还可以采用放纸片的方法帮助学生理解掌握:把一张小纸片放到嘴里,在大约1厘米(cm)的地方用牙轻轻咬住,然后发[ɕ]。如果纸片从下面沾湿了舌头,就是[ʂ];如果碰不到舌头,就是[ʂ];如果舌头被压在纸的下面而纸又不湿,那就是[ɕ]。至于"j、q"发音不稳定的问题,可通过图示让学生明白:汉语的是舌面前音,发音时是舌面前部与硬腭前部接触形成阻碍;而泰语的舌面音是舌面中音,发音时舌面中部与硬腭后部接触形成阻碍,只要将舌面与硬腭的接触点往前移就可得到汉语的舌面音。

2. "z"组与"zh"组混淆不清的问题,先要让学生明确发音部位是用舌尖而不是舌面,强调这一点才能避免泰国学生用他们母语中的舌面音来替代。然后再"启发学生体会发音时舌尖碰不碰上齿背是区别z组与zh组的关键"[①]。舌尖碰上齿背是舌尖前音,舌尖碰硬腭则是舌尖后音。

3. 要解决发h[x]时鼻音重的问题,应提醒学生不要发出鼻

---

① 参见朱川《外国学生汉语语音学习对策》,语文出版社1997年版。

音(软腭与小舌抵住咽壁,让气流从口腔通过)。示范和练习时可有意加强摩擦,使学生的发音注意力集中到口腔。

4. 要解决 r 与边音 l 混淆的问题,关键是要注意发音时舌尖的位置:发边音 l 时舌尖要碰触齿龈;而发 r 时舌尖后缩,不能碰到上齿龈。

(二) 在韵母教学上

1. 对于在泰语中没有的音,要提醒学生可能会犯什么样的错误,避免使用替代策略,并且注意控制时长,待学生掌握正确发音后,可有意要求他们把音发得短促些。

2. 要解决 e 的问题,关键在于舌位要提高,并且靠后,发音时肌肉紧张,体现出紧元音的特点,可通过一些松紧元音对比的词语练习,让学生体会其中的不同,如"哥哥"。要解决 ü[y] 的发音问题,采用先发[i]然后圆唇发出 ü[y] 的办法。

3. 舌尖元音-i[ɿ]、-i[ʅ] 的学习,最好采用音节 zi、ci、si、zhi、chi、shi、ri 整体认读的方法。

4. 对于由汉语拼音方案引起的问题,要提醒学生韵母实际发音与书写形式之不同,加强正确发音的练习,特别要注意容易丢音的一些韵母,如:uei(-ui),iou(-iu),uen(-un)。如是对初级水平或是零起点的学生,甚至可以不用省略式。①

(三) 在声调教学上

1. 纠正阴平太低的偏误,要让学生多练习起调,起调要高,然后延长声音。可以采用唱音阶定音高和确定起调字的办法,

---

① 参见吕必松《对外汉语教学与汉语拼音方案》,载《汉语拼音论文选》,文字改革出版社 1984 年版。

或者干脆建议学生用泰语的第四声[45]来对应、代替。

2. 纠正去声的偏误,主要是训练学生将音节发得短促一些,并排除他们心理上认为这样发音不礼貌的障碍。

3. 阳平也要训练他们发得短些,并将起点抬高。

附录一:调查字表

结果　访问　旅行　阴云　健全　上班　节约　人类　消失　赶快
买了　一次　汉语　分手　外汇　真正　交流　海风　青春　地图
花儿　多少　冷水　从来　长城　心情　说话　磨破　简直　车站
不如　十一　毕业　牛奶　很难　狂欢　黑白　特色　口齿　时常
一天　不用　午餐　想家　中文　香烟　大鼓　其余　自私　跑步

附录二:常用句

你叫什么名字?从哪儿来?
你学汉语学了多长时间了?
为什么你要学汉语?
毕业后你有什么打算?

第二节　越南学生汉语声母偏误分析[①]

一　问题的提出

留学生的语音偏误表现在两个方面:听觉方面和发音方面。一方面,人的听觉反应和语音识别的能力是跟发音能力联系在

---

① 本文原标题为"越南留学生的汉语声母偏误分析",作者傅氏梅、张维佳。原载《世界汉语教学》2004 年第 2 期。

一起的。一般来讲,前者先于后者,敏感的听觉可以影响发音的正确程度,反之,发音能力的形成和巩固又会对提高语音识别的能力发生作用,使人们易于听辨自己能发的音,并通过发音生理的反馈识别自己不能发的音。另一方面,听觉与发音又有相当独立的发展倾向。在第二语言语音学习的开始阶段,因为母语发音习惯的影响,学生对一些能听辨出的音不一定都能发出来。对于这种现象,萨丕尔认为:"虽然我们的耳朵对语音能做细致的反应,我们发音器官的肌肉从幼年就已变得只习惯于发我们自己语言的传统语音所需的那些调节和调节系统了。所有的(或几乎所有的)其它调节,由于没有用过或由于逐渐淘汰,而永远受到抑制。"[1]学习者对目的语语音偏误可能是由听觉偏误导致的,但也可能是由他本身的发音能力导致而跟听觉无关。因此,要纠正目的语的语音偏误,不能仅在发音偏误或者听觉偏误一个方面做工作,还要在听觉和发音的关系方面进行研究。

  基于以上认识,本项研究以听觉与发音两者之间的关系为依据,通过语音实际测试所得到的统计数据,对越南学生在汉语声母学习中出现的偏误进行分析、归纳,讨论其一般特征及产生的原因,为对越南学生的汉语教学提供一些参考。

  语音测试是本项研究的基础。测试采样原则是:(1)受试者主要为汉语初级水平(一、二年级)的越南学生。(2)受试者的汉语学习时间为半年至三年半。其中一年级16人,学习时间六个月,为第一组;二年级学生10人,学习时间一年半,为第二组;三、四年级10人,学习时间两年半至三年半,为第三组。(3)受

---

[1] 引自〔美〕爱得华·萨丕尔《语言论》,商务印书馆1964年版,第27页。

试者包括带有越南北、中、南部等地区口音的在北京学习的学生。语音项目的设计原则是:(1)主要为调查越南学生对汉语声母听觉能力与发音能力这个目的服务,测试表按照这个目的设计,选用适当的词条,以双音节词为主,听音和发音各 80 个条目。(2)测试项里必须出现汉语所有的 22 个声母(包括零声母),而且声母要有一定的重现率。(3)测试表所选用的词条(字组)均为日常生活所常用。对于学习时间短的受试者(一年级学生),发音测试表使用汉语拼音,便于他们通过认读汉语拼音来发音。(4)听觉与发音两个测试表之间,词条不同,但声母形式与内容基本相同,以便调查学生对汉语声母的听觉能力与发音能力是否一致。测试方法:(1)测试听觉能力。录制由北京人(女声)发音的测试表,以双音节词为主,受试者听一遍录音后辨别各音节的声母,并将听辨结果写在答卷上。调查人根据答卷统计受试者对各音节声母的听辨正误情况。(2)测试发音能力。受试者认读测试表中各字组,调查人录音。调查人根据学生的实际读音,用国际音标将各字音的声母记录下来并统计声母的发音正误情况。

二 听觉和发音的偏误形式

(一) 听觉偏误形式

根据受试者的答卷,我们整理出表 1-3。从中可以看到,第一组的听辨水平跟第二、第三组有很大差异。这是因为,人们的听觉器官虽然能对语音作细致的反应,但由于学习者自幼就已习惯了母语音系的语音特征,在学习一种新的语言语音时,必须要经过一定的接触时间才能慢慢适应。这也说明,从总体上看,第二语言的语音听觉能力的提高与学习水平的提高成正比。

表1-3 越南学生汉语声母听觉偏误形式

序号	偏误形式 \ 测试组	第一组 偏误次数	第二组 偏误次数	第三组 偏误次数	共计 偏误次数
1	zh[tʂ] →ch[tʂʰ]	37	1	8	46
2	→z[ts]	16	6	0	22
3	→j[tɕ]	4	0	1	5
4	→q[tɕʰ]	3	0	0	3
5	ch[tʂʰ] →zh[tʂ]	54	13	16	83
6	→z[ts]	11	4	1	16
7	→j[tɕ]	7	0	1	8
8	→q[tɕʰ]	4	4	1	9
9	→c[tsʰ]	4	3	6	13
10	sh[ʂ] →s[s]	15	5	8	28
11	→x[ɕ]	3	0	0	3
12	j[tɕ] →q[tɕʰ]	20	6	3	29
13	→zh[tʂ]	5	1	0	6
14	→z[ts]	6	1	0	7
15	q[tɕʰ] →j[tɕ]	37	8	10	55
16	→ch[tʂʰ]	9	2	0	11
17	→zh[tʂ]	6	1	0	7
18	→x[ɕ]	6	6	4	16
19	[ɕ] →s[s]	11	1	2	14
20	→sh[ʂ]	5	1	0	6
21	→q[tɕʰ]	2	0	0	2
22	z[ts] →c[tsʰ]	6	0	0	6
23	→sh[ʂ]	6	1	0	7
24	→zh[tʂ]	3	4	2	9
25	→s[s]	4	1	1	6
26	c[tsʰ] →ch[tʂʰ]	12	4	2	16

(续表)

序号	偏误形式 测试组	第一组 偏误次数	第二组 偏误次数	第三组 偏误次数	共计 偏误次数
27	→zh[tʂ]	8	2	0	10
28	→s[s]	5	3	3	11
29	→sh[ʂ]	3	2	0	5
30	→z[ts]	9	2	2	13
31	s[s] →c[tsʰ]	7	3	2	12
32	→sh[ʂ]	6	2	1	9
33	→x[ɕ]	6	1	0	7
34	→z[ts]	3	1	0	4
35	b[p] →p[pʰ]	25	1	2	28
36	p[pʰ] →b[p]	4	2	1	7
37	→f[f]	7	4	1	12
38	f[f] →p[pʰ]	4	0	0	4
39	g[k] →k[kʰ]	3	2	2	7
40	d[t] →t[tʰ]	0	2	1	3
41	k[kʰ] →h[x]	8	10	6	24
42	h[x] →k[kʰ]	1	0	0	1

注：→表示"被听为"。

以上声母的听觉偏误，实际上是听音人对声母音位特征的听辨偏误。其偏误形式之间的关系是可以解释的。

1. 在同一发音部位条件下，[+送气] ←——→ [-送气]

偏误率	偏误形式之关系	偏误率
14.4%	[tʂ] ←——→ [tʂʰ]	9.8%
9.72%	[ts] ←——→ [tsʰ]	2.08%
16.9%	[tɕ] ←——→ [tɕʰ]	8.95%
3.24%	[p] ←——→ [pʰ]	9.72%

2. 在同一发音方法条件下，[+舌尖] ←——→ [-舌尖]

第二节 越南学生汉语声母偏误分析

		[+舌尖前]←——→[-舌尖前]	
偏误率	偏误形式之关系		偏误率
1.85%	[tʂ]←——→[tɕ]		9.06%
1.35%	[tʂʰ]←——→[tɕ]		1%
3.39%	[tʂʰ]←——→[tɕʰ]		1.56%
4.32%	[s]←——→[ɕ]		4.86%
1.85%	[ʂ]←——→[ɕ]		0.59%
4.7%	[ts]←——→[tʂ]		3.12%
2.25%	[tsʰ]←——→[tʂʰ]		6.34%
5.5%	[s]←——→[ʂ]		6.25%

3. 在不同发音部位条件下，[+舌尖]←——→[-舌尖]
　　　　　　　　　　　　[±送气]←——→[±送气]

偏误率	偏误形式之关系	偏误率
	[tsʰ]——→[tɕ]	1.35%
2.16%	[tʂ]——→[tɕʰ]	0.6%

4. 在发音部位相近条件下，[+双唇]←——→[-双唇]
　　　　　　　　　　　　[+擦音]←——→[-擦音]

偏误率	偏误形式之关系	偏误率
5.55%	[pʰ]←——→[f]	5.55%
0.8%	[s]←——→[ts]	2.77%
5.15%	[s]←——[tsʰ]	
1.98%	[ʂ]←——[tsʰ]	

越南学生对汉语声母的听辨偏误，可以从发音的生理特征上得到解释，也可以从这些声母音素的声学特征和听音者对此

的感知上得到解释。[p]/[pʰ]、[k]/[kʰ]两组,它们各自中心频率参量基本相近,只是送气音除阻长度较长,VOT 较大。[s]/[ʂ]/[ɕ]三个擦音的共同声学特征是:长度差不多,其中心频率都比较高,频率下限都非常清晰稳定;因为同后接的元音或介音部位相近,音征走势也每每是"平"的。[ts]/[tsʰ]、[tʂ]/[tʂʰ]、[tɕ]/[tɕʰ]三组除了长度差异以外,它们各自的其他参量基本相似,所以音感也比较接近。不仅如此,它们也跟各组相对应的擦音频谱相似,从[ts]到[tʂ]再到[tɕ],跟从[s]到[ʂ]再到[ɕ]的频率变化的趋向一致。这些声母的声学特征是学生听辨偏误形成的客观条件,因此,听辨时容易混淆的声母主要分布在那些有较多共同声学特征的音素上。另外,越南学生对汉语音系中具有相似特征的音素有着相同的直觉,这也是导致以上偏误的一个主要因素。在同部位的送气/不送气和同方法的舌尖前/舌尖后等特征面前,越南学生基本不敏感。

在听觉偏误形式中还有一些现象值得注意:第一,一年级学生的听觉偏误除了表中所列的大量带有共性的、规律性的形式之外,还有部分偏误表现得极为复杂,没有规律可寻,也无法找到原因。如:

z[ts]→f[f](1 次)

　　↘d[t](3 次)

　　↘t[tʰ](2 次)

　　↘x[ɕ](2 次)

这些听觉偏误形式说明,在汉语语音习得过程中,学习者听辨反应十分复杂。一方面对声学特征较近的声母不易听辨,对自己母语中没有的音素也不敏感,不易于识别,对母语没有的语音特征常发生直觉偏差;另一方面,由于在汉语学习刚刚开始的时候,学习者一般对汉语音系的语音特征、语音规则几乎毫无概念,他们对语音的听觉感知正处在摸索的阶段,其听辨反应也带有盲目的成分。因此,这些偏误的成因也是无法解释的。第二,在汉语学习的高级阶段,学生对 zh、ch、sh、q 等声母的听觉偏误反而比第二组还要高。究其原因,可能与僵化了的语音直觉有关,也可能与学生语言学习的素质有关。在学习的高级阶段,语音训练已经退居学习的次要位置,对某些学生而言,跟母语语音不同的塞擦和送气特征还没有稳固地进入他们的感知域,学生僵化了的语音直觉就会混淆汉语里的这些音,以致偏误率高于还处在语音训练阶段的第二组。另外,第三组的受试者绝大部分是非汉语言文学专业的越南留学生,虽然他们在北京学习汉语已有两年多到三年的时间,但由于专业需要,其学习汉语的重点主要集中在语法和词汇上,以致他们对汉语声母系统的感知没有完全建立起来,造成对塞擦和送气特征的直觉反而比正处在汉语学习初级阶段的学生差。

(二) 发音偏误形式

发音活动是学习者对目的语音系的理解、掌握的过程。第二语言语音教学的实践表明,发音能力的形成比听辨能力的形成复杂而困难得多。越南学生的声母发音偏误形式就足以说明这一点。根据受试者的汉语声母录音材料,我们统计出表 1-4,从中可见,他们的发音偏误形式十分复杂。

表 1-4 越南学生汉语声母发音偏误形式

序号	偏误形式 测试组	第一组 偏误次数	第二组 偏误次数	第三组 偏误次数	共计 偏误次数
1	zh[tʂ] → tr[ʈ]	77	49	39	165
2	→ [tʰ]	5	0	3	8
3	→ sh[ʂ]	3	0	0	3
4	→ j[tɕ]	2	2	1	5
5	ch[tʂʰ] → tr[ʈ]	33	12	0	45
6	→ [tʰ]	28	19	15	62
7	→ ch[c]	4	2	0	6
8	sh[ʂ] → s[ʂ]	34	30	12	76
9	→ s[s]	5	0	0	5
10	j[tɕ] → ch[c]	29	21	13	63
11	→ tr[ʈ]	9	0	0	9
12	q[tɕʰ] → j[tɕ]	30	4	6	40
13	→ tr[ʈ]	26	3	0	29
14	→ [tʰ]	14	6	6	26
15	→ x[ɕ]	2	1	0	3
16	x[ɕ] → x[s]	28	21	16	65
17	r[ʐ] → r[r]	40	22	14	76
18	→ d[z]	10	3	0	13
19	z[ts] → ch[c]	39	18	6	63
20	→ tr[ʈ]	6	0	6	12
21	→ d[z]	3	3	1	7
22	c[tsʰ] → s[s]	14	8	4	26
23	→ ch[tʂʰ]	12	1	1	14
24	→ z[ts]	9	6	2	17
25	→ c, k[k]	7	0	0	7
26	s[s] → s[ʂ]	14	3	2	19
27	→ c[tsʰ]	4	1	0	5
28	p[pʰ] → b[p]	22	0	0	22

（续表）

序号	测试组 偏误形式	第一组 偏误次数	第二组 偏误次数	第三组 偏误次数	共计 偏误次数
29	b[p]→*b*[b]	9	4	3	16
30	k[kʰ]→k[k]	7	0	1	8
31	t[tʰ]→t[t]	5	0	0	5

注：斜体字母为越南文。

表1-4可见，三个受试组之间存在着一些普遍性的语音偏误形式。偏误集中在塞擦音声母上，基本上是以同部位或者同部位且发音方法相近的声母音素为偏误形式。偏误率见表1-5。

表1-5 同部位音素之间的发音偏误

偏误音	汉语音	舌尖后		舌尖前		舌面	
		[tʂ]	[tʂʰ]	[ts]	[tsʰ]	[tɕ]	[tɕʰ]
舌尖后	[t]	41.6%	11.3%	4.1%		4.3%	10%
	[tʰ]	2%	14.3%				9%
	[tʂ]				6.4%		
	[ʂ]	0.75%					
舌尖前	[ts]				7.8%		
	[s]				12%		
	[z]			2.4%			
舌面	[tɕ]	19.4%					13.8%
	[ɕ]						1%
	[c]		1.38%		21.8%	19.8%	
	[k]				3.2%		

表1-5可见，偏误形式有因部位的类同而产生的，如：c[tsʰ]→z[ts]/s[s]、zh[tʂ]→[t]/[tʰ]/sh[ʂ]、ch[tʂʰ]→[t]/[tʰ]、q[tɕʰ]→j[tɕ]/x[ɕ]、j[tɕ]→[c]；也有因方法的类同而产生的，如：c[tsʰ]→ch[tʂʰ]、q[tɕʰ]→j[tɕ]；还有因拼音符号的误导而产

生的,如:ch[tʂʰ]→[c](越文 ch 读[c])、z[ts]→[z]、c[tsʰ]→[c](拉丁字母和汉语拼音字母读音相混)。至于把汉语[tʂ]读成[tɕ]的现象,这是越南语方言影响的结果。在越南青华省以北的方言中,越语 ch[c]被读成[tɕ],所以,受试中的北方人在对汉语[tʂ]声母的习得中,就自然受到母语方言的牵引,发成[tɕ]。对于这几种偏误,我们可以或多或少地从母语音系对汉语学习的负迁移中找到原因。总之,越南学习者在汉语语音习得过程中,对于母语没有或与母语声母不完全相同的汉语声母,他们必须"想方设法"运用母语的发音技巧去模仿汉语声母的发音。这包括采取母语中最接近的发音方法去模仿发音,也包括无意中用与母语截然不同的发音方法去读同形异音(拼音符号)的汉语声母。

一些普遍性的发音偏误形式在不同学年、不同学习阶段都反复发生,如:zh[tʂ]→ tr[t],r[ʐ]→r[r](颤音)这两种形式偏误率最高,这可看作是越南学习者学汉语的固有毛病。从中介语的角度看,可以说,这是越南学生汉语中介语音中普遍性"僵化"的部分。从三个受试组的发音情况来看,这些形式是汉语声母习得整个过程中的共性偏误形式,从学习的初级阶段到中高级阶段一直"顽固性"地存在着,高年级学生虽然对自己汉语中介语音这一"僵化"部分有所意识,但很难纠正。

三 听觉和发音偏误的特点与成因

(一)听觉偏误和发音偏误的特点

1. 共性特点

在第二语言语音习得过程中,听觉偏误与发音偏误毕竟是语音学习在听和说两个相关方面的偏离形式。听觉是发音的一个重要基础,发音是听觉的反映,也是对新音系的习得表现。从学习者的角度看,听觉偏误与发音偏误是在同样的生理及心理基础之上产生的。因此,两者之间必然存在着一定的共性特点。

(1) 偏误分布不均衡

由于汉语和越南语的声母系统之间既有相同之处,又有一定差异,这就决定了越南学生对汉语各声母的习得过程也不尽相同。无论在听觉方面还是在发音方面,越南学生对两种语言声母系统中发音完全相同的音素习得较快,而对两种语言声母系统发音较近的音素或者汉语有而越南语无的音素习得较慢。根据对听觉与发音测试数据所做的统计,在汉语21个辅音声母中,偏误分布不均衡,听觉与发音平均偏误率较高的声母是比较一致的,塞音声母偏误率低,塞擦音和擦音声母偏误率高。

表1-6　汉语一些重点声母的听觉与发音偏误分布情况

偏误率\声母	z	c	s	zh	ch	sh	r	j	q	x
听觉(%)	14.2	26.9	22.2	17.1	24.4	7.7	6.9	13.5	30.2	7.4
发音(%)	26.3	32.8	15	43.5	27.8	17.3	35.5	23.4	36.4	20

(2) 偏误形式较为一致

除了初级学习阶段中的一部分个别性、特殊性的偏误以外,越南学生对汉语声母的听觉与发音偏误形式也比较一致,高的偏误率集中在带有普遍性的偏误形式上。具体表现为同部位的塞音和塞擦音之间、送气/不送气的塞擦音之间、擦音和塞擦音之间的关系上。

汉语三组塞擦音都是越南语音系所没有的,容易造成学生听辨和发音时声母之间的混淆。具体说来,造成这种现象的因素有三:其一是送气与不送气这对特征,有的偏误不是以阻塞气流的方式或发音部位而是以送气与不送气特征产生的。在偏误中,擦音也常常跟送气的塞擦音相混,这是因为它们的发音从成阻到除阻都有一股气流,跟送气的塞擦音有相似的语音特征。其二是为越南学生所不熟悉的阻塞气流的方式,越南语没有塞擦音,初级阶段的学生由于过多地关注塞擦的语音特点而常常忽视舌尖前、舌尖后、舌面三组塞擦音的区别,所以发生以相同阻塞气流方式下的部位相混的情况。其三是相同发音部位的制约,这在发音偏误中表现得尤为突出,如 $zh[tʂ]\rightarrow tr[t]/[t^h]$、$j[tɕ]\rightarrow ch[c]$。在多数情况下,这三种因素共同影响着越南学生对声母的学习。

(3) 听觉与发音偏误都存在着"僵化"现象

在学习的中高级阶段,一些学生的听辨或发音能力仍停滞不前,他们对某些音一直分辨不出来,发音偏误也几乎纠正不了,汉语语音似乎已经定型。总体上看,发音方面的僵化程度高于听觉方面。测试结果反映,一些普遍性的偏误形式在不同学年、不同学习阶段都会反复发生,这是越南汉语学习者的一种通病。以第三个受试组(中高级学习阶段)一部分受试者对一些偏误率较高的语音形式反复发生的僵化现象为例:

表1-7 三、四年级学生听觉方面偏误的僵化现象

偏误形式	受试者序号	偏误次数	偏误总次数	偏误百分比
$ch[tʂ^h]\rightarrow zh[tʂ]$	30	4	16	25%
	31	3		18.7%
	32	3		18.7%
	33	3		18.7%

(续表)

偏误形式	受试者序号	偏误次数	偏误总次数	偏误百分比
q[tɕʰ]→j[tɕ]	28	3	10	30%
	29	3		30%
	33	2		20%
zh[tʂ]→ch[tʂʰ]	28	2	8	25%
	31	2		25%
	36	2		25%
sh[ʂ]→s[s]	32	3	8	37.9%
	30	3		37.9%
ch[tʂʰ]→c[tsʰ]	33	4	6	66.6%
	34	2		33.3%

表1-8 三、四年级学生发音方面偏误的僵化现象

偏误形式	受试者序号	偏误次数	偏误总次数	偏误百分比
zh[tʂ]→tr[t]	31	9	39	23%
	28	8		20.5%
	33	8		20.5%
	32	4		10.2%
	36	4		10.2%
	27	3		7.6%
r[ʐ]→r[r]	30	6	14	42.8%
	33	3		21.4%
	27	2		14.2%
	34	2		14.2%

2.不同特点

(1)从偏误的表现来看,听觉的偏误多是语内的偏误,发音偏误多是语际的偏误。在听觉方面,由于学习者对汉语各声母音素的语音特征了解得不到位,辨认不出各个相同部位或相同发音方法的声母音素。在发音方面,学习者对越南语音系所没

有的汉语声母音素模仿不出来,常见的偏误是以越南语一些语音特征相近或有点相近的音素和发音习惯来代替汉语不好发的声母。

(2)听觉偏误点一般也分布在相应的发音偏误点上,但发音偏误则不然,有很多发音偏误是与学习者的发音器官肌肉活动的调节能力有关而跟听觉能力无关的。随着学习时间及学习程度的增长,听觉偏误率明显地下降了,但发音偏误率不一定跟着下降。学了一段时间以后,学生可能对送气音或塞擦音听得出来,但并不都能马上发出音来,要发出这种音必须经过多次反复训练。但也有这种情况,对个别音有的人永远不能形成正确的发音。因此,听觉与发音在偏误率上形成了较大的差距。

总之,在第二语言语音学习中学习者的听觉能力一般比发音能力提高得快,听觉偏误率一般低于发音偏误率。在中高级学习阶段,发音偏误不一定反映学习者的听觉能力。

(二) 听觉与发音偏误产生的原因

就语音而言,偏误形成的原因是:母语对目的语的负迁移、目的语音系内音素之间的负迁移、两种语言记音符号的不同形式对目的语听觉的误导等等。

1. 越南语音系对汉语声母学习的负迁移

(1) 汉语声母的听觉方面。排除听觉器官病疾之类的因素,人们对母语以外语音的感知是带有先验成分特点的。认知心理学的研究表明,感知与人的知识经验分不开。感知是将感觉信息组成有意义的对象,即在已贮存的知识经验的参与下把握刺激的意义。因此,人们在第二语言学习中对语音的感知也是现实语音刺激和已有的知识经验相互作用的结果。对第二语言的一般初学者而言,可借听觉辨音的已有知识经验常常就是母语语音,也就是说,学习者对第二语言语音的感知程度跟母语语音系统有关。① 就越南学生对汉语的听辨过程而言,越南语的语音知识和经验总是干扰着学生对汉语声母语音特征的接收和听辨,其偏误一般分布在两种语言发音特征比较接近的音素上。这在学习的最初阶段表现得比较强烈,但随着学习程度的提高,母语的负迁移就会逐渐减少。

在汉语声母听觉偏误方面,来自越南语的干扰主要表现为,越南语声母不送气特征,使学生在初级阶段不易感知汉语声母中的送气音。其干扰形式是:

[-送气]……→[+送气]————→[-送气]

汉语有六个送气音声母[p^h]、[t^h]、[ts^h]、[$tʂ^h$]、[$tɕ^h$]、[k^h],越南语只有一个送气音[t^h],由此可见,越南学生对汉语其余的五个送气音的直觉都不太敏感。越南学生对汉语不同送气音声母有不同的偏误倾向,[p^h]、[k^h]这两个音的偏误情况在不同学习阶段都显得较为稳定,因为除了送气特征以外,它们的发音部位(双唇/舌根)、发音方法(塞音)也存在于越南语中([p]/[k]),学生对此类音还是容易听辨的。至于[ts^h]、[$tʂ^h$]、[$tɕ^h$],这些音送气和塞擦的发音方法都是越南语所没有的,制约学生对这几个音听辨的因素不只是一个,而是好几个,因此偏误率较高。各声母累计偏误次数见下面的分布图。

(2)汉语声母的发音方面。在语音介入阶段的发音操练中,因母语发音习惯的影响,"僵化"了的发音器官使得学生对汉

---

① 掌握多种语言的人除外。

图 1-8

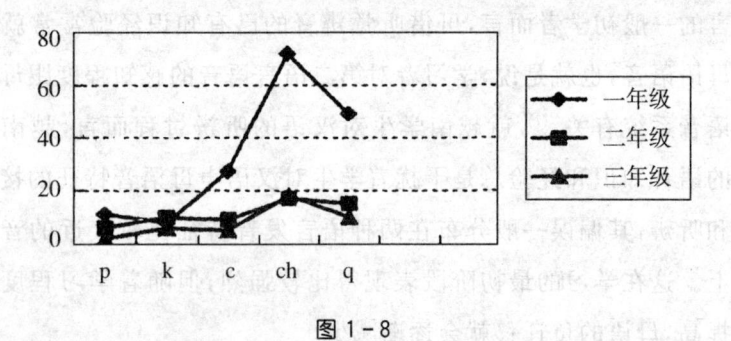

语声母发音能力的获得非常困难,①学生对汉语音系的主要习得途径就是用母语语音特征代替目的语语音特征。

在越南学生汉语声母发音习得过程中,越南语的干扰主要有下面几种表现:

第一,不习惯发汉语送气音,特别是送气的塞擦音。因为在越南语中,没有塞擦音,而且送气/不送气也不是声母系统重要的区别特征。这是越南学生汉语声母学习的最大阻碍。在汉语中,送气与不送气是声母的一对对立性特征,但在越南语中,除[t]/[tʰ]以外,基本上没有送气声母,所以在学习送气声母的发音时,学生很难掌握送气这个特点,把送气声母发成不送气声母。如:ch[tʂʰ]→tr[t]、q[tɕʰ]→j[tɕ]/tr[t]、p[pʰ]→b[p]、c[tsʰ]→s[s]、k[kʰ]→g[k]等。

chángchéng(长城)　　[tʂʰaŋ³⁵ tʂʰəŋ³⁵]　　→[taŋ³⁵ təŋ³⁵]
kāipì(开辟)　　　　　[kʰai⁵⁵ pʰi⁵¹]　　　　→[kai⁵⁵ pʰi⁵¹]
cóngcǐ(从此)　　　　[tsʰuŋ³⁵ tsʰɿ²¹⁴]　　　→[suŋ³⁵ sɯ²¹⁴]

---

① 萨丕尔在《语言论》中指出:在第二语言学习过程中,"在绝大多数人,发音器官的自主控制已经出奇地僵化了","发音控制僵化是我们为容易掌握一套极需要掌握的符号系统而付出的代价"。

第二,用越南语的一些浊音声母来发汉语相应的清音声母。如：

bǎobèi（宝贝）　　　[pau²¹⁴ pei⁵¹]　　→[bau²¹⁴ bei⁵¹]
chūbǎn（出版）　　　[tʂʰu⁵⁵ pan²¹⁴]　　→[tʂʰu⁵⁵ ban²¹⁴]
míngzi（名字）　　　[miŋ³⁵ tsɿ⁰]　　→[miŋ³⁵ zɯ⁰]

或者用与越南语近似声母的发音习惯来发汉语相应的清音声母。如：

zìrán（自然）　　　[tsɿ⁵¹ ʐan³⁵]　　→[tsɿ⁵¹ ran³⁵]
xuéxí（学习）　　　[ɕyɛ³⁵ ɕi³⁵]　　→[syɛ³⁵ si³⁵]

第三,用越南语中与汉语同部位的塞音发音习惯来发汉语塞擦音。这是发音器官活动"惰性"的表现。这种现象常常发生在汉语语音学习后一阶段即中高级阶段,学习者一旦能区别汉语音系中的对立系统,受母语影响的语音惰性及省力习惯就产生了。这种省力惰性在整个语音学习过程中一直存在着,使得所发出的一些发音偏误变成固定化了的东西。这也是造成越南学生汉语中介语音发音偏误"僵化"现象的成因之一。发音偏误率较高的声母有 zh[tʂ]→tr[t]/[tʰ]、ch[tʂʰ]→[tʰ]/tr[t]。如：

zhēnzhèng（真正）　　[tʂən⁵⁵ tʂəŋ⁵¹]→[tən⁵⁵ təŋ⁵¹]

在第二语言语音学习过程中,母语的干扰是偏误产生的主要原因,但在听觉与发音两个方面母语干扰的影响有所不同。在初级学习阶段,母语干扰的影响对听觉与发音几乎差不多。随着学习时间和学习程度的增长,母语对听觉的干扰作用逐渐减轻了,来自母语干扰的听觉偏误也逐渐减少了。在发音方面,从学习开始的时候,学生一般自然地按照母语原有的发音习惯来发汉语声母音素,这样母语的底音就在整个发音习得过程中烙下了深深的印迹。越南学生的汉语语音学习也不例外，这是造成不同于其他国籍学生的有"越南语特色"的汉语中介语音的根源。总之，越南语的干扰对越南学生汉语声母发音的影响大于对听觉的影响。

2. 汉语音系内音素之间的负迁移

在初级学习阶段，学习者对目的语的语音学习途径主要通过模仿操练来实现，越南学生的汉语声母学习过程也不例外。学生一般不了解汉语语音的发音规则以及参与发音的各个发音器官活动情况。因此，越南学生在汉语语音学习过程中，对一些未曾接触过的音素必须重新学习，不可能一朝一夕就会马上习得。汉语音系内部各音素间的关系在听觉和发音方面对越南学生汉语声母学习的干扰都很明显，具体表现如下：

(1)在听觉方面。由于汉语音系的语音特征跟越南语的大不相同，在学习中，有时有的汉语声母容易以多条陌生的特征影响学生的听辨反射，产生了汉语音系内负迁移(干扰)作用。比如 zh[tʂ]/ch[tʂʰ]、z[ts]/c[tsʰ]、j[tɕ]/q[tɕʰ]等声母，虽然各自以送气与否形成对立，但对越南学生来说，送气、塞擦/擦这两三条特征都是陌生的，在没有充分掌握汉语音系的对立差别以前，对三组声母的对立关系是听不出来的。有的以部位相同而混之以送气与不送气，有的以送气特征同而混之以部位，有的以部位同而混之以阻塞气流的方式。如像 chǐcùn/zǐsūn(尺寸/子孙) [tʂʅ²¹⁴ tsʰun⁵¹]/[tsʅ²¹⁴ sun⁵⁵]对启蒙阶段汉语水平的越南学生好像没有什么区别。

(2)在发音方面。汉语音系内诸多特征干扰对越南学生的声母发音习得的影响在初级阶段较为明显。在这一"摸索性"的语音学习阶段中,学生混淆了两两相对应的声母,这既表现在发音部位相同的送气/不送气声母之间相混上,也表现在同部位的塞擦音与擦音之间相混上,还有的表现在不同部位的塞擦音之间。

到中高级阶段,由于学生基本掌握了汉语音系特征及语音规则,发音偏误的主要成因不再是汉语音系内音素之间的干扰而是其他因素,如:学生"僵化"了的母语发音习惯及省力惰性的发音学习方式、语音教与学中的不足之处等。

3. 汉语拼音符号对声母学习的误导

《汉语拼音方案》和越南文都是以拉丁文作为字母形式的,这是越南学生学习《汉语拼音方案》的有利条件。我们发现,他们对汉语拼音的认识和辨认显然比母语符号为非拉丁字母国家的学生要好得多。但我们同时也发现,由于汉语与越南语在拉丁字母选择上有一定差异,这对越南学生在初级学习阶段听音后的记写或通过拼音符号练习发音带来了不少干扰。

《汉语拼音方案》是根据汉民族对音位的直觉设计的,音标符号价值是由本民族赋予的,音标跟语音的实际音值不完全相同。越南语的拉丁文字和实际音值的关系跟汉语一样,有时文字符号并没有直接反映音素的实际读音。另一方面,用什么符号记录什么声音,这完全取决于这两个民族的不同选择。在两种语言里,有些音标符号看似一样,但所代表的音值不同,如 b 在汉语里记录清音[p],在越南语里记录浊音[b];而有些音素音值一样,但所使用的记音符号不同,如[t^h]在两种语言里都有,汉语用字母 t 表示,越南语则用声母 th 来表示。在开始学习汉语、没有掌握并熟悉汉语拼音符号的情况下,对汉语这些不反映实际读音的拼音符号,如果在形式上又与自己母语相同的话,学生很容易发生一种"同化"的语音偏误,就是以越南语音素的读音代替汉语的读音。这种偏误现象实质上是母语文字系统对目的语语音的负迁移,但也可以看作由于没有掌握好汉语拼音符号系统而产生的一种相互干扰,具体表现如下:

(1) 在学习初级阶段(有的到中高级阶段),学生常把汉语的拼音符号和越南语的拉丁字母混在一起,即用错误的拼音符号来注所听到的汉语音素(错误的拼音符号一般来源于越南语),导致听觉偏误。如听到汉语声母 g[k],却用越南语的 k、q [k]来记(q[k]出现在有介音的韵母之前),túshūguǎn(图书馆)的"guǎn"写成"quǎn";听到汉语声母 b[p]就用越南语的 p[p]来记,chūbǎnshè(出版社)的"bǎn"写成"pǎn";听到汉语声母 d[t]就用越南语的 t[t]来记,dàilù(带路)的"dài"写成"tài"。

(2) 初级汉语水平的越南学生由于受汉语拼音符号的误导产生了发音偏误,具体表现为:错误地认读汉语声母(错误的读音一般来源于越南语)。如:一些越南学生把 mótuōchē(摩托车)的"tuō"[t^{h}uo^{55}]发成[tuo^{55}],tàijíquán(太极拳)的"tài"[t^{h}ai^{51}]发成[tai^{51}],kāfēitīng(咖啡厅)的"kā"[k^{h}a^{55}]发成[ka^{55}],tǐcāo(体操)的"cāo"[ts^{h}au^{55}]发成[kau^{55}],pīngpāngqiú(乒乓球)的"pīngpāng"[p^{h}iŋ^{55} p^{h}aŋ^{55}]发成[piŋ^{55} paŋ^{55}],jùlèbù(俱乐部)的"bù"[pu^{51}]发成[bu^{51}],dǎsǎo(打扫)的"sǎo"[sau^{214}]发成[ʂau^{214}]。

总之,汉语拼音符号的误导对发音的影响一般大于对听觉的影响,不过《汉语拼音方案》的干扰一般只发生在汉语学习的初级阶段,中高级阶段的这些偏误只是个别的、少见的。

第三节　美国学生汉语声调偏误分析[①]

关于外国人学习汉语声调的问题,已有不少学者作过调查研究。但由于种种原因,得到的结论不尽相同,在有些方面甚至存在着相当大的差异。余蔼芹先生提出的外国人学习汉语声调的难度顺序是:阴平最容易掌握,其次是去声和阳平,上声最难。[②] 赵元任先生认为,对外国学生来说,是调域而不是调型造成了学习困难。赵金铭先生在对母语是声调语言的外国学生的调查中证实了赵元任先生的观点。[③] 沈晓楠在同时分析美国学生调域和调型错误的基础上,提出了不同于余蔼芹的四声难度顺序:掌握阴平和去声的难度大于阳平、上声和轻声。她认为,从错误类型来看,主要集中在调域而不是调型上。[④]

讨论汉语声调的问题离不开调域,因为声调的高低是一种相对的概念,在语流中,一个音节被听成何种声调,与它的绝对音高关系并不大,关键在于它与邻近有关音节的音高对比。外国学生在学习汉语声调时,确实存在着调型和调域两种错误。调型错误表现在音高曲线不对,如将平调说成升调或降调,将升调说成降调或平调等。调域错误表现在音高曲线虽然基本正

[①] 本文原标题为"也谈美国人学习汉语声调",作者王韫佳。原载《语言教学与研究》1995 年第 3 期。

[②] 参见余蔼芹《声调教法的商榷》,载《第一届国际汉语教学讨论会论文选》,北京语言学院出版社 1986 年版。

[③] 参见赵金铭《从一些声调语言的声调说到汉语声调》,载《第二届国际汉语教学讨论会论文选》,北京语言学院出版社 1988 年版。

[④] 参见沈晓楠《关于美国人学习汉语声调》,《世界汉语教学》1989 年第 3 期。

确,但声调的整个音区太高或太低,如将高平调说成低平调,将全降调说成半降调等。

众所周知,汉语的声调是通过音高表现出来的,汉语的语调主要也是通过音高来表现的,在语流中两种音高变化叠加在一起,后者对前者进行调节。这种调节是一种调域意义上的调节,即在语调的作用下,音节的调型基本不变,但音高活动范围产生变化。[1] 沈晓楠的研究语料是一篇课文,事实上,每个音节的音高都已是语调调节后的结果。由于英语是非声调语言,加上英汉语调模式的不同,语调也是美国学生学习汉语的难点之一,语调的错误往往引起声调的错误,所以很多学生进入语流后声调的错误率急剧上升。因此,在调查学生的声调错误时,要最大限度地排除语调的影响,最好是从孤立词(词组)入手。当然,完全撇开语调是不可能的,一个孤立词(词组)也可看作是一个独词句,它也有自己的语调,但在这种情况下,语调对声调的影响已到了最低程度。

一 研究材料和方法

调查对象为六个美国学生(三男三女)和两个北京人(一男一女)。分析北京人的声调是为了在有关方面与美国学生进行对比。六个美国学生都已学过至少半年时间的汉语。发音的材料为 80 个常用双音节词或词组(下文统称为字组,见附录),其中大部分为学生所熟悉,少数不熟悉的注上汉语拼音。在发音

---

[1] 参见沈炯《北京话的声调音域和语调》,载林焘、王理嘉编《北京语音实验录》,北京大学出版社 1985 年版。

过程中,不排除学生少数语音知识上的错误(即误记了某个音节的声调),但这少数情况不会影响统计结果。在 80 个字组中,20 种可能有的声调组合各有 4 个,声调分别为阴、阳、上、去的音节都是 36 个,轻声音节 16 个。本文对轻声问题暂不予讨论。若发音人将轻声音节读为非轻声音节,统计时将该音节声调按本调计。

对录音首先进行了听辨分析,用五度制记录了每个音节的调值。为使记录结果得到声学上的验证,用 Visi—Pitch 对音高进行了分析,得到每个音节的音高曲线和基频值。为便于分析,将基频转换成沈炯提出的 D 值。[①]

$$D = 5\log_2 \frac{f_0}{f}$$

其中 f_0 为实际频率,f 为人为设定的参考频率。男声的参考频率为 32Hz,女声的参考频率为 64Hz。

二 实验结果

六位美国学生四声的正确率见下表:

表 1-9

发音人	阴平	阳平	上声	去声	四声平均
1	100%	87.5%	96.9%	97.2%	95.1%
2	89.5%	65.0%	69.7%	85.0%	77.5%
3	97.3%	81.0%	43.8%	91.9%	77.2%
4	94.4%	57.1%	62.5%	91.9%	76.2%
5	89.2%	43.2%	68.8%	80.6%	69.1%

---

① 参见沈炯《北京话的声调音域和语调》,载林焘、王理嘉编《北京语音实验录》,北京大学出版社 1985 年版。

(续表)

发音人	阴平	阳平	上声	去声	四声平均
6	48.6%	9.7%	47.2%	58.3%	40.0%
平均	86.5%	57.0%	64.3%	84.2%	

　　数据显示出六位发音人对声调的掌握程度不同。可分为三级：掌握得较好的有一人，总正确率高于90%；掌握得一般的有三人，总正确率低于80%，高于60%；掌握得较差的一人，总正确率低于40%。从六位发音人的平均数据看，阴平的正确率最高，去声其次，上声再次，阳平最低。其中阴平和去声的正确率较为接近，阳平和上声较为接近，阴平和去声的正确率明显高于阳平和上声的正确率。

　　六位发音人四声正确率的高低次序有所不同，但大部分发音人是阴平和去声显著高于上声和阳平，只有程度最低的6号发音人是例外，上声的正确率接近于阴平。不过6号发音人的上声正确率不能反映他的真实水平，因为他将近一半的双音节字组的首字读为高调，末字读为低调，而四声中只有上声是低调，这种巧合使末字上声的正确率和上声的总正确率大大提高。

　　在调查中我们发现，调型错误和调域错误确实同时存在，这与沈晓楠的结论是相同的。沈的调查结果为：阴平和去声均无调型错误，只有调域错误；阳平虽有调型错误，但调域错误大大高于调型错误；调型错误基本在上声，而上声的调型错误多在于学生没有掌握上声变调，这些错误涉及语音学知识与实践，因此她在文中不予讨论。我们的调查结果在这些具体方面与之存在较大差异。下面也列出我们所得到的错误类型分布（6号发音人情况特殊，下文将单独讨论，此表不计入他的数据）：

表 1-10

声调	错误类型及数目	
	调型数目	调域数目
阴平	35 调 4 次,213 调 6 次,51 调 6 次,53 调 1 次 共计 17 次	无调域错误
阳平	55 调 6 次,44 调 1 次,21 调 33 次,41 调 1 次,轻声 2 次 共计 43 次	14 调 1 次,434 调 1 次,324 调 20 次 共计 22 次
上声	55 调 2 次,35 调 4 次,14 调 1 次,214 调 7 次,435 调 3 次,51 调 1 次(以上错误均在首字) 共计 18 次	35 调 5 次,324 调 27 次,435 调 3 次,535 调 1 次(以上错误均为末字) 共计 36 次
去声	55 调 7 次,33 调 1 次,35 调 4 次,21 调 2 次,214 调 1 次,545 调 1 次 共计 16 次	43 调 2 次,轻声 1 次 共计 3 次

从上表可以看出,四声中除阴平外,其余三声均有调型和调域错误。阴平被读为升、降、曲折调的都有,主要的错误是被读为调值与去声相同的高降调和调值与阳平相同的中升调。

在调型错误中,阳平主要是被读为调值与半上声相同的低平调,另外也有一些被读为调值与阴平相同的高平调。值得注意的是,被读为低平调的均为首字,在 33 例首字阳平为低平调的字组中,29 例末字为阴平或去声,占总数的 87%。调域错误表现为声调低音点过低、终点不够高。[324]调可以说兼有调域和调型方面的双重错误,它是一个曲折调,低音点和高音点都比阳平低。在许多情况下,特别是当前面声调的终点较高时,北京

人的阳平开始也有短促的下降段,音高曲线的示意图如下:

邮　局　　　　　科　学

图1-9

北京人阳平的下降段和上声的"21"段有重要区别。其一,阳平的下降段多是因前面声调终点较高或声带运动的惯性所致;其二,下降段时长非常短,不为听觉所感知。而美国学生所读的[324]调与前字音节的声调无关,并且下降段较长,完全能为听觉所感知,音高曲线的示意图如下:

感　觉　　　　　完　全

图1-10

值得注意的是,[324]调全都出现在末字音节。也就是说,调型错误主要出现在首字位置,调域错误主要出现在末字位置。

上声的情况比较复杂。对于首字上声来说,学生主要是变调掌握不好,原因可能是语音学知识不够,不知道要变调而读为本调,调查结果中确实有些[21]调被读为[214]调,也可能是知道要变调,但[21]调掌握不好。因此,对于首字除读为[214]调以外的错误,我们难以断定是何种原因所致,只能暂时不予讨论。末字上声多为调域错误,表现在起点太高,低音点不够低;也有一些调型错误,表现为调值与阳平相同的中升调。这种调型错误是从调域错误发展而来的,因为在调域错误中已经隐含了低音部分太短、上升部分太长的问题,这种倾向和整个音区偏高的倾向一并发展,必然导致上声变为阳平。

从表1-10中还可以看出,阳平和上声都有多次被读为介于阳平和上声之间的[324]调的情况。在教学中我们发现,阳平音区偏低、上声音区偏高的现象不仅是美国学生易犯的错误,而且在许多母语不是英语的外国学生中也存在。发上声时,他们先是低不下去,然后又升得太高,而且低音部分太短、上升段太长。① 发阳平时,学生似乎不习惯直接使音高上升,而是先下降再上升,并且升得不够高。这样,阳平和上声的音高曲线就非常接近,所以,在他们的发音中,阳平和上声常常是混淆的。即使在听感上阳平接近于[35]调,基本可算正确,但音高曲线往往还是明显的降升型。末字上声音高曲线的示意图如下:

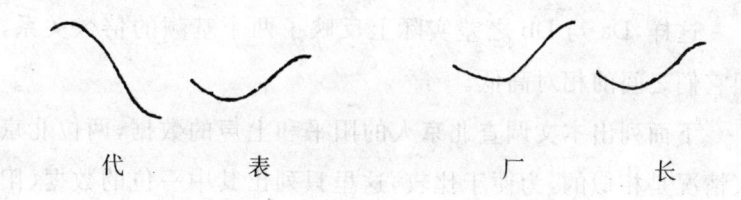

代　　　表　　　　厂　　　长

图 1-11

这种情况或许与学生对阳平和上声两个声调的感知不够敏感有关,Kiriloff 对12位以汉语为第二语言的人进行测试,发现他们辨认阳平和上声时发生的错误比辨认阴平和去声时多得多。下面是本文调查的一位美国学生调型为降升型的15个末

---

① 参见李明、石佩雯《普通话语音辩正》,北京语言学院出版社1985年版。

字阳平和12个末字上声的平均音高数据(未被统计的阳平和上声均是只有调型错误),选择该发音人的数据是因为在六位发音人中,她的阳平和上声相互靠拢的现象最为典型。

表 1-11

	起点音高	低音点音高	终点音高	降段时长	升段时长	降/升
阳平	8.0D	7.5D	8.8D	90ms	127ms	71%
上声	7.9D	7.2D	8.5D	97ms	149ms	65%

阳平和上声的绝对音高之差(即基频之差)不能说明两个声调的相对高低关系,因为不同的发音人有不同的调域,调域宽则绝对音高相差较大,调域窄则绝对音高相差较小,但D值之差可以说明两者的相对高低,因为:

$$Da - Db = 5\log_2 \frac{fa}{f} - 5\log_2 \frac{fb}{f} = 5\log_2 \frac{fa}{fb}$$

这样,Da 与 Db 之差实际上反映了两个基频的倍数关系,即它们之间的相对高低。

下面列出本文调查北京人的阳平和上声的数据,两位北京人情况是相似的,为便于比较,这里只列出其中一位的数据(阳平开始无下降段时,低音点音高按起点音高计,时长统计中不予计入):

表 1-12

	起点音高	低音点音高	终点音高	降段时长	升段时长	降/升
阳平	7.9D	7.4D	10.0D	84ms	196ms	43%
上声	7.2D	4.5D	6.7D	145ms	195ms	74.4%

从数据中可以看出,美国学生阳平和上声之间的高低对比

第三节 美国学生汉语声调偏误分析

远低于中国人。美国学生阳平起点比上声高 0.1D,中国人高 0.7D;低音点和终点的差别更为明显,美国学生阳上之差均为 0.3D,而中国人分别为 2.9D 和 3.3D。可见美国学生的主要问题在于上声的低音点和阳平的低音点、上声的终点和阳平的终点都过于接近。同时,阳平的降段过长、上声的降段过短也是阳上混淆的原因之一,中国人阳平的降升之比远低于上声,而美国学生的降升之比甚至略高于上声;中国人阳平的降升之比比美国学生低 28%,而上声的降升之比则比美国学生高 9%。

图中标注:
a 北京人的阳平
b 美国学生的阳平
c 美国学生的上声
d 北京人的上声

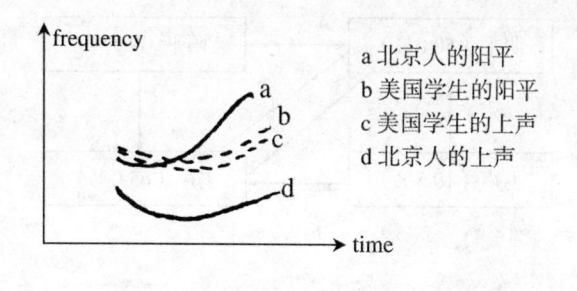

图 1-12

在去声的错误中,只有极少数调域错误,错误表现为音高范围较窄,起点偏低,终点过高。调型错误种类较多,但主要是读为调值与阴平相同的高平调和调值与阳平相同的中升调。

6 号发音人的声调正确率是六位发音人中最低的,他的错误虽不带有普遍性,但颇有规律,值得我们注意。这位发音人阴平的错误表现为:首字的绝大部分错误是读成调值与去声相同的高降调,末字约半数的错误是读成调值与半上相同的低平调。阳平的错误表现为:几乎所有的首字错误都是读成调值与阴平相同的高平调或与去声相同的高降调,几乎所有的末字错误都是读成调值与半上相同的低平调或与全上相同的全上调。上声的错误表现为:几乎所有的首字错误都是读成调值与阴平相同的高平调或与去声相同的高降调,末字上声正确率较高。大部分读为半上,但这并不意味着该发音人掌握了半上,因为首字上声的正确率很低。去声相对于其他三声规律性较弱,大部分的错误是读成调值与阴平相同的高平调,首字有少数读成调值与阳平相同的中升调的,末字有少数读成调值与半上相同的低平调的。6号发音人的声调错误可概括为下图(括号内为声调的正确率,箭头所指为主要的错误方向):

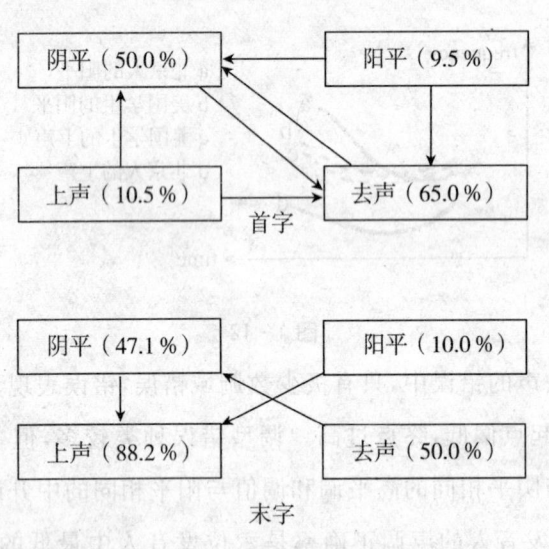

阴平(50.0%)　　阳平(9.5%)

上声(10.5%)　　去声(65.0%)

首字

阴平(47.1%)　　阳平(10.0%)

上声(88.2%)　　去声(50.0%)

末字

图 1-13

综上所述,绝大部分首字被6号发音人读为高起点的阴平或去声,相当部分的末字被读为半上,这可能是受到母语中重音在前一音节的双音节词音高模式的影响,但难以解释的是,未见母语中重音在后一音节的双音节词的音高模式产生的负迁移。总之,在我们的调查对象中,阴平和去声的掌握程度远高于阳平和上声,我们的结果与余蔼芹先生提出的四声难度顺序的差异在于第四声和第二声的难易度上,与沈晓楠的结果却是几乎完全相反。在我们的发音人中,正确率较高的阴平和去声的错误主要是调型方面的;在正确率不太高的阳平和上声中,调型和调域错误同时存在,其中调域错误主要发生在末字音节。

三 讨论

从调查结果看,调查对象掌握程度较好的两个声调阴平和去声的主要错误是调型错误;而掌握得不太好的阳平和上声调型、调域错误都存在。由此有理由推测,调域错误在学习中是首先被克服的。这就如同在唱歌中首先要保证用同一个调子唱,其次才谈到同一个调子中的音准问题。

阳平的错误最为复杂,不仅调型和调域错误都很明显,而且在字组中不同位置上还各有其错误特点。如上文所述,首字最主要的错误是被读为低调,而且这种错误多发生在末字声调起点很高的情况下,这很可能是受到英语双音节词音高模式的影响。在英语的双音节词中,两个音节必是一重一轻或一轻一重。音高是英语重音重要的声学关联物,重音音节的音高明显高于非重音音节,反过来说,高调往往被母语是英语的人听为重音。所以,对于一个双音节的英语词来说,如果一个音节的音高较高,则另一个的音高一定较低。在学习汉语的过程中,学生有可能将音高与重音联系在一起。由于首字阳平的起点不高,而末字阴平和去声的起点都很高,学生容易把这种字组的音高处理成英语中重音在第二个音节的词的音高模式,即前低后高,这样阳平就被念成了低平调。

末字阳平的错误可能来自两方面：

其一，英语的双音节词中，由重音引起的音高的对立只有两级，即高和低；普通话中音高的对立有三级，即高、中、低。阳平的音高是从中向高升，而且在语流中经常升不到阴平和去声起点的高度，因此阳平的音高变化幅度不太大，学生对之较难把握，只好先放松声带，然后从较低的地方向上升。

其二，由于对全上的调型掌握得不好，因此混同了阳平和全上的调型，两个调型互向对方靠拢。这就使阳平不仅整个音区偏低，而且音高曲线上的低音点偏后，致使调型成为降升调，从而导致调型和调域的双重错误。

末字上声的错误是低音部分掌握得不太好，终点又太高，这说明学生忽略了上声的低音特征而将注意力放在上升段上，造成全上的调型向阳平靠拢。因此，如何使学生清楚地区分阳平和全上的调型是教学中需要解决的问题。

综上所述，升调和降升调本身对学生来说并不难学，但确定这两种声调的起点、低音点和高音点的音高却比较困难，也就是说，调域问题是阳平和全上的主要问题。分析学习者的声调错误的目的之一是进一步提高声调教学的质量，而声调教学也一直是汉语语音教学的难点。一些富有经验的汉语教师在声调教学方面提出了不少有意义的建议。鉴于本次调查的结果是阳平和上声的问题较为显著，这里只就阳平和上声的问题提出讨论。

在语流中教声调的方法现在已经深入人心，对于阳平和上声来说这种教学法尤为重要。如上所述，阳平的错误与音节位置和声调环境有关，首字的主要问题是容易被末字高起点的声调异化而变为低调，因此在教学中应该加强阳阴和阳去组合的训练。末字的主要问题是整个音区太低,对此不妨采取对外汉语教学中常用的"矫枉过正"的办法,因为在自然语流中,阳平的音高在末字位置比在非末字位置有较为明显的下降,①这使学生在听觉上难以区分全上和阳平,如果我们在教学生时故意将末字阳平音节读为强调重音以提高音高,也许能使学生更加清楚地意识到它与全上的区别。

传统的声调教学是先教单字调,再教变调。教单字调时往往将音节时长拉得较长,这样上声的升尾容易升得较高,学生也就容易过多注意到上升部分而忽略了低音部分。而阳平也是升调,学生由于上述原因常常将它与上声相混。众所周知,上声的特征就是它的低音特征,它的升尾在绝大部分情况下对于感知并不起作用;在实际语流中,半上声的出现频率也远高于全上声。因此,目前,学术界普遍认为应将教学的重点放在上声的变调,特别是半上的教学上,②但关于先教半上还是先教全上,却有不同意见。赵元任先生早在40年代就使用了将半上与其他独用声调放在一起的教法。林焘提出:"如果[21]比[214]容易学又更常见,为什么不先学[21],然后再学[214]呢?"③赵金铭的"声带波教学法"也提出先教半上,再教全上。④余蔼芹认为:

---

① 参见沈炯《北京话的声调音域和语调》,载林焘、王理嘉编《北京语音实验录》,北京大学出版社1985年版。

② 参见陈明远、朱竹、刘骥《第三声的性质及其教学》,载《对外汉语教学论文集》,中国教育学会对外汉语教学研究会,1983年;胡炳忠《从声调出发进行语音教学的体会》,载《中国对外汉语教学学会第三次学术讨论会论文选》,北京语言学院出版社1989年版。

③ 参见林焘《语音教学和字音教学》,《语言教学与研究》(试刊)1979年第4期。

④ 参见赵金铭《从一些声调语言的声调说到汉语声调》,载《第二届国际汉语教学讨论会论文选》,北京语言学院出版社1988年版。

"如果不先教好低平调,以后学第三声的独用降调时,就一定会把第三声和第二声相混。"①我们的调查结果与余的论点是相似的。但也有学者认为,本调是变调的基础,在语流中上声的调值有多种变化,不掌握好本调就很难掌握好变调,因此,"只教半三声或先教半三声的想法未免有偏颇之处"②。

任何一种教学法都不可能十全十美,我们只能择其较善者而从之。从本次调查的结果看,我们认为对美国学生来说,还是先教半上较为合适。首先,在我们的结果中,阳、上相混是学生的重要问题,正如余蔼芹先生所述,先教半上就可有效地避免这个问题。第二,对美国学生来说,发低调并不很困难,因为英语中非重音音节的音高就较低,调查结果也证实了这一点,如上文所述,学生常常将某些阳平调读成低平调。第三,有比较才能有鉴别,将调型为低平的半上与调型为高平的阴平放在一起教,便于学生认识这两个声调的特征,不仅有利于半上的教学,③同时也有利于纠正美国学生阴平不够高的倾向。第四,在半上学好的基础上,再教全上困难就会小些,如上文所述,全上的主要问题在于低音部分不够低、不够长,而不在于低音过后能否上升,如果学生对低音部分有了足够的认识,应该说是解决了全上关键性的问题。第五,先教半上还有可能对阳平的教学有帮助,如上所述,由于阳平和全上调型的相似,学生存在这两个声调互向

---

① 参见余蔼芹《声调教法的商榷》,载《第一届国际汉语教学讨论会论文选》,北京语言学院出版社 1986 年版。

② 参见石佩雯、李明《全三声的使用和语调对第三声的影响》,载《第二届国际汉语教学讨论会论文选》,北京语言学院出版社 1988 年版。

③ 参见余蔼芹《声调教法的商榷》,载《第一届国际汉语教学讨论会论文选》,北京语言学院出版社 1986 年版。

对方靠拢的问题,如果在开始不教全上,可能会减少末字阳平太低的现象并有利于纠正这种现象。至于说到在语流中上声调值的各种变化会引起语气或意义的区别,已属语调的范畴,不仅是上声,其余三声的音高在语流中也会随语调产生各种复杂的变化。

四 余论

学习者的语言(即所谓中介语)是一种动态语言,随着时间的推移逐步向目标语接近,因此,不同程度的学生所犯的语言错误各有其特点(从本文的结果中就可略见一斑),不同的调查也就会有不同的结果。由对几个学生的调查而对第二语言的声调习得问题作出结论显然会失之匆忙,因此,这里我们不准备对美国学生的声调问题下最后结论,而是提出一些有待进一步探讨的问题。

纵向的变化往往会在横向的断面上找到痕迹。沈晓楠的调查结果为调域错误是美国学生的主要错误,虽然我们怀疑其中有些错误是语调的问题,但这个结果也不是毫无参考价值。我们的结果为掌握较好的声调主要错误是调型方面的,掌握得不太好的声调主要错误则是调域方面的。因此,结合沈的调查结果,我们有理由相信,在某一阶段调域方面的错误是主要的,在学习过程中,调域错误的纠正先于调型错误。这种推测有待今后跟踪调查结果的证实。

不同的调查得到的声调难度顺序不同,原因是多方面的,调查对象的不同是其中的重要原因。因为不同程度的学生有不同的困难。在学习过程中,有的声调可能开始难以模仿,但经过一段时间之后可以掌握得较好,不易再犯错误;有的声调可能学习者开始比较容易接近,但真正掌握却很难。对不同程度的美国学生来说,是否存在一个恒定的声调难易顺序目前还难下定论。

我们的调查语料为双音节字组,字组首字和末字的声调问题并不完全相同,因此可以相信,如果调查三音节或三音节以上字组的声调,还会有新的结果。在前面的分析中我们已经指出,首字和末字的错误各有其特点可能与英语的重音模式有关。本文由于材料所限,对大部分发音人只观察到了阳平在不同位置上的主要错误类型不同,阴平和去声的错误是否也受到英语重音模式的影响(非末字上声发生变调,不在此讨论之列),三音节以上字组的情况如何,还有待更深一步的研究。

进入语句后,由于受语调的影响,声调的错误会更加复杂,而教学的最终目的是使学生在语流中掌握声调。因此,有必要探讨学生的语调错误及这种错误对声调的影响,这方面的工作目前几乎还是空白。

总之,无论是研究汉语作为第二语言的声调习得问题,还是探讨汉语声调的教学问题,都还有大量的工作等待我们去做。

附录:实验字表

11	12	13	14	10
书包	中国	工厂	规定	桌子
关心	说明	宾馆	吃饭	哥哥

香蕉	科学	开始	真正	东西
参观	非常	风景	鸡蛋	砖头
21	22	23	24	20
国家	民族	啤酒	白菜	爷爷
文章	学习	如果	牛肉	馒头
毛巾	邮局	牛奶	文化	房子
牙膏	完全	停止	学校	朋友
31	32	33	34	30
广播	主席	选举	果酱	枕头
简单	可能	厂长	感谢	眼睛
老师	感觉	手表	讨厌	姐姐
饼干	朗读	理解	土豆	饺子
41	42	43	44	40
蛋糕	姓名	报纸	电报	弟弟
电灯	调查	日本	再见	筷子
面包	道德	代表	电视	钥匙
认真	特别	地址	汉字	木头

第四节　日韩学生汉语声调偏误分析[①]

　　汉语是声调语言,母语为非声调语的人在学习汉语的过程中总感到声调难以掌握,这一问题不仅仅出现在外国学生学习汉语的初级阶段,即使是经过一两年甚至更长时间学习的中高级水平学生也不可避免地发生声调偏误。这一现象已经引起了不少专家和教学工作者的注意。林焘先生认为"造成外国人说

---

　　① 本文原标题为"日韩学生的汉语声调分析",作者刘艺。原载《世界汉语教学》1998 年第 1 期。

中文洋腔洋调的主要原因并不在声母和韵母,而在声调和比声调更高的语音层次"[①],鲁健骥先生认为"声调对母语是非声调语的学生是有特殊困难的"[②]。迄今为止已有了一些对美国人掌握汉语声调的调查和研究,[③]而对日韩学生的汉语声调偏误研究比较少。事实上日韩学生在学习汉语的过程中也会犯这样那样的声调错误,或者对某些声调的掌握有特别的困难,而且近年来学习汉语的日韩学生人数呈增加的趋势,针对这些情况,我们认为有必要对日韩学生的汉语声调作一番深入的考察,这将有助于提高我们对外汉语教学的效果。

一 实验说明

(一)发音人。本实验分析的四位发音人是:A(日本人,女),B(韩国人,女),C(日本人,男),D(韩国人,男),他们学汉语都有一年以上的时间。

(二)发音表。发音表包括单字组和双字组。单字组分别为阴平、阳平、上声和去声。双字组是按照汉语四声加上轻声的二十种组合情况进行选字的。无论是单字组还是双字组,每组都有两套不同的字,但是我们尽量使单字组的字也出现在双字组中,这样在比较它们的声调曲线时有一定的依据。在录音时我们先请发音人按阴平、阳平、上声、去声的顺序念完全部的单

---

① 参见林焘《语音研究和对外汉语教学》,《世界汉语教学》1996年第3期。
② 参见鲁健骥《中介语理论与外国人学习汉语的语音偏误分析》,《语言教学与研究》1984年第3期。
③ 参见沈晓楠《关于美国人学习汉语声调》,《世界汉语教学》1989年第3期;王韫佳《也谈美国人学习汉语声调》,《语言教学与研究》1995年第3期。

字组,然后打乱单字组的次序,再请发音人录音。同样我们在请发音人念双字组时,也先让他们按预先准备好的次序一组一组地念,完成之后再把双字组的次序打乱,再请发音人念一遍。完整的发音字表附在文章的最后。

二 分析方法

发音人的录音材料直接从话筒录入计算机文件中,然后利用语音分析的软件程序进行分析。该程序按照输入字音的频率和能量,以相应的曲线表现出来。我们的分析就是基于这些图形进行的。在判定一个字音是否发生偏误时要同时考虑调型和调域两个方面。根据有关专家对普通话所做的声调实验分析,在声调格局中每一声调所占据的都不是一条线,而是一条带状的声学空间。[①]

三 分析

(一)在对单字组的分析中我们发现了一个有趣的现象:ABC三位发音人所发的单字(无论是正序还是随机序)的调型与标准的北京话较接近,而随机字组中字音的整个调域就比正序字中的明显地变窄。从图1-14我们可以清楚地看到这种差异。

这种情形说明这些发音人对单字词的调域掌握得不很扎实,呈现波动的情况。造成这种情形的原因也可能是因为外国

---

① 参见石锋《北京话的声调格局》,载《语言丛稿》,北京语言学院出版社1994年版。

人初学汉语声调时,总是先学阴阳上去的顺序,因而对这样顺序的字读起来调域较易把握,但是一旦打乱这种顺序,他们对调域就不能够把握得很准。

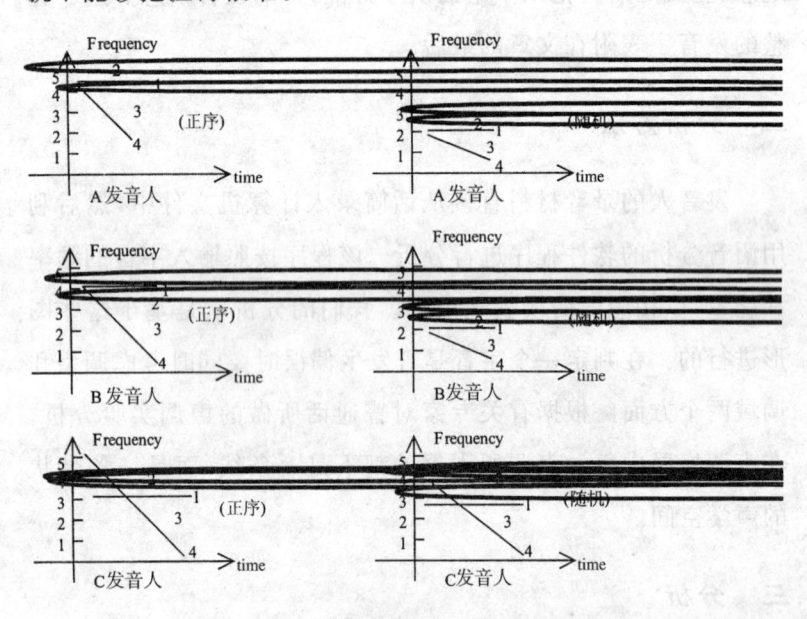

图 1-14 单字声调正序和随机发音对照

(二)我们对双字组的录音进行听感判断,实验的声学表现偏误统计和偏误类型分析,并分别用三个图表表示出来。比较表 1-13 和表 1-14 明显地可以看出听觉上所能分辨的错误远不及通过计算机分析所得到的数量多,这是因为人耳的分辨度是有限的,它允许语音有一定程度的偏误,但是它们却存在着共同点,那就是阳平和去声的偏误率较高,而阴平和上声的偏误率就相对地少一些。如果从声调偏误的类型表 1-15 来观察,不难看到几乎在所有声调中调型的偏误都不及调域的多。下面将对这些情况做详尽的说明和描写。

第四节 日韩学生汉语声调偏误分析

表1-13 双字组听觉判断偏误

发音人	阴平	阳平	上声	去声	轻声
发音人A	0	2	2	0	0
发音人B	5	16	11	14	4
发音人C	2	6	0	3	0
发音人D	4	4	1	0	2
总计	11	28	14	17	6

表1-14 双字组声学表现偏误统计

发音人	阴平	阳平	上声	去声	轻声
发音人A	6(16.7%*)	27(75%)	2(6%)	24(67%)	6(37.5%)
发音人B	6(16.7%)	30(83%)	14(38.8%)	19(53%)	4(25%)
发音人C	7(19%)	32(89%)	4(28%)	28(78%)	7(44%)
发音人D	35(97%)	34(94%)	5(13.9%)	34(94%)	5(31%)
总计	54(38%)	123(85%)	25(17%)	105(73%)	22(34%)

* 其百分比是以错误数除以该类声调字的出现总次数36得到的,其中轻声字每位发音人共念了16个,总计部分的百分比是总错误数除以该类声调的总音节数144。

表1-15 双字组偏误类型分析

发音人	阴平		阳平		上声		去声		轻声	
	调型	调域	调型	调域	调型	调域	调型	调域	调型	调域
发音人A	1	5	5	22	2	0	1	23	2	4
发音人B	5	1	17	13	9	5	14	5	4	0
发音人C	2	5	13	19	2	2	7	21	0	7
发音人D	5	30	20	13	1	4	10	24	0	5
总计	1 9%*	41 28%	56 39%	67 47%	13 9%	11 7.6%	32 22%	73 50%	6 9%	16 25%

* 其百分比是以总错误数除以该类声调的总音节数144得到的。

普通话阳平的起点是在2度和3度之间的,其终点分布在

4、5度之内,是一个明显的上升调。① 在日韩学生的阳平调型偏误中,大多数是把阳平念成了低平调,或有微升的低调,升的趋势不很明显,偶尔也出现了念成降调的个例,应该特别指出的是,两位韩国人阳平中调型的偏误多于调域的偏误(见表1-15);而调域的偏误则主要表现为上升的幅度不够高,其跨度空间不明显,起点过低等等,在很多情况下念成位于下半域的微升调,因此与上声的声调曲线极其接近。这种现象不仅出现在阳平作为字首的双字组中,而且也出现在阳平字作为末字的双字组中。见图1-15。

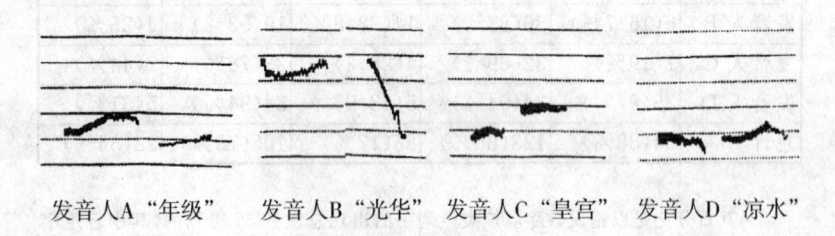

发音人A"年级"　　发音人B"光华"　　发音人C"皇宫"　　发音人D"凉水"

图1-15　日韩学生阳平字对比

(三)普通话中的去声是从调域顶部5度内到下半部的一个降调。在日韩学生的去声偏误中调类偏误所占比例比较小,其主要类型为将去声念成低平调或者低降调,因而很难与上声调型区别开来,这种情况跟前面提到的阳平的一部分调类错误相重合。调域偏误是去声偏误的主要部分,究其根源,主要是因为起点不够高,起点在3度左右,或者是降得不够低,只降到上半域便停止了。请看图1-16的例子。

---

① 参见石锋《北京话的声调格局》,载《语音丛稿》,北京语言学院出版社1994年版。

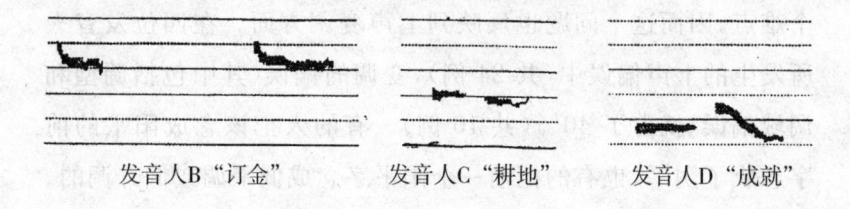

发音人B"订金"　　发音人C"耕地"　　发音人D"成就"

图1-16　去声声调曲线举例

值得特别指出的是尽管在我们的分析中去声偏误所占的比例较大,但由于普通话只有一个降调,因此在日常语言交流时只要把去声的字念成呈下降势的调型,都不大会影响人们的交流,只不过让人感到这些去声念得不够地道罢了。

(四)在北京话中阴平调是一个高平调,有的曲线在5度中,有的在4度中,也有介乎两者之间的,从调型来看起伏不超过半度,但全部位于调域上半部。日韩学生的阴平调偏误主要表现为调域不够高,同上述所讨论的阳平和去声的部分调类错误一样,在大多数情形下被念成了低平调,由于D发音人为男性,其音域较低,因此他所发的阴平字绝大部分位于下半域,此外有的发音人也偶尔将阴平念成降调或微降的,如图1-17所示。

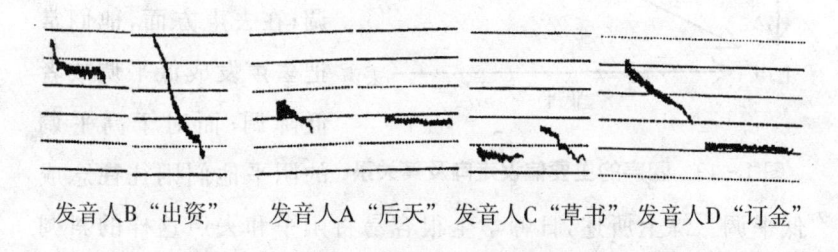

发音人B"出资"　发音人A"后天"　发音人C"草书"　发音人D"订金"

图1-17　阴平声调曲线举例

(五)上声字连读时发生变调现象,通过上面对阳平的分析可以了解到阳平字的调类和调域是日韩学生学习汉语声调的一个难点,因而这个问题也反映到上声变调方面。在四位发音人所发生的上声偏误中(共 24 例),变调的偏误(其中包括调型和调域偏误)就占了 40%(共 10 例)。有的人把该念成阳平的前字念成了阴平,也有的把前一个阳平字念成低平调或低升调的。如图 1-18。

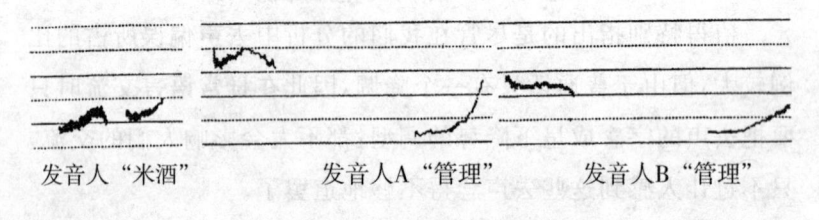

发音人"米酒"　　　发音人A"管理"　　　发音人B"管理"

图 1-18　上声变调曲线图例

四　讨论

(一)把以上四种声调出现偏误的情况及其之间的关系用图 1-19 表示出来。

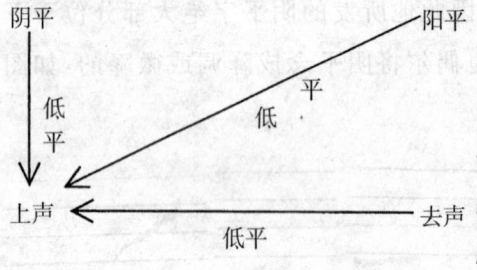

图 1-19　四声的主要偏误走向及其关系

从图 1-19 我们看到日韩学生把上升调的阳平念成低平调或低升调;在去声方面,他们常把去声发成低平调或者低降调;而对于高平调的阴平他们则往往念成低平调。综上所述,日韩学生很容易将阳平和去声这样的斜调念成低平调。Li and Thompson 在观察了儿童的汉语习得过程后指出:"一个学中文的孩子用不同高度的水平调来代替曲线调,用低调来代替成人的降调和转折调,用中或高调来代替成人的升调。"①受社会环境、心理因素和语言背景等方面的影响,儿童的语言习得规律与成年人的特点存在着一定的差异,我们不能把对儿童的观察简单地挪用到成年人身上,但是从儿童的汉语习得过程中可以窥探到儿童与成年人所共有的某些相通之处。

(二)虽然前面已经论述了在所有的偏误中调域偏误占较大的比例,但在声调的教学中须同时兼顾调型和调域两个方面,不能只强调一方面而轻视另一方面。这个实验分析的对象都是学过一至两年汉语的学生,我们相信如果把调查的对象换成初学者,其调型偏误的比例势必大大增加。尽管如此,某些发音人还是不可避免地出现了调型偏误,如发音人 D 的阳平调调型偏误比较多,他往往将阳平念成低平调;发音人 B 则把阳平、上声和去声中的相当一部分字念成了高平调,这又从反面说明了不可忽视调型方面的教学。

(三)与以前研究者对美国学生汉语声调的分析结果进行对比,我们发现有以下几个共同点:其一是同美国学生阳上相混一样,②日韩学生的阳平和上声之间的高低对比也小于中国人,它们的声调曲线极接近,有时极其难以分辨;其二是日韩学生去声偏误的主要问题集中在调型上而不是调域上,这一点与对美国学生的分析结果相吻合;③其三是日韩学生的汉语阴平调也较中国人低得多,这一情况同美国人的阴平调有相似之处(同上)。总而言之,无论汉语的学习者母语是日语、朝鲜语还是英语,都

---

① 参见 Li, C and Thompson, S. A The A cquisition of Tone in Mandarin-speaking Children, *Jounal of Child Language*, 4, p.185—199,1977.
② 参见王韫佳《也谈美国人学习汉语声调》,《语言教学与研究》1995 年第 3 期。
③ 参见沈晓楠《关于美国人学习汉语声调》,《世界汉语教学》1989 年第 3 期。

存在着以上几个方面的共同点,这应该引起我们足够的重视。针对这些偏误现象,我们认为在对外汉语教学中,教师应让初学者了解自己的全音域,即最高音域、中间音域和最低音域的相对高度,然后再确定各声调的起始点和终点。逐步练习从一个音域到另一个音域的自然过渡,即可以得到升调和降调的调型和调域,例如对阳平的掌握首先应该明确该声调的起点在中间域,上升到上半域或者顶部,就是一个标准的阳平调。同样练习发去声时先把起始点定在最高域,然后向下滑降,降到下半域就是标准的去声。

虽然世界范围内的语言习得研究已经取得了巨大的成就和突破,然而关于汉语的习得研究仍方兴未艾,由于汉语自身具有许多不同于英语的特点,汉语语音尤其是汉语声调的习得规律还有待于进一步深入的探讨和发掘。

附录:发音表

（正序）					（随机序）				
高	年	草	去		河	刀	去	草	
刀	河	米	路		高	米	年	路	
高山	关怀	初等	耕地	消息	后天	河马	繁荣	除夕	去了
出资	光华	刀笔	亲爱	方便	力求	年级	草书	皇宫	过问
除夕	繁荣	河马	凡是	朋友	耕地	初等	比方	果树	方便
皇宫	年级	凉水	成就	忙吗	亲爱	刀笔	光华	出资	消息
草书	检查	管理	果树	比方	朋友	凡是	画笔	订金	喜欢
紧张	反常	米酒	海菜	喜欢	海菜	米酒	反常	紧张	管理
订金	力求	画笔	过问	去了	检查	忙吗	成就	凉水	关怀
后天	路人	见解	号令	告诉	高山	告诉	号令	见解	路人

第五节 越南学生汉语声调偏误分析[①]

一 缘起

汉语是有声调的语言,对于母语为非声调语言的留学生,声调自然很困难,声调也一直是汉语语音教学的难点。以往对留学生声调学习的研究,也主要集中在对母语为非声调语的学习研究上。有关这类学生的声调偏误分析的调查研究主要有:沈晓楠、王韫佳等对美国人学习汉语声调的偏误分析,刘艺等对日韩学生汉语声调的分析等。[②] 而对母语为有声调语言的声调偏误分析笔者仅见两例。赵金铭先生为了了解学生母语声调对学习汉语声调的迁移作用,曾调查了8位母语为有声调语言的留学生的声调偏误情况(未包括越南语背景),认为对汉语声调调域的"度"的把握尤其重要,并对声调的音理与声带控制的训练方法等进行了详细的论述。[③] 另一例是蔡整莹、曹文对泰国学生汉语语音声韵调的偏误进行了分析。[④]

[①] 本文原标题为"越南学生汉语声调偏误溯因",作者吴门吉、胡明光。原载《世界汉语教学》2004年第2期。

[②] 参见沈晓楠《关于美国人学习汉语声调》,《世界汉语教学》1989年第3期;王韫佳《也谈美国人学习声调》,《语言教学与研究》1995年第3期;刘艺《日韩学生的汉语声调分析》,《世界汉语教学》1998年第1期。

[③] 参见赵金铭《从一些声调语言的声调说到汉语声调》,载《第二届国际汉语教学讨论会论文选》,北京语言学院出版社1988年版。

[④] 参见蔡整莹、曹文《泰国学生汉语语音偏误分析》,《世界汉语教学》2002年第2期。

越南语为有声调语言。据我们的教学经验,越南学生学习汉语的进度常常比别的母语背景的学生快。但令人遗憾的是他们的语音面貌并不理想,即使学习汉语多年,也仍然脱不了"越南腔"。即使是不认识的留学生,有经验的老师一听就可以判断出他们的越南语背景。这是我们研究越南学生声调偏误的缘起。

近年来,来中国学习汉语的越南学生越来越多,帮助他们克服"越南腔",说好汉语,是我们汉语教师的责任。越南语有六个声调,有关越南语母语声调对学习汉语声调的影响,目前尚无研究文献发表。本文研究的目的是通过对越南学生声调偏误的调查分析,以及汉语与越南语声调的对比分析,找出越南学生汉语声调偏误形成的原因,探讨纠正越南学生汉语声调偏误的方法,以便汉语教师能在越南学生汉语学习初始的语音阶段有针对性地、高效率地进行汉语声调训练,使越南学生的声调学习收到事半功倍的效果,并防止已产生偏误的僵化。

二 调查方法

调查材料为实验字表。为了避免语调及语流音变的影响,我们的调查字表包括了单音节字表和双音节字表两个部分。由于我们也使用同一字表调查被试的声韵母偏误,因此单字表中的四个声调的分布情况并不完全一样,单字表共 78 个音节。但双字表的四个声调数目却是完全相等的,都是 32 个,共 64 个词,128 个音节。为了减少不必要的解释,所选字词均为常用字词。(见附录 1)

调查对象为 12 名越南学生,6 男 6 女。但其中 1 个女生的语言背景太复杂,她的材料我们没有使用。因此实际取样人数为 11 人,6 男 5 女。他们年龄都在 20 岁上下,高中以上文化水平。他们的情况如表 1-16 所示。

表 1-16　发音人情况简表

序号	1	2	3	4	5	6	7	8	9	10	11
性别	男	女	女	男	女	男	男	男	男	女	女
年龄	25	27	21	21	20	24	17	20	21	19	18
学习阶段	中文 01 硕	同 1	2 年	1 年	10 个月	10 个月	4 个月	4 个月	4 个月	4 个月	4 个月

调查方法是让发音人按顺序念调查字表,同时进行录音。然后转写录音,用五度标调法记下声调调值。

三　偏误分析

我们两个调查者分别对 11 名越南学生的汉语声调进行了听辨记音,并与相关研究人员进行了辨音核对。被试念单字表的声调情况如表 1-17 所示。

表 1-17　单字表调类、调值分布表

调类	调值	频次	比例
阴平声	44	192	79%
	442	41	17%
	41	9	4%
阳平声	35	133	81%
	45	10	6%
	445	20	12%
	213	2	1%

(续表)

调类	调值	频次	比例
上声	213	64	34%
	212	51	27%
	2212	46	24.6%
	21	23	12.3%
	44	3	1.6%
去声	41	100	38%
	42	32	12%
	44	76	28.8%
	442	56	21%

从表1-17可以看出,越南学生的阴平多念为[44]调,占79%;阳平为[35]调,占81%;上声的情况比较复杂,[213]调占34%,[212]调占27%,另外的[2212]与[21]调所占比例也不少;去声多念为[41]调,占38%。调查表明越南学生汉语四声的最佳情况是:阴平,[44];阳平,[35];上声,[213(212)];去声,[41]。以此为标准,11位发音人的总发音正确率如表1-18所示。

表1-18　11位发音人总正确率

调类(调值)	阴平(44)	阳平(35)	上声(213,212)	去声(41)
正确率	79%	81%	61%	38%

表1-17中有两种情况是误读:阳平的[213]调,上声的[44]调。排除这两种情况,11位发音人的四声的总偏误如表1-19所示。

表 1-19 四声的偏误情况

调类	偏误类型(出现频次,比例)
阴平	442(41次,17%),41(9次,4%)
阳平	45(10次,6%),445(20次,12%)
上声	2212(46次,24.6%),21(23次,12.3%)
去声	44(76次,28.8%),442(56次,21%)

从上面的调查结果可以看出：

1.越南学生的高平调[55]念为半高[44],全降调的调域较窄,起调不够高(从4开始),落点不够低(很多时候到2)。

2.汉语的四个声调中,越南学生的去声情况最差。且常念为阴平的[44]调,与阴平声相混。

3.对降升调上声的控制不好。常常前面念得长,只是尾音急速上扬而成([2212]调),降升不均匀。或者只降不升([21]调)。

4.阳平的起调偏高,上升急促,上升不平滑([45]或[445]调)。

四 越南语声调及其迁移作用

中介语偏误常常由语际迁移、语内迁移、学习环境等因素造成。而在学习的初级阶段语际迁移占优势。从语言的三要素语音、词汇、语法方面来看,最容易发生母语迁移的为语音。因此,要了解越南学生汉语声调偏误的原因,应该对比分析越南语声调与汉语声调的异同。

我们先看汉语的声调。汉语有四个基本声调:(1)阴平,高平调,调值为[55];(2)阳平,中升调,调值为[35];(3)上声,降升调,调值为[214];①(4)去声,全降调,调值为[51]。其调位如图 1-20 所示。

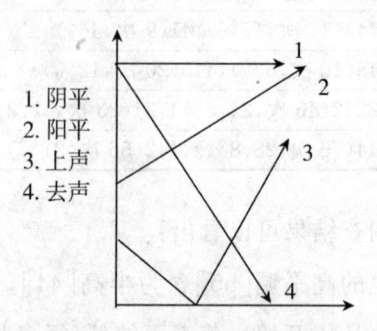

1. 阴平
2. 阳平
3. 上声
4. 去声

图 1-20　汉语声调调位图

越南语有六个声调,它们的汉语名称为:(1)平声,(2)玄声,(3)问声,(4)跌声,(5)锐声,(6)重声。② 其调类、调值与调型③ 的情况见表 1-20。

表 1-20　越南语声调的调类、调值与调型

调类	平声	玄声	问声	跌声	锐声	重声
调值	44	32	323	325	45(445)	31(331)
调型	半高平	中降	中降半低回升	中降半低速升高	高升	中降低

《越南语基础教程》一书中对这六个调的描写是:

平声:从头至尾近于平,汉语普通话的阴平调与这个声调相似。

玄声:起点比平声低,声调平稳下降,没有突然的起落变化。

---

① 很多学者认为上声的实际念法并没有到 214。曹文《汉语发音与纠音》,北京大学出版社 2000 年版)就直接描写为 211 调。本文不讨论这一问题,而采用了通用的提法。

② 参见傅成劼、利国《越南语基础教程》,北京大学出版社 1989 年版。

③ 引自胡明光待发表文章《越南语音系》。

锐声:锐声的起点比平声略低,开始时持平,约近一半时开始上升,在闭音节中,持平阶段大大缩短,甚至消失。

问声:问声起点高度与玄声同,然后下降,再升高,结束时的高度与起点相同。

跌声:跌声起点高度与玄声同,开始时略上升,后突然下降,间断霎时,接着骤然升高,结束时高度比起点高。

重声:重声声调的起点略低于玄声。在开、半开、半闭音节中,先平行发展,然后迅速突然地下降,猛地闭住声门,阻塞住正在外泻的气流。结束时的高度很低,有强烈的憋气感。在闭音节中,声调平行发展的阶段缩短甚至消失,一开始就下降,迅速结束。

越南语声调调位如图 1-21 所示。

1. 平声
2. 玄声
3. 问声
4. 跌声
5. 锐声
6. 重声

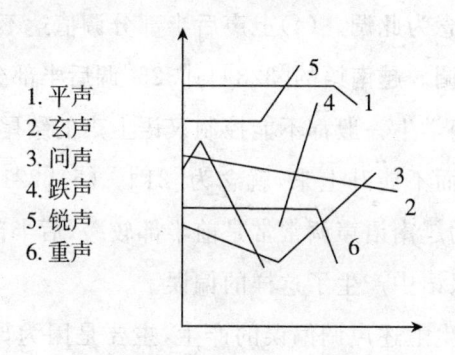

图 1-21 越南语声调调位图
(引自《越南语基础教程》)

比较越南语声调与汉语声调可以看出:(1)从调型上看,越南语声调没有全降调[51],没有高平调[55]、低升调[13][14]等。它们有半高平[44]调,半高升调[45][445],中降[32],中降低[31],中降半低回升[323],中降半低速升高[325]。(2)调型后半部或升或降都非常短促。没有汉语的平滑均匀。比较图1-20与图1-21可以直观地看出它们的差别。(3)从调域来看,相对于汉语的声调来说,越南语声调的升降幅度较小。

由此我们可以看出越南学生汉语声调的偏误很大程度上是来自母语的迁移,具体表现在:(1)阴平念为[44]或[442],是受越南语声调平声的影响。(2)去声念为阴平或者与阴平声相混,原因是越南语没有全降一类的调型,所以大部分初学者分不清两者的区别,感觉不到去声的存在,导致两种情况:第一,偏读某种调,最多的情况是将两者皆读为[44]调。第二,乱读,由于对两者的区分不够清楚,因此读成以4度开头的各种调型:[44]、[43]、[42]、[41]。(3)阳平念为[45]([445]):受母语的影响,越南语的锐声念为此调。(4)上声后半部分调值达不到4度:越南语没有低声调。越南语的[323]与[325]调后半部分皆加速而完成,所以越南学生一般都不能控制汉语上声的结尾部分,有的则只能降下去而不能升上来,就念为[21]。(5)[2212]与[445]调的原因:因为越南语声调常常是前半部较缓,后半部骤然升降而成,迁移到汉语中产生了这样的偏误。

越南学生上述声调偏误的产生,主要是因为母语声调的迁移,也存在目的语规则的泛化。比如,把阴平念为去声,一方面是因为不知道什么字念阴平,什么字念去声,另一方面也是过度学习去声的结果。

五 教学对策

从上面的分析可以看出,越南学生汉语声调有调型错误(去声念为阴平,上声念为半上),更多的是调域的错误(阴平念为

[44]，阳平念为[45]）。另外还有阴平与去声相混的情况，也就是说不知道哪些字念阴平，哪些字念去声。针对这些偏误，我们以为以下一些方法行之有效。

第一，理论的指导。因为留学生一般都是成年人，他们具有较强的理解能力，他们学习外语常常要经过理性思考。吕必松先生指出："学会一种言语现象都需要经过理解、模仿、记忆和巩固这样几个阶段。""理解就是懂得所学的言语现象的意思，就是明白这种言语现象的形式结构和语义结构。这是学会一种言语现象的前提条件。无论是学习第一语言或是第二语言，不理解的言语现象是学不会的。"① 因此，声调学习也应该首先教给学生有关汉语声调的知识，让学生理解汉语声调。比如，教给他们汉语五度记音法，让他们明白高平、中平、低平、中升、中降、高降、降升等调型的意义以及我们声带的松紧与高、中、低调的关系。然后可进行高平[55]、中平[33]、低平[11]调的练习，让学生体会其调型与调域。在学生掌握了高中低的调域后，再练习升降曲折调型。其实，这也是我们方言区的人学习普通话声调的方法。我们以为对留学生同样有意义。就越南学生来说，强调高平与低平尤其重要，这两个调域掌握了才可以念出他们母语中没有的全降调[51]，突破越南学生声调学习的难点。

有关声调的知识也就是我们通常所说的元语言知识。元语言知识对声调学习的积极作用，在我们的调查中已得到了证明。我们在调查中发现，发音人1与发音人2的正确率都

---

① 参见吕必松《华语教学讲习》，北京语言学院出版社1992年版，第12页。

在90％以上，而他们现在是中文系现代汉语专业的硕士研究生，学习过语音学知识。因此，他们的一些偏误已得到了纠正。

元语言知识可以作为一种监控的手段在学习者的学习中发挥作用，有利于学习者的自行练习提高。因此，教给学生音理知识是非常重要的。

第二，声带控制练习。尽管越南语中也有声调，但与汉语的声调在调型、调域与调值等方面都存在着差异。要克服母语的负迁移，进行声带的松紧控制练习是必需的。我们知道，声调的高低是相对的，因此并不考虑声带的粗细长短等因素对音高的影响。声调的高低是由声带的松紧决定的，这样学会了对声带松紧的控制，也就会发出高音与低音、升调与降调。我们可以用单韵母来练习对声带松紧的控制。

比如，练习 a55、a33、a11 这三个平调，让学生体会这三个调的差异，体会发这三个调时声带的松紧状况，发高平[55]调时声带拉紧，发低平[11]调时声带放松，发中平[33]调时声带不松不紧。还可以用单韵母 i、u、o、e……来练习高平、中平、低平这三个调。在练习这三个调的同时，也可以找到一个适合自己的音域的范围，也就是说高到什么程度，低到什么程度最合适。

学习了对前面三个调的发音以后，再练习中升、中降、全降、降升等调型。通过这种训练可以帮助越南留学生发好汉语的四声，使他们的阳平与上声更准确，发出平滑的升降调，而不是像越南语声调那样骤然地上升或下降。在进行声带控制练习时，重要的是学生的体会和练习。这种方法前人其实已有过详细的论述,①但也许是没有写进教科书,所以没有得到广泛的运用。因此,对声调松紧的控制训练在语音教学中并没有引起足够的重视。笔者认为,尽管声调教学是语音阶段的难点,但教材中并没有体现出来。

第三,去声练习法:阳平+去声。我们的调查以及我们平时的观察都表明,去声是越南学生汉语声调学习的难点。我们的调查发现,双音节中阳平后面的去声正确率相对较高。我们对调查字表中双音节组阳平后的去声的调值分布情况作了一个统计,结果如表1-21所示。

表1-21 双音节中阳平后去声调值出现频次表

调值	41	42	43	44	442
频次(百分率)	27(61.36%)	8(18%)	5(11.36%)	1(2.27%)	3(6.8%)

将表1-21与表1-18比较可以看出,去声的正确率有显著的上升。从38%上升到61.36%。我们在教学中也印证了这一结果。越南学生在完成阳平后,很难保持平声,自然会下降,但下降的程度是确实需要训练的。因此,我们以为,采用"阳平+去声"的组合训练可以有效地帮助越南学生学习汉语的去声。

第四,记忆法。一位越南来的中文系研究生告诉我们:他是来中国以后才意识到汉语去声的存在。在学会去声的发音后,又不知道哪些字念去声,全部都是一个一个查出来

---

① 参见赵金铭《从一些声调语言的声调说到汉语声调》,载《第二届国际汉语教学讨论会论文选》,北京语言学院出版社1988年版。

的。然后进行记忆。由于以前他把去声全部念为阴平,而他查词典的结果是,常用字中去声比阴平多,因此他硬记阴平,这样才习得汉语去声的。其实,这也是我们方言区的人学习汉语声韵母的方法:记少不记多。这对那些偏误已形成的学生克服偏误是很重要的方法。对留学生来说,也许还要增加一条:高频字多记。

另外,还有一些发音的技巧也可以告诉学生,比如:发低调时头不能抬高,否则很难发出低音。反之,发高调时头又不能放低。发全降调时,头可以由高到低等。

六 结语

本文通过对越南学生汉语四声偏误情况的描写分析,发现去声是越南学生汉语声调学习的难点,其他三声也存在着不到位的各种偏误形式。在对越南语声调与汉语声调的对比分析基础上,我们系统分析了越南学生汉语声调偏误形成的原因。越南学生的汉语声调偏误几乎都可以从越南语声调中找到原因,越南语没有全降调型,也没有高平调,声调的升降幅度较汉语窄,而且急促,影响了对汉语四声的学习。因此本文认为,通过给予学习者以声调理论知识的指导,进行声带松紧的控制训练,以及"阳平+去声"的组合训练等方法,可以帮助越南学生克服偏误,学好汉语的四声。

本文主要采用了传统的听辨记音的方法,未进行声学分析,同时鉴于学生人数的限制,本文没有讨论学生的层级情况,虽然我们认为这并不影响对越南学生汉语声调偏误的分析,但有关这类声调偏误分析的系统研究工作还有待进一步深入。

附录：调查字表

1. 单音节词

八	少	喝	票	色	比	点	字	日	在	擦	词	三	这	丢
军	志	沙	高	山	船	累	城	热	家	笑	秋	借	句	熊
群	换	全	红	下	秒	写	讲	表	想	给	快	去	人	横
亮	铁	娘	考	很	敲	花	特	婚	雪	分	天	也	听	好
信	车	排	条	交	将	别	六	用	鱼	现	有	休	鸟	练
墙	面	鸭												

2. 双音节词或短语

今天	英文	机场	商店	旁边	邮局	苹果	情况	通知	将来
铅笔	音乐	琼斯	食堂	球场	迟到	香蕉	要求	清楚	高兴
房间	银行	词典	颜色	星期	生词	身体	出去	同屋	留学
游泳	学校	老师	起床	表演	请进	大家	练习	厕所	漂亮
烤鸭	整齐	洗澡	努力	信封	太阳	或者	会话	紧张	主人
也许	友谊	那些	特别	自己	见面	广播	小时	手表	马上
夜班	认为	外语	介绍						

第六节 印尼华裔学生汉语三声连读声调偏误分析[①]

对于母语没有声调的印尼华裔留学生来说，掌握汉语声调备感困难。老师在汉语声调教学过程中，也总是感到他们所讲的汉语带有"洋调"，但又难以准确地说明他们到底"洋"在什么地方。经检索，专门研究印尼华裔留学生学习汉语语音问题的

[①] 本文原标题为"印尼华裔留学生汉语普通话双音节上上连读调偏误实验研究"，作者王功平。原载《暨南大学华文学院学报》2004年第4期。

文章,只有董琳莉、倪伟曼与林明贤、陈延河3篇,①并且都是从普通语音学的角度进行调查分析,从语音实验的角度作出定量分析的目前还没见到,针对印尼华裔留学生学习汉语声调的情况进行实验研究的,目前也没有。

在声调教学中,上声是印尼华裔留学生感到最难掌握的调类。② 另外,汉语语流当中的字调与单字的字调相距较远,而与双音节词的声调接近;现代汉语词汇中双音节词又占大多数,③双音节词的声调练习是学好汉语声调和语调的重要渠道,因此,本文主要对印尼华裔留学生学习汉语普通话双音节上上连读调的情况进行实验研究。并通过与中国人的发音情况进行对比分析,找出他们在发普通话双音节上上连读调时所存在的主要偏误,进而分析了产生这些偏误的主要原因,提出了相应的教学措施。

一 实验材料和方法

(一) 发音人

本实验所用的语音材料来自20位发音合作人。其中包括10位印尼留学生和10位中国人。10位印尼留学生中,男生和女生各5人。他们都是印尼华裔,分别来自印尼的雅加达、万隆

---

① 参见董琳莉《印尼华裔学生学习普通话语音的难点及其克服办法》,《汕头大学学报》(人文科学版)1997年第2期;倪伟曼、林明贤《关于印尼华裔学生汉语语音的调查及相应的教学对策》,《华侨大学学报》2000年第2期;陈延河《试析印尼学生习得汉语(普通话)语音之难易》,载《第四届东南亚华文教学研讨会(泰国)论文集》,2001年。

② 笔者曾经在听力课上作过调查,印尼华裔留学生的上声错误(包括调型的错误和调值的错误)率高达67.6%。

③ HSK常用词汇共5 168个,双音节词3 725个,占72%。

和泗水3个城市,学习汉语的时间都在半年以上,已经学完了汉语语音的有关知识。10位中国人也是男女各5人,都来自北方方言区,且均是大学以上学历,普通话标准流利,发音准确清晰。

(二) 发音词语表

发音表包括50个上上连调的双音节词语,其中既有前后字音高曲线(F_0)相连的,如"口语"、"所以"等;[①] 也有前后字音高曲线(F_0)分开的,如"手表"、"演讲"等。这些词语大都选自对外汉语的教材。(详见附录)

(三) 录音条件

所有发音人都是在暨南大学华文学院应用语言学实验室发音。录音时都是采用COOLEDIT录音软件通过话筒直接录入电脑。发音人都是按正常的语速自然地发音。

(四) 实验分析软件

对发音人的声音材料进行分析时,我们统一采用的是PRAAT软件。

(五) 实验测量统计项目

实验过程中,测量统计的参数有:每个上上连读调整个词语基频的最大值、最小值和整个音节的时长,上上连读调词语中前后音节音高曲线(F_0)的起点值与终点值、最大值与最小值、音节的时长。

[①] 实验语音研究中,如果一个双音节词的后一音节是零声母,则前后字的音高曲线(F_0)是相连的。

二 实验结果

(一) 前字

1.男发音人

表 1-22 印尼华裔男留学生与中国男发音人的前字音高统计对照表

统计项目	印尼华裔留学生 (平均值)	中国人 (平均值)	相差数值 (平均值)	相差幅度(%) (平均值)
起点音高值(Hz)	106.9045	124.577	-17.6725	-14.19
终点音高值(Hz)	125.1102	165.859	-40.7488	-24.57
最大音高值(Hz)	131.485	179.405	-47.92	-26.71
最小音高值(Hz)	95.30337	120.8937	-25.59033	-21.18
调域(Hz)	36.18163	58.5113	-22.32967	-38.16

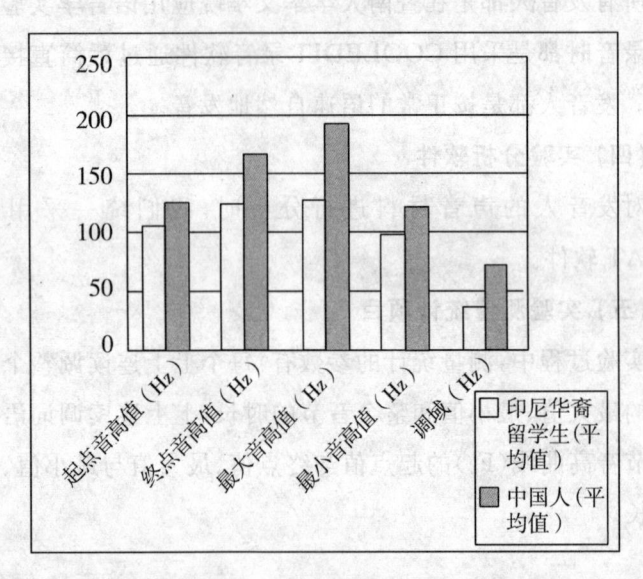

图 1-22 印尼华裔男留学生与中国男发音人的前字音高对比直观图

实验测量统计结果显示,男发音人发上上连读调时,印尼华裔留学生前字的起点音高值、终点音高值、最大音高值、最小音高值和调域都比中国人的相应数值要小。其中调域、最大音高值和终点音高值相差幅度最为显著,分别高达38.16%、26.71%和24.57%。具体结果如图1-22所示。

2.女发音人

表1-23 印尼华裔女留学生与中国女发音人的前字音高统计对照表

统计项目	印尼华裔留学生(平均值)	中国人(平均值)	相差数值(平均值)	相差幅度(%)(平均值)
起点音高值(Hz)	208.9587	207.6215	1.3372	0.64
终点音高值(Hz)	218.363	258.0142	−39.6512	−15.37
最大音高值(Hz)	238.6402	278.598	−39.9578	−14.34
最小音高值(Hz)	186.0362	189.5357	−3.4995	−1.85
调域(Hz)	52.604	89.0623	−36.4583	−40.94

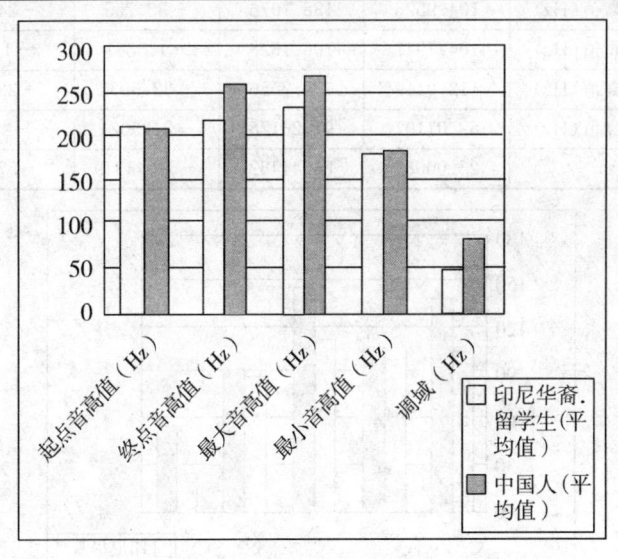

图1-23 印尼华裔女留学生与中国女发音人的前字音高对比直观图

实验测量统计结果显示,女发音人发上上连读调时,与男发音人类似的是,印尼华裔女留学生前字的终点音高值、最大音高值和调域三项,也是小于中国女发音人的相应数值,不过相差幅度不同,其中调域相差的幅度比男发音人还大,高达40.94%,而终点音高值、最大音高值相差的幅度小于男发音人的相差幅度。与男发音人不同的是,印尼华裔女留学生的起点音高值和最小音高值与中国女发音人的相应数值差别不大。具体结果如图1-23所示。

(二) 后字

1.男发音人

表1-24 印尼华裔男留学生与中国男发音人的后字音高统计对照表

统计项目	印尼华裔留学生 (平均值)	中国人 (平均值)	相差数值 (平均值)	相差幅度(%) (平均值)
起点音高值(Hz)	104.9526	138.7076	-33.755	-24.34
终点音高值(Hz)	104.7947	106.1628	-1.3681	-1.29
最大音高值(Hz)	112.0119	145.7056	-33.6937	-23.12
最小音高值(Hz)	89.01107	91.26128	-2.25021	-2.47
调域(Hz)	23.00083	54.44432	-31.44349	-57.75

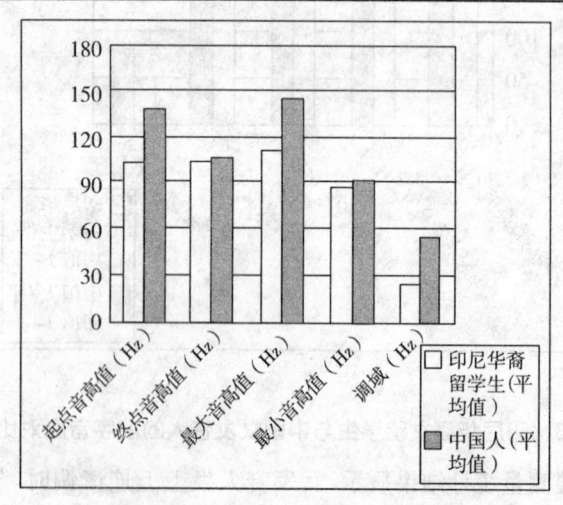

图1-24 印尼华裔男留学生与中国男发音人的后字音高对比直观图

实验测量统计结果显示,发上上连读调时,印尼华裔男留学生后字的起点音高值、最大音高值和调域都小于中国男发音人的相应数值。相差幅度分别达 24.34%、23.12% 和 57.75%,其中相差幅度最大的还是调域。而终点音高值和最小音高值与中国人的差别不大。具体结果如图 1-24 所示。

2. 女发音人

实验测量统计结果(表 1-25)显示,发上上连读调后字时,女发音人与男发音人的情况稍有不同,印尼华裔女留学生后字的终点音高值和最小音高值两项的实际数值不是低于中国女发音人的数值,而是高于中国女发音人的数值,超过的幅度高达 41.59% 和 40.41%。与男发音人类似的是,印尼华裔女留学生的起点音高值和最大音高值比中国女发音人的相应数值都要小,但相差的幅度没有男的大。与男发音人几乎相同的是,印尼华裔女留学生后字的调域远比中国男发音人的调域小,相差幅度也高达 55.42%。具体结果如图 1-25 所示。

表 1-25 印尼华裔女留学生与中国女发音人的后字音高统计对照表

统计项目	印尼留学生（平均值）	中国人（平均值）	相差数值（平均值）	相差幅度(%)（平均值）
起点音高值(Hz)	209.4073	248.955	-39.5477	-15.89
终点音高值(Hz)	199.7437	141.0721	58.6716	41.59
最大音高值(Hz)	218.4063	256.988	-38.5817	-15.01
最小音高值(Hz)	172.376	122.7656	49.6104	40.41
调域(Hz)	46.0303	134.2224	-88.1921	-55.42

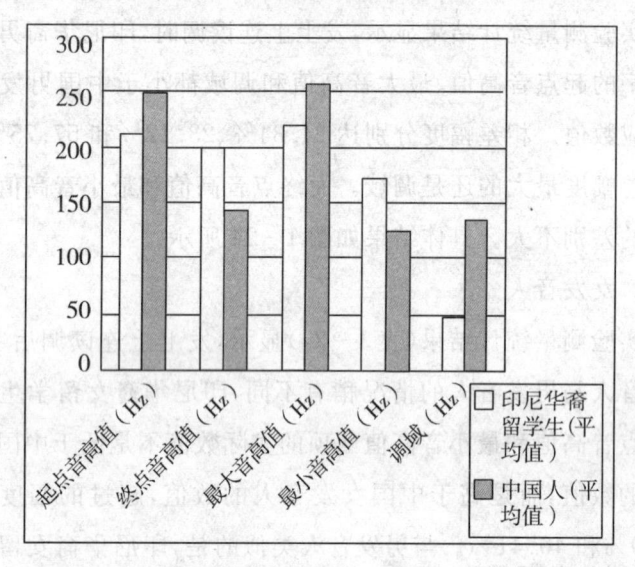

图 1-25 印尼华裔女留学生与中国女发音人的后字音高对比直观图

(三) 整个双音节的音高

1. 男发音人

表 1-26 印尼华裔男留学生与中国男发音人的整个双音节音高统计对照表

统计项目	印尼华裔留学生 （平均值）	中国人 （平均值）	相差数值 （平均值）	相差幅度(%) （平均值）
最大音高值(Hz)	131.485	179.405	-47.92	-25.94
最小音高值(Hz)	86.01107	91.26128	-5.25021	-5.75
调域(Hz)	45.47393	88.14372	-42.66979	-48.4

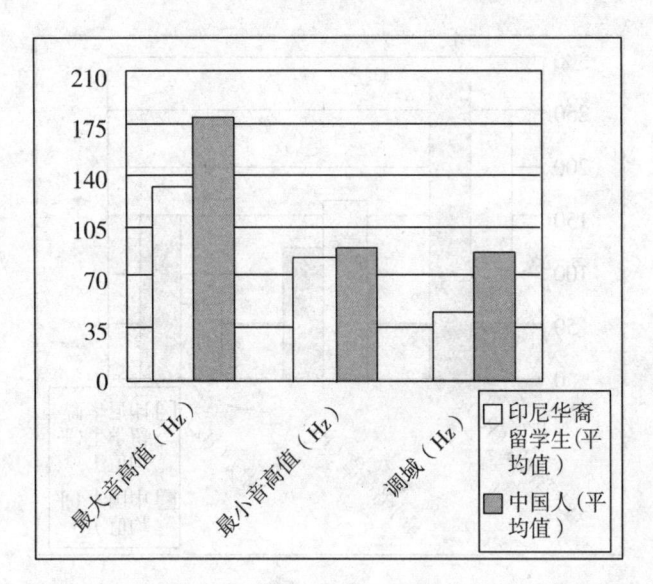

图 1-26 印尼华裔男留学生与中国男发音人的整个双音节音高对比直观图

如果将整个上上连读双音节作为一个整体来考察,与男发音人前、后字单独考察时类似,印尼华裔男留学生的最大音高值和调域都小于中国男发音人的相应数值,相差幅度最大的还是调域,高达48.40%。而最小音高值相差不大。具体结果如图1-26所示。

2. 女发音人

表 1-27 印尼华裔女留学生与中国女发音人的整个双音节音高统计对照表

统计项目	印尼华裔留学生（平均值）	中国人（平均值）	相差数值（平均值）	相差幅度(%)（平均值）
最大音高值(Hz)	238.6402	278.598	-39.9578	-14.34
最小音高值(Hz)	167.8792	122.7656	45.1136	36.75
调域(Hz)	70.761	155.8324	-85.0714	-54.59

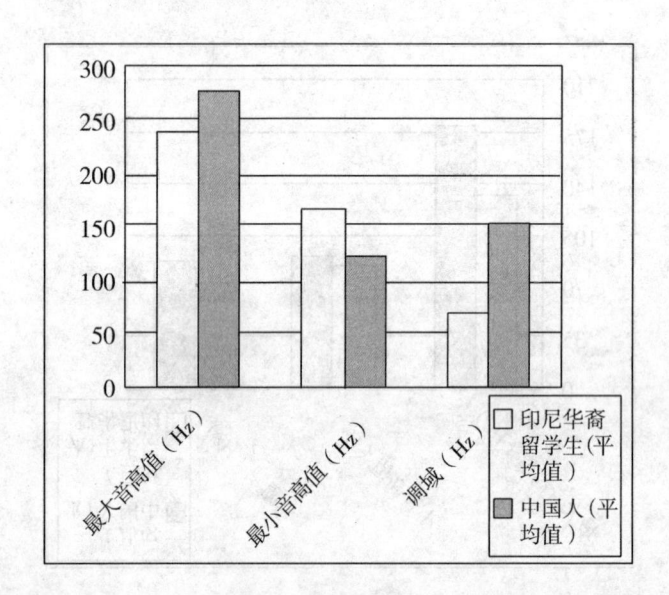

图 1-27　印尼华裔女留学生与中国女发音人的整个双音节音高对比直观图

如果将整个上上连读双音节作为一个整体来考察,最大音高值和调域,都是印尼华裔女留学生的小于中国女发音人的相应数值,相差幅度达 14.34% 和 54.59%,这与单独考察前、后字时印尼华裔女留学生的情况相似;最小音高值则是印尼华裔女留学生的大于中国女发音人的,这与单独考察后字的情况类似,而与单独考察前字的情况不同。具体结果如图 1-27 所示。

（四）时长

1. 男发音人

请看表 1-28。单从前字的时长考察,印尼华裔男留学生前字的平均时长比中国男发音人的平均时长要长 31.39 毫秒,长出的幅度达 10.52%;单从后字的时长考察,印尼华裔男留学生的后字的平均时长比中国男发音人的平均时长要长 15.983 毫秒,相差幅度比前字小;如果将整个上上连读双音节作为一个

第六节 印尼华裔学生汉语三声连读声调偏误分析

整体来考察，印尼华裔男留学生的平均时长比中国男发音人的平均时长要长 47.373 毫秒，相差幅度比前字的小，但比后字的大；如果将前后两字的时长进行比较，印尼华裔男留学生显示出前长后短的特点，而中国人男发音人则是前短后长的特点。具体结果如图 1-28 所示。

表 1-28 印尼华裔男留学生与中国男发音人的整个双音节时长统计对照表

统计项目	印尼华裔留学生（平均值）	中国人（平均值）	相差数值（平均值）	相差幅度(%)（平均值）
前字时长(ms)	329.877	298.487	31.390	10.52
后字时长(ms)	318.770	302.787	15.983	5.28
整个双音节时长(ms)	648.647	601.274	47.373	7.88

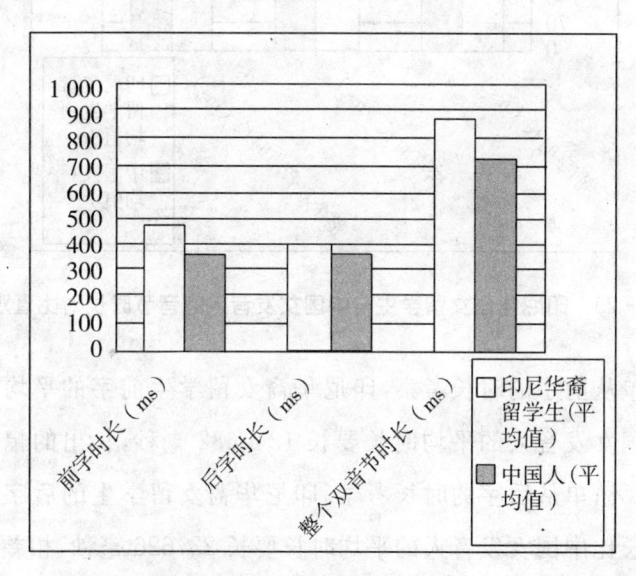

图 1-28 印尼华裔男留学生与中国男发音人的音节时长对比直观图

2. 女发音人

表 1-29　印尼华裔女留学生与中国女发音人的
整个双音节时长统计对照表

统计项目	印尼华裔留学生（平均值）	中国人（平均值）	相差数值（平均值）	相差幅度(%)（平均值）
前字时长(ms)	480.558	355.876	124.682	35.04
后字时长(ms)	395.976	372.350	23.626	6.35
整个双音节时长(ms)	876.534	728.226	148.308	20.37

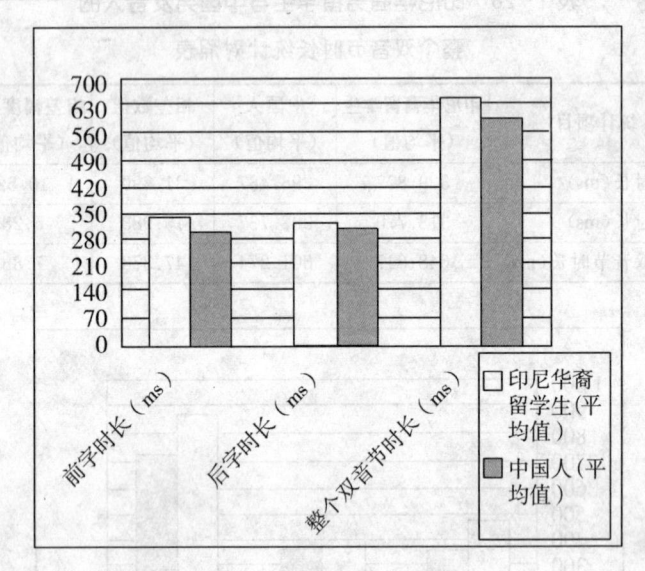

图 1-29　印尼华裔女留学生与中国女发音人的音节时长对比直观图

单从前字的时长考察，印尼华裔女留学生前字的平均时长比中国女发音人的平均时长要长 124.682 毫秒，长出的幅度达 35.04%；单从后字的时长考察，印尼华裔女留学生的后字的平均时长比中国女发音人的平均时长要长 23.626 毫秒，相差幅度也比前字小；如果将整个上上连读双音节作为一个整体来考察，印尼华裔女留学生的平均时长比中国女发音人的平均时长要长

148.308毫秒,相差幅度比前字小,但比后字大;如果将前后两字的时长进行比较,印尼华裔女留学生同样显示出前长后短的时长特点,而中国人女发音人则还是具有前短后长的特点。具体情况如图1-29所示。

三 偏误的主要表现

从以上实验测量统计结果可以看出,印尼华裔留学生发汉语普通话上上连读调时,我们常常感到不自然,带"洋调",这种偏误的主要表现在于以下三个方面:

(一)调域偏小

发汉语上上连读调时,印尼华裔留学生,不论是男生还是女生,音域都大大低于中国人发音时的音域。相差最小数值为22.32967(Hz),相差最大数值为88.1921(Hz)。相差幅度最低达38.60%(印尼男学生前字),最高达55.42%(印尼女学生后字)。这种调域偏小的发音偏误,既体现于前字,也体现于后字,同时还体现于全双音节之中。其中后字比前字相差更为显著,相差幅度平均高出20%左右。

(二)最大音高值偏低

发汉语上上连读调时,印尼华裔留学生,不论是男生还是女生,最大音高值都比中国人发音时的最大音高值低。最小的低33.6937(Hz)(印尼华裔男留学生后字),最大的低47.92(Hz)(印尼华裔男留学生前字);相差幅度最低达23.12%,最高幅度达26.71%。与调域偏小相似,这种最大音高值偏低的发音偏误,既体现于前字,也体现于后字,同时还体现于全双音节之中。其中男生比女生相差更为显著。

(三) 发音时时长偏长,并且前后字时长比例不合理

印尼华裔留学生,不论是男生还是女生,发汉语上上连读调时的时长都比中国人发音的时长长。从字的位置上看,前字表现更为明显,长出的幅度最小达 10.52%,最大达 35.04%;从性别上看,女生比男生更为明显。如果将上上连读调前后字的时长比较的话,印尼华裔留学生是前长后短,而中国人则是前短后长。这说明印尼华裔留学生发汉语上上连读调时前后字时长比例不合理。

四 偏误产生的主要原因

印尼华裔留学生发汉语上上连读调时产生以上偏误的原因是多方面的,概括起来主要有以下几个方面。

(一) 母语和当地华语方言的负迁移影响

这里的母语指印尼语,因为参与实验的 10 位印尼华裔留学生,分别来自印尼的雅加达、万隆和泗水三个城市。该三大城市的华裔学生从小多讲印尼语,虽然也讲少量的当地华语方言,但非常少。其中来自雅加达的印尼华裔留学生多以粤方言为辅,来自万隆和泗水的印尼华裔留学生以闽方言为辅。[1] 不同的语言具有不同的发声类型,这些发声类型在某种程度上和声调有关,准确地说是和基频(F_0)有关。[2] 从发声学的角度看,声调语言和非声调语言在发声时,其喉部肌肉活动的机制存在明显的不同。声调语言发每一个音节时,喉部各个与发音相关器官和

---

[1] 参见中国社会科学院与澳大利亚人文学院合编《中国语言地图集》,香港:朗文出版社 1987 年版。

[2] 参见孔江平《论语言发音》,中央民族大学出版社 2001 年版。

肌肉,如会厌软骨、甲状软骨、环状软骨、勺状软骨、环甲肌、外展肌、内合肌、下舌肌、声带、假声带以及声门等等都要发生一次迅捷的调节活动;而非声调语言却不同,有些音节有音调的变化,有的则几乎没有音调变化,因此喉部各个与发音相关的器官和肌肉,尤其是声带长期得不到锻炼,活动也不够敏捷。在以非声调语言为主要母语的环境中长大的印尼华裔留学生,其喉部各个与发音相关的器官和肌肉肯定不如在母语是声调语言环境中长大的中国人那样力健而灵活。即使他们的母语以粤方言或闽方言为辅,但是这两种方言都没有上声调,①因此,他们发汉语上上连读调时音高总是上不去,音域也不够大。这与 Flege 所提出的 L2 语言语音学习模型(Speech Learning Model)的核心原则——L2 语音中产生的错误常常源自对 L2 的知觉错误是相符的,②因为不管是主要母语印尼语,还是粤方言或闽方言都没有上声,在此语言环境中长大的印尼华裔留学生对普通话的上声感知肯定不敏感,发起上上连读调来偏误就在所难免了。

(二) 语音内部发音规律的制约

声调特征并非完全独立于音段特征,而是与那些主要由喉部控制的特征有着特别密切的关系,既有共时的关系又有历时的关系。例如:浊化、送气、喉化、音长、气声等等。③ 语

---

① 参见袁家骅《汉语方言概要》,语文出版社 1960 年版。
② 参见 Flege, J. E. The relation between L2 production and perception. *In Proceedings of ICPShS99*,San Francisco,1999,p.1273—1276.
③ 参见 William S—Y Wang Phonoligical features of tone. *International Journal of American Linguistics*,1967. 又载石锋《语音学探微》,北京大学出版社 1990 年版。

音内部不同质之间具有相互补偿的特点,浊音低调,清音高调;送气使声调变低,但由于语音具有社会性,语音的补偿并不像自然科学中的补偿现象那样整齐划一。① 印尼语的声母多为浊音,而汉语的声母多为清音,这种浊化的发音习惯在印尼华裔留学生中已经根深蒂固,他们在发上上连读调时,即使没有将声调前的声母发为浊音,也必然带有这一趋势,从而将声母后面的声调低念来补偿,因此最大音高上不去。

(三) 汉语语音知识不够全面

对外汉语教学中,教师对汉语音质特征知识,如声母、韵母的发音部位、发音方法、发音特点的讲解和练习一般都抓得比较多。而对汉语的超音质特征,即汉语韵律特征知识相对重视不够。不少学生还没有牢固掌握上声的抑扬顿挫,汉语双音节一般前短后长、前轻后重等韵律知识,②而套用英语的双音节词(除带前缀的外)重音多落在第一个音节上的发音规律。因而印尼华裔留学生发上上连读调时出现前长后短、前重后轻的"洋调"就在所难免了。

五 纠偏的主要措施

为加强留学生汉语普通话的声调教学,前贤曾提出不少教学措施,如把声调教学与听说训练结合起来,加强声调辨正练习,唱音阶定音高和确定起调字,重视调型教学,"唱高调"法,注

---

① 参见石锋《语音丛稿》,北京语言学院出版社 1994 年版。
② 徐世荣在《双音节词的音量分析》一文中曾对两万个汉语常用双音节词进行过统计,得出 70% 以上的汉语双音节词的重音落在后一个音节上。

意语音训练与意义讲解相结合①等。这些措施对我们纠正印尼华裔留学生发汉语上上连读调的偏误都有很大的借鉴作用。除此以外,笔者认为,还可采取以下措施:

(一) 加强扩大印尼华裔留学生音域的训练

纠正印尼留学生的"洋调"不是说要让他们发每一个上上连读调时,起点音高值、终点音高值、最大音高值、最小音高值都和中国人的相应数值相同,而是要让他们的音域与中国人的相应数值大致相同。因此纠正他们"洋调"主要是加强扩大他们音域的发音训练。还可以从降低他们现有的最低音高值着手,也可以从提高他们的最高音高值着手。

在具体的教学实践中,一般情况下,我们可以运用手势向上或向下的运动,引导学生尽力达到音域最高点或最低点。

有条件的,还可以借助多媒体设施,用实验语音软件显示出某个上上连读调的标准音高曲线(其中包括该上上连读调 F_0 的最高点和最低点),然后让学生以此线为标准进行发音练习,实验语音软件即时显示其音高曲线(其中也包括该学生音高的最高点和最低点)。

特别指出,这里不是说要求学生的音高一定同时既高于标准音高曲线(F_0)中的最高点,又低于标准音高曲线(F_0)中的最低点,而是只要求他们音高曲线(F_0)中的最高点和最低点之间的距离,等于或大于标准音高曲线(F_0)中的最高点和最低点之间的距离。

---

① 参见王玲娟《对外汉语初级阶段语音感教学研究》,《重庆大学学报》(社会科学版)2003 年第 3 期。

(二) 加强对印尼华裔留学生汉语韵律知识的讲解和训练

目前对外汉语中的语音教学,对于汉语语音的音质特征知识的讲授和训练是比较重视的,对于汉语语音的超音质特征,即韵律特征的讲授和训练还比较薄弱。声调教学虽然受到重视,但也只是做到大概,而没有达到精确化。对于汉语中音长特点等方面的韵律知识介绍不多,训练更少。应该大力加强这方面知识的讲解和发音的训练。

(三) 加强对印尼华裔留学生讲汉语的速度训练

速度训练,目的在于强化印尼华裔留学生喉部各个与发音相关的器官和肌肉的锻炼,提高它们运动的灵活性,以适应汉语上声曲折升降变化的基频走势要求。为达到这一目的,我们可采用限时阅读的办法。即让学生在一定时间内读完某个词语或一定数量的词语和句子。限制的时间量可以由大到小,逐步递减,直至达到标准的普通话发音速度为止。当然速度训练必须以准确性为前提,只能在发音准确的基础上不断提高语速。

六 余论

"学习外国语的内容分成发音、语法跟词汇 3 个主要的部分,……发音的部分最难,也最要紧。"[①]而对于汉语的发音部分来说,根据笔者上课时的随堂调查,印尼华裔留学生最感困难的是声调,尤其是上声。现实情况也正如吕必松所说那样,形成洋腔洋调的主要原因在声调。[②] 因此,如何加强汉语声调教学,怎

---

① 参见赵元任《语言问题》,商务印书馆 1980 年版。
② 参见吕必松《对外汉语教学概论(讲义)》(内部资料),国家教委对外汉语教师资格审查委员会办公室,1996 年。

样去帮助留学生学好汉语的声调、语调是我们从事对外汉语语音教学者最重要而又最艰巨的任务。

本研究尝试借助语音实验这一手段,对印尼华裔留学生的汉语上上连读调发音情况进行了实验研究,研究所得出的初步结论,可以为教师解决印尼华裔留学生学习汉语上上连读调发音这一难题提供一定的参考,也为印尼华裔留学生练习汉语上上连读调的发音提供了一定的参照标准。但是,实验所得出的数值,不能看成是一个静止的点,而应该看成是一个类似"价值规律"、在一定范围内上下波动的动态的点。

关于印尼华裔留学生学习汉语其他声调和语调的情况,印尼非华裔留学生学习汉语声调和语调的情况,以及韩国、日本等其他国家留学生学习汉语声调和语调的情况等等,我们都可以借助语音实验这一手段进行深入、准确的研究,以便更好地对症施教。

附录:实验调查表

保守	赶紧	口语	跑马	选举
北海	古老	苦恼	抢手	演讲
本领	鼓掌	老虎	手表	准许
表演	广场	理想	水果	影响
采访	好久	了解	所以	感染
产品	减少	领导	体检	语法
转眼	尽管	旅馆	网址	早点
打扰	讲理	买米	舞蹈	展览
点火	考场	勉强	洗澡	只有
铁笔	可以	奶粉	想法	总统

第二章
汉语词语偏误分析

第一节 留学生汉语合成词偏误统计分析[①]

运用语言进行交际包括语言理解和语言生成两个方面。留学生习得汉语的过程同样包括两个方面：理解汉语和使用汉语。留学生在使用汉语的过程中出现的偏误现象能够显示出汉语习得的某些规律。留学生在生成汉语时出现了汉语中不存在的词语，这是留学生词汇偏误的一种重要类型，这类偏误词是合成词，对这部分合成词进行分析，可以了解留学生合成词习得过程中表现出来的一些特点和规律。目前在这方面还缺乏系统的研究，其中很重要的原因是缺乏大量偏误的实例。本研究对北京语言大学"汉语中介语语料库系统"中偏误的合成词进行收集整理，并结合留学生的原文进行分类统计。这项工作对汉语合成词的偏误研究有很重要的价值。

本研究希望通过分析全部偏误词语，了解以下两方面的问题：首先是了解留学生合成词偏误的主要类型及其所占的比例；其次是通过对各个类型的详细分析，了解留学生在生成合成词

---

① 本文原标题为"留学生偏误合成词的统计分析"，作者邢红兵。原载《世界汉语教学》2003 年第 4 期。

时受到什么样的规律制约以及语素在合成词中的作用等。

一 偏误词的确定和标注

（一）偏误词的界定

"汉语中介语语料库系统"（以下简称"中介语语料库"）的词表中共有 17 648 个词条，排除单音节词、阿拉伯数字词（如"1993"）、外来字母词（如"Jerry"）、汉语拼音词（如"suoyi"）、汉字拼音混合词（如"街 dao"）等，余下的多音节词共 15 152 条，占总词数的 85.86%，我们只对这些多音节词进行人工分析。

中介语中的词语偏误包括：词语构造的偏误（如用"恋爱的感情"替代"恋情"）和词语使用上的偏误（如"警察找不到那人的身体"中用"身体"替代"尸体"）等，本研究是基于词表的研究，因此只考虑在词表中出现而汉语中没有的词，不包括词表以外的词在中介语语料库使用上的偏误。从结构来看，词可以分为单纯词和合成词两类，由于单纯词是由一个语素构成的，不存在构造的问题，因此，本文只涉及合成词的偏误，不涉及单纯词的偏误。

我们将留学生出现在中介语语料库中而汉语中没有的合成词叫做偏误合成词，而将汉语中与偏误合成词对应的词语叫做目标合成词（下文简称"目标词"）。同时把偏误合成词中和目标词相比错误的语素或字形叫做偏误语素，正确的语素叫做目标语素。

偏误词中，有一部分是由于汉字的原因造成的，包括：(1)字形相似造成的偏误，例如："东北"写成了"乐北"、"小鸟"写成了

"小鸟"、"比赛"写成了"此赛"、"期末"写成了"期未"等;(2)字音相同或相近造成的偏误,例如:"意义"写成了"议义"、"凑合"写成了"凑和"、"绳索"写成了"绳素"、"首先"写成了"收先"等;(3)字音字形造成的偏误,例如:"纪念品"写成了"记念品",是由于"记"和"纪"不仅音同,而且形似;"环境"写成了"环竟"、"蜡烛"写成了"腊烛"、"相信"写成了"想信"等。这类偏误词我们认为主要是书写的问题,不在我们讨论的范围之内。

另外,在日本、韩国等汉字文化圈的留学生使用的词语中,还包含一部分直接借用留学生母语词语的词汇,例如"米国"、"即食粥"等,这些借用词语也不属于我们的研究范围。

(二) 偏误合成词的标注

对词表中全部合成词进行人工过滤,找出汉语中没有的合成词作为初步分析的目标,得到合成词共 751 条,在此基础上剔除来自日语、朝鲜语的汉字词语和汉字偏误词,最后得到偏误合成词 520 条,占词表中全部多音节词语的 3.43%。我们就对这 520 条偏误合成词进行分析。

首先,对偏误合成词的语素、结构、汉字字形、读音等方面的特征进行分析,确定了几个主要的类型,然后按照这样的框架对全部偏误合成词进行穷尽标注,并及时调整分类标准,最后给每个偏误合成词一个标记。在标注过程中,我们查找到每个偏误合成词出现的语言环境,以便能够确定偏误合成词所指向的正确意义,如果在语言环境中无法确定偏误合成词的意义,我们将这类词标为"其他"类。每个偏误合成词采用一个包含两个层次的标记,大类和小类。例如"兵人"的标记是"XZ1","XZ"表示这个偏误合成词的大类是新造词,"1"表示这个词是和目标词语素相关。

二 留学生偏误合成词的类型

我们将 520 个偏误合成词进行分类,最后归纳为 5 大类:(1)新造词;(2)语义相关语素替代(简称"语素替代");(3)使用语义无关语素或增加、减少语素(简称"语素错误");(4)语素顺序错误;(5)其他错误。每类中又分为若干小类,合起来共 17 小类。下面我们分别举例说明。

(一) 新造词(XZ)

"新造词"是指留学生使用的合成词在汉语中没有对应的词或者虽然有对应词但其中至少有一个语素跟目标词无关。例如,偏误合成词"回打"中的"回"和"打"与目标词"还手"完全没有关系,也就是说,留学生生成"回打"这个词的时候并没有受到目标词"还手"的影响,"回打"是留学生根据汉语构词规律和已经学习过的语素新造的。这类词又可以分为以下几种。

PW1:语素相关对应词(XZ1)。是指偏误合成词在汉语中有对应的目标词,偏误合成词和目标词之间有一个或多个语素相同,但是至少有一个语素完全不同并且语义无关。例如,偏误合成词"兵人"和目标词"士兵"或"军人"之间有一个语素相同;偏误合成词"伴人"和目标词"伙伴"或"同伴"之间也有一个语素相同,但是有一个语素和目标词无关;偏误合成词"未妻子"、"未丈夫"和目标词"未婚妻"、"未婚夫"之间语素比较接近,但是结构完全不同。例如:

①那时候战争。他连带车被<u>兵人</u>拿了走。
②本来我喜欢一个人慢点看看。因为有<u>伴人</u>对那个人

有些顾虑,精神太累身体也非常累。

③在意大利<u>未丈夫</u>和<u>未妻子</u>也不能拒绝结婚。

PW2:无对应词(XZ2)。是指偏误合成词在汉语中没有对应的目标词。例如,有的偏误合成词所表示的意思在汉语中没有对应的概念,根据原文推测,偏误合成词"破丑"指的是"破旧和丑陋"的意思,汉语中没有一个词可以表达这样的概念;有的偏误合成词在汉语中对应于一个短语,偏误合成词"家统"对应于汉语"家庭传统","大求"对应于汉语"远大的追求"等。例如:

④许许多多的小胡同内还有<u>破丑</u>的平房,居住着一家三四代。

⑤很多年轻人不愿意为<u>家统</u>牺牲自己的生活。

⑥对不相信宗教的人,罟斋是很奇怪的,可是为了实现<u>大求</u>,应该要斗争……

PW3:类比造词(XZ3)。是指偏误合成词在汉语中没有对应的目标词,但是有对应的构词模式或者相关的语素造词方式。例如,偏误合成词"似气非气"是利用汉语"似懂非懂"这样的格式类比的;偏误合成词"慢语慢言"是根据"快言快语"来类比的;偏误合成词"品饮"是根据"品尝"类比造出来的;"母母"是按照重叠的方式造出来的,类似于"妈妈";偏误合成词"下天"表示"第二天"的意思,是根据"下周"、"下星期"等词类比出来的。例如:

⑦而且我们看不出来他高兴不高兴,他的脸每天一样,一直<u>似气非气</u>的样子。

⑧可是老长<u>慢语慢言</u>地说:"那好吧!我先来干吧!"

⑨客人品饮茶、玩赏茶道的用具。

PW4:语素无关对应词(XZ4)。是指偏误合成词在汉语中有对应的词,但是新造词和对应词之间没有相同或相关的语素。例如,偏误合成词"认出卡"和目标词"身份证",偏误合成词"部队员"表达的是"军人"或"士兵"的意思,偏误合成词"洗澡房"表达的是"浴室"的意思,这类偏误合成词有对应的目标词,但是和目标词没有语素相关,可以推断,留学生是根据构词规律自己造的。例如:

⑩公安人问他很多问题,他们拿走李刚的照相机也看他的认出卡。

⑪他们的父母大概也在那儿,和别的部队员一起做梦。

⑫我想屋子太小,洗澡房太脏了,有的时候我很介意这个情况。

PW5:多词混合(XZ5)。是指偏误合成词的出现可能是受到两个目标词语或者多个目标词语的影响。例如,偏误合成词"乐极忘形"可能是受到"乐极生悲"和"得意忘形"两个词语的影响;"儿童年"可能是将"儿童"和"童年"两个词合在一起了;"勤奋快"可能是受到"勤奋"和"勤快"两个词语的影响。例如:

⑬我吃得津津有味,在那时候,我乐极忘形,间接不断地吃过不停……

⑭我的外婆在她儿童年和第二次世界大战时吃了很多苦。

⑮中国农民和印度尼西亚农民一样,都十分勤奋快和朴实。

PW6:增加词缀(XZ6)。是指偏误合成词和目标词相比增加了词缀。例如,"碗子"、"词子"等,这类偏误合成词很可能受到了同类相关词语的影响,其中"碗子"可能是受"筷子"的影响,"词子"可能是受"句子"的影响;而偏误合成词"兴趣感"、"物质品"等可能是受到有这类类似后缀、构词能力较强的词语的影响而造成的,因此,这类偏误合成词也是一种特殊的类比错误。例如:

⑯9:00多我才能吃早饭后,洗碗子。

⑰有很事和词子我都不明白可是知道他是从黑龙江来办事的。

⑱学习的时候儿应该有兴趣感,才不会感到闷。

(二) 语素替代(ST)

"语素替代"是指留学生的偏误合成词和目标词相比,在词的构造上没有差异,在语素上有差异,但是偏误合成词和目标词中有差异的语素之间是同义关系、近义关系、反义关系或者语义相关。这类偏误合成词包括以下几种类型:

PW7:音节相同语素替代(ST1)。是指偏误合成词使用的语素和目标词的语素是同义、反义或语义相关,并且结构相同,这类替代的语素几乎都是单音节的。例如,偏误合成词"鸡羽"和目标词"鸡毛"中,语素"羽"和"毛"是同义的,并且音节相同,都是单纯语素;偏误合成词"中边"和目标词"中间"的结构方式相同,不同的语素"边"和"间"的语义是相关的;偏误合成词"爸母"和目标词"爸妈"中不同的语素"母"和"妈"是同义的,只是语体有一些差别;偏误合成词"小买部"和目标词"小卖部"之间不同的语素"买"和"卖"是意义相反的。例如：

⑲已经学期的中边已经到了,我不知道时间怎么会跑得那么快。

⑳我本来想这个新年我要过得不太愉快,是因为我不跟爸母一起过……

㉑正好旁边儿有一个小买部,在那儿卖包子。

PW8:复合语素替代单纯语素(ST2)。是指偏误合成词中包含了另外一个合成词,这个合成词和目标词语素意义相同或相近。例如,偏误合成词"祝贺词"和目标词"贺词"相比,是用"祝贺"替代语素"贺","祝贺"和"贺"同义;"跳舞会"中用"跳舞"来替代目标词"舞会"的语素"舞";"表演员"中用"表演"替代目标词"演员"中的语素"演",语素"演"就是"表演"的意思。例如：

㉒我没有念武艾英连夜替我起草的祝贺词,而是按老牛筋的意思讲的……

㉓那里有一个跳舞会,在电视室举行。一个日本学生带来了录音机,别的学生们带来了磁带。

㉔在中国我认识一位朋友,他是中国人,当一名京剧的表演员。

PW9:单纯语素替代复合语素(ST3)。是指偏误合成词中使用了一个单纯语素替代目标词中的复合语素。例如,偏误合成词"生日会"中,语素"会"替代了"生日聚会"中的"聚会";"车刻表"中,语素"车"替代目标词"列车"、"刻"替代了目标词的语素"时刻";偏误合成词"羊串"中,语素"羊"替代了"羊肉"。这类偏误合成词和目标词相比,看起来似乎更简洁,但是不符合汉语的构词规律和使用习惯。例如：

㉕她忙得连自己的生日也忘了,而她们秘密地为了她准备一个生日会。

㉖火车离开了上海,凭车刻表我应该明天四点钟左右到达北京站。

㉗我就很客气地向老板得到允许以后就拍了他站在饭店的门口烤羊串的布景。

PW10：同词语素替代(ST4)。是指偏误合成词中错用的语素和目标词的对应语素是另外一个相同词中的语素。例如,偏误合成词"冬游者"目标词是"冬泳者","游"、"泳"实际上是"游泳"一词的两个语素；偏误合成词"反且"和目标词"反而"中,偏误语素"且"和目标语素"而"可以构成"而且",并且这个词对留学生来说应该很熟悉；偏误合成词"品道"中偏误语素"道"和目标词"品德"的目标语素"德"可以构成"道德"。这类偏误合成词和结构相同语素替代的偏误接近,但是往往受到一个熟悉词的影响。而且,偏误语素和目标语素之间不一定是同义、近义或反义关系。例如：

㉘吃了午饭我们坐了半个小时的车去看冬游者。

㉙现在一般的一个妇女的工资低,力量少,反且照料老人,她一个人负担过重。

㉚有的人可能对你记了错误或者提出了坏意见,要不你的学文和品道没到一定的程度你就无法原谅他们。

(三) 语素错误(SW)

PW11：错用语素(SW1)。是指和目标词相比,偏误合成词中包含一个错误的语素,这个偏误语素和目标语素之间没有音形义的关系。例如,偏误合成词"演开"是"盛开"的意思,偏误语素"演"和目标语素"盛"之间没有关系;"得点"是"特点"的意思,同样,偏误语素"得"和目标语素"特"之间也没有很强的关系。例如:

㉛海水很干净在海演开着鲜艳的花。

㉜我们的想法有不少的共有得点也有时间时作一样一事。

PW12:语素多余(SW2)。是指和目标词相比,偏误合成词中多了一个语素。例如,偏误合成词"大多部分"就是"大部分"的意思,语素"多"多余;偏误合成词"清一早"和目标词"清早"相比,语素"一"多余;偏误合成词"口嘴"可以用目标词"嘴"替代,语素"口"多余。例如:

㉝人身的大多部分是由水组成的。

㉞因为我们的船清一早要走,所以我们找不到出租汽车把我们送到码头,我们免不了走路去。

㉟因为把"ToLo"的部分开始吃的时候觉得口嘴里好像马上就溶化一样。

PW13:缺少语素(SW3)。是指和目标词相比,偏误合成词中少了一个或多个语素。例如,把"气急败坏"写成了"气败坏";把"百闻不如一见"写成了"百闻不见";把"有助于"写成了"助于"。例如:

㊱气败坏的那个将军用尽自己的力量,又扔了好几次。

㊲这次的观赏,是我一辈子也不能忘记的,真是<u>百闻不见</u>,深深印在我的脑海中。

㊳在这儿学习两年的汉语以后,我希望做<u>助于</u>韩中两国的工作。

(四) 语素顺序错误(SS)

PW14:语素顺序错误(SS)。偏误合成词的语素和目标词的语素位置颠倒或者位置混乱。例如,"继续"写成了"续继";"家乡"写成了"乡家";"出租汽车"写成了"租出汽车";"似懂非懂"写成了"非懂似懂"等。例如:

㊴不过,我还要在中国<u>续继</u>活了,因此我希望有机会的时候,再去一次西安旅行。

㊵正日峰下边有亲爱的领导者金正日同志的<u>乡家</u>。

㊶但是用法各自不一样,这点,我们日本人,<u>非懂似懂</u>,不容易理解。

(五) 其他错误(QT)

PW15:无法归类(QT1)。这类词语是指出现在中介语语料库的偏误合成词,无法根据原文的内容和相关的背景知识推断偏误合成词的意思,例如,"文术"、"压口":

㊷我对<u>文术</u>激他们的兴趣,也尽最大努力让他们表示自己的兴趣、才能。

㊸养鸟的可以用录音机<u>压口</u>,教鸟唱特别的歌。

PW16:重叠错误(QT2)。是指使用了错误的重叠形式。例如,"散散步步"、"喜喜欢欢"、"宝宝贵贵"、"安静静"等。例如：

㊹我在橄榄坝的少数民族村(也是傣族的)散散步步的时候发现了一座很好看的高地板的房子……

㊺他走得一个时,两个小时,安静静地走。

PW17:缩略错误(QT3)。是指使用了缩略方法,但是汉语中没有对应的缩略词。例如,将"大小便"缩略成"二便";"上去下去"缩略成"上下去"等。例如:

㊻我的房间是东楼的14层,我每天坐电梯上下去。

三 留学生各类偏误合成词的分布

上面我们对偏误合成词进行了分类,从数量来看,各类偏误词也有着较大的差异。这里我们将对各个类型的数量和比例进行分析。首先,我们统计了各大类的数量以及各类偏误合成词所占的比例,各种类型的数量和比例见表2-1。

表2-1 各大类的数量和比例

类型	新造词(XZ)	语素替代(ST)	语素错误(SW)	语素顺序错误(SS)	其他错误(QT)
数量	205	135	63	71	46
比例(%)	39.42	25.96	12.11	13.65	8.85

从上表的数据来看,"新造词"的数量最多,占全部偏误合成词的39.42%。其次是"语素替代",占全部偏误合成词的25.96%。"语素错误"占12.11%。"语素顺序错误"占13.65%。可见,留学生出现的所谓偏误合成词,实际上主要是留学生运用

汉语的语素和汉语的构词规律生成的。我们进一步对各个小类进行了统计，各类型及其所占的比例见表2-2。

表2-2　各小类的数量和比例

	偏误合成词类型	数量	分类比例(%)	总比例(%)
新造词	语素相关对应词(XZ1)	82	40.00	15.77
	无对应词(XZ2)	51	24.88	9.81
	类比造词(XZ3)	29	14.15	5.58
	语素无关对应词(XZ4)	13	6.34	2.50
	多词混合(XZ5)	15	7.32	2.88
	增加词缀(XZ6)	15	7.32	2.88
语素替代	音节相同语素替代(ST1)	59	43.70	11.35
	复合语素替代单纯语素(ST2)	33	24.44	6.35
	单纯语素替代复合语素(ST3)	34	25.19	6.54
	同词语素替代(ST4)	9	6.67	1.73
语素错误	错用语素(SW1)	36	57.14	6.92
	语素多余(SW2)	17	26.98	3.27
	缺少语素(SW3)	10	15.87	1.92
	语素顺序错误(SS)	71	100	13.65
其他错误	无法归类(QT1)	33	71.74	6.35
	重叠错误(QT2)	11	23.91	2.12
	缩略错误(QT3)	2	4.35	0.38

从上表的数据我们可以看出，在"新造词"的偏误中，"语素相关对应词"占全部新造词的40%，这类偏误词中，有一部分偏误词可能受到目标词的影响，"类比造词"、"增加词缀"和"语素无关对应词"分别占14.15%、7.32%和6.34%，这几类偏误词虽然没有受到目标词的直接影响，但都有对应的目标词，"多词混合"占7.32%，这类偏误词也是有目标词的，这几类偏误词加起来占全部偏误词的75.13%，可见大部分"新造词"是有对应

的目标词的。但是也有24.88%的"新造词"是没有对应的目标词的,这也是一个不小的数目,也值得我们注意。在"语素替代"偏误词中,"音节相同语素替代"占43.70%,"复合语素替代单纯语素"和"单纯语素替代复合语素"比例接近,都在25%左右。"语素替代错误"中,偏误词在意义上与目标词更加接近,这表明很多偏误词在结构和语素的选择上已经接近了目标词。"语素错误"中,主要是"错用语素",占57.14%,其余的是"语素多余"和"缺少语素",两类合起来约占43%,这类偏误词中,偏误语素和目标语素之间没有音形义的关系或者关系不明显,因而很难分析这些词产生的原因。

四 讨论

(一)留学生有较强的构词意识

通过对留学生偏误合成词的统计分析,我们初步得出如下结论:留学生已经具有了较强的语素构词意识,并能够运用到词语的产生中。这主要从以下几个方面来看。

1. 留学生能够运用汉语的语素和构词规则直接造词

从偏误词的分布来看,"无对应词"和"语素无关对应词"的偏误词加起来占全部偏误词的12.31%,这类偏误词没有对应的目标词,或者目标词和偏误词在语素上没有关系,是留学生根据汉语的语素和构词方式生成的。新造词中的"类比造词"和"增加词缀"加起来共占全部偏误词的8.46%,虽然这类偏误词都有对应的目标词,但是这些偏误词的产生没有直接受到目标词的影响,而是受到目标词同类词的构词规则的影响。从这个结果来看,在留学生产生的偏误词中,有20.77%的偏误词是留学生利用汉语的语素及其构词规则自己生成的,这充分体现出汉语造词规则在留学生词汇产生中得到了比较多的运用。

"新造词"中"语素相关对应词"和"语素替代"的偏误词和目标词在语素上至少有一个语素相同,我们不能排除这类词的产生受到了目标词的影响,因为这类词的出现主要有两种可能:(1)留学生已经学习过这个目标词,但是不熟悉,所以出现了和目标词意义不相关的语素;(2)留学生自己新造的词,和目标词有相同语素只是巧合。虽然这类偏误词还需要进行研究,但是从我们列举的例子来推测,大部分偏误词应该没有受到目标词的直接影响,例如"伴人"表示"同伴"的意思,虽然偏误词和目标词有一个语素"伴"相同,但是留学生生成"伴人"的时候,受到"同伴"影响的可能性不大,这也更加说明了语素构词规律是起作用的。

2.结构的影响

根据许敏的统计,在汉语水平等级词汇中,偏正结构所占比例最大,约为 43.42％,[①]这表明偏正结构在数量上占有绝对优势,而且和其他结构比较,偏正结构更容易分解。这种结构的不平衡在留学生新造词中也有体现,有很多偏误词和目标词相比,采用了更容易分解的定中结构,例如"伴人"代替"同伴"、"兵人"代替"士兵"、"导人"代替"向导"等。这说明定中结构可能更容易分解,而且定中结构对留学生的影响更大。

[①] 参见许敏《"汉语水平词汇等级大纲"双音节结构中语素组合方式、构词能力统计研究》,北京语言大学硕士学位论文,2003 年。

3. 音节意识的形成

在全部汉语水平等级词汇中,双音节结构共有 6 396 个,占 72.5%。可以说双音节化的趋势对留学生词汇的产生有一定的影响,这也体现在偏误词中。根据我们分析,偏误词中出现了大量的双音节偏误词代替多音节目标词和双音节偏误词代替单音节目标词的情况,例如:(1)双音节偏误词代替多音节目标词,"独孩"代替"独生子女"、"悲心"代替"悲伤的心"、"家统"代替"家庭传统"、"旅包"代替"旅行包"等;(2)双音节偏误词代替单音节目标词,"航舟"代替"船"、"叠摞"代替"摞"、"勾脚"代替"钩"、"口嘴"代替"嘴"等。

(二) 分解习得和整词习得并存

我们在强调留学生语素构词意识的同时,也不能忽视一部分复合词可能是被留学生整体习得的,这类词对留学生来说词的结构不是很清晰,留学生很难将这类词的语素分解出来。这种情况可以在"语素顺序颠倒"错误中得到证明,例如留学生把"游泳"写成"泳游",是因为他们对这个词的结构并不清楚,这类偏误词占全部偏误词的 13.65%,在"同词语素替代"中出现的偏误语素所在的复合词,也体现了这样的特点,例如把"况且"写成"况而",是因为对"而且"这个词的结构和语素不清楚所造成的,这类偏误词占全部偏误词的 1.73%。

因此,我们可以推测,留学生在生成合成词时会使用两种策略:分解的生成和整词的生成,其中分解的生成方式占主导地位。我们认为,这样的加工方式应该可以推广到留学生习得合成词的过程中。

五 结论

本研究通过对留学生偏误合成词的穷尽分析,发现偏误合成词主要包括"新造词"、"语素替代"、"语素顺序错误"和"语素错误"等不同的类型。通过进一步的统计分析,我们得出了以下几个方面的结论:(1)留学生生成汉语合成词可能会受到很多因素的影响,这些因素包括语素、结构、音节、语义等,其中最重要的是语素意识和结构意识;(2)留学生能够比较好地掌握汉语的构词规律以及语素的构词能力、构词位置等规律,并能够运用到词汇的生成中;(3)留学生对于大部分词的生成是有很明确的语素意识和结构意识的,但是也有一部分合成词对留学生来说,语素和结构是模糊的,由此我们推测,留学生习得复合词存在两种不同的方式:分解习得和整词习得,其中分解习得应该占主导地位。

本研究收集了"汉语中介语语料库"中全部偏误合成词,并进行了归类,这样的归类只是为了论述的方便,文章没有对偏误词的产生作深入的分析。而且,偏误合成词会随着留学生的汉语水平的变化而表现出不同的特点,比如初级水平的留学生容易出现"语素顺序错误"的偏误合成词;很多偏误合成词会受到留学生母语背景的影响,比如偏误合成词"认出卡"可能受到英语"identity card"的影响,这就需要对留学生的汉语水平以及留学生的母语背景等因素作细致的分析,这些都需要我们作进一步的研究。

附录:520个偏误合成词

(一) 新造词

语素相关对应词:

伴人(同伴) 绑子(绳子) 别解(误解) 兵人(士兵) 补导学校(补习学校) 藏存(保存) 产收(收获) 城垒(城堡) 乘员女士(女乘务员) 待人律己(？宽人律己) 当任(在任) 导人(导游) 叠擦(擦) 冬风(寒风) 独孩(独生子女) 端部(一端) 锻炼卡(健身卡) 反然(反之) 飞行云(飞云) 分隔间(隔段) 个有个走(各走各的) 公存(存有) 工作费(工资) 勾脚(钩) 古房(老房子) 故区(老城区) 雇人(雇主) 航舟(船) 画术(画画) 荒景(荒地) 混文化(多文化) 火林(火海) 火烟台(烽火台) 接映(辉映) 静神(养神) 口块(小方块) 矿川(矿区) 立灯(落地灯) 脸膏(擦脸油) 恋婚者(恋人) 留学楼(留学生楼) 旅客车(旅游车) 轮送(输送) 慢形电影(慢镜头) 蜜露(露水) 男汉人(男子汉) 农菜(蔬菜) 暖器(暖气) 仆众(仆人) 清谈家(空谈家) 庆会(聚会) 丘坡(山坡) 求要(想要) 去地(目的地) 热带栏(热带植物) 山面(山上) 生命气(生机) 失者(失主) 视管(显像管) 售货台(售货亭) 售台(售货亭) 苏生(复苏) 宿舍生(自费生) 特味儿(特点) 晚餐会(晚宴) 未妻子(未婚妻) 未丈夫(未婚夫) 现任感(责任感) 新年节(春节) 新年树(圣诞树) 学班(班) 养主(主人) 遗失者(失主) 影象机(录像机) 游览导员(导游) 杂细(杂乱) 造讲(讲述) 战性(好战性) 主国(祖国) 专门词(专门用语) 自家生(走读生) 足球员(足球运动员)

无对应词:

爱国力(爱国心) 暗白(暗暗的白色) 拜祈(膜拜祈祷) 悲心(悲伤的心) 不饥半暖(吃不饱穿不暖) 茶人(以经营茶叶为生的人) 长间(长时间) 出送(出去送) 大觉逆耳(不顺耳) 大求(远大的追求) 耽于(被……耽误) 得气(得到气) 电影话(电影语言) 顶遇(山顶相遇) 短用(临时的、用的时间短) 感得(感觉到) 购阅(购买阅读) 古楼(古代楼阁) 机力(机器力量) 家统(家庭传统) 奸狡(奸诈狡猾) 捡者(拾到者) 街道树(马路边的树) 旧区(旧城区) 军匠(军队的工匠) 峻峰(险峻的山峰) 苦年(艰苦的年代) 美态(优美的姿态) 缅字(缅甸文字) 拿放(拿走放在) 闹吵子(吵吵闹闹) 判解(判断理解) 判予(判给) 泼溅("泼"和"溅") 破丑(破旧丑陋) 亲人爱(亲人的爱) 清趣(清脆、有趣) 如珠如宝(如珠宝) 商楼(商业楼) 收获节(收获的季节) 顺行(顺序行使) 特餐(特别的食品) 脱生(获得新生) 尾毛(尾巴的毛) 胃火(肝火) 泄水板(洗澡用具) 学法(学习方法) 叶丛(树叶丛中) 硬心(不变的心) 预画(准备的画) 造车师(造车的工程师)

类比造词：
悲事(喜事) 不毛之路(不毛之地) 多识多才(多才多艺) 发哭(发笑) 感天(感人) 今代(当代) 绝饮(绝食) 可悯(可怜) 可忧(可悲) 快快当当(稳稳当当) 唠叨不绝(络绎不绝) 冷情(热情) 连喜带乐(连……带……) 满山遍地(漫山遍野) 慢言慢语(快言快语) 慢语慢言(快言快语) 母母(妈妈) 哪么(怎么) 品饮(品尝) 日币(日元) 入国从俗(入乡随俗) 似气非气(似懂非懂) 下天(下周) 心服眼服(心服口服) 早饮(早餐) 直言直语(直来直去) 中里(中间) 中面(中间) 竹工(木工)

语素无关对应词：
北韩国(朝鲜) 部队员(军人) 合定(实现) 回打(反击) 凉血(消火) 楼塔(烽火台) 缺班(取消) 认出卡(身份证) 射孔(枪口) 升降梯(缆车) 洗澡房(浴室) 向导人(解说员) 音乐员(演奏家)

多词混合：
长点(长处、优点) 但然(虽然、但是) 儿童年(童年) 房屋子(房屋、屋子) 孤苦无依(孤苦伶仃、无依无靠) 乐极忘形(乐极生悲、得意忘形) 聊闲天儿(聊天、闲聊) 千头万别(千差万别) 勤奋快(勤奋、勤快) 石雕像(石雕、雕像) 索车(索道、缆车) 因来(原因、来由) 中语(汉语/中文) 怎什么(怎么、什么) 总之说(总之、总的来说)

增加词缀：
阿桥(桥) 比赛会(比赛) 词子(词) 地铁车(地铁) 电缆车(缆车) 设备品(设备) 生日节(生日) 生日天(生日) 同情性(同情) 碗子(碗) 卫生性(卫生) 物质品(物质) 信用性(信用) 兴趣感(兴趣) 羽子(羽毛)

(二) 语素替代

音节相同语素替代：

爸母(爸妈) 摆功(表功) 半产品(半成品) 背梁骨(脊梁骨) 不有(没有) 茶店(茶馆) 倒踏门(倒插门) 分甘共苦(同甘共苦) 风景地(风景点) 服务所(服务处) 负正(正反) 歌唱团(合唱团) 个型(个性) 候选者(候选人) 惶然若失(怅然若失) 鸡羽(鸡毛) 急不及待(迫不及待) 健身室(健身房) 接待所(接待室) 介绍者(介绍人) 老久(长久) 卖票员(售票员) 名景(名胜) 内边(里边) 内面(里面) 骑马观花(走马观花) 前妇(前妻) 人进道(人行道) 省都(省会) 食物店(食品店) 手包(手袋) 授课费(课时费、讲课费) 书题(书名) 说语(说话) 台级(台阶) 投弃(丢弃) 团体相(集体照) 为法(做法) 围杆(围栏) 屋号(房号) 洗手室(洗手间) 下雪量(降雪量) 仙景(仙境) 现在化(现代化) 小买部(小卖部) 新代(现代) 行通无阻(畅通无阻) 凶意(恶意) 汹涛澎湃(汹涌澎湃) 谚话(谚语) 谚言(谚语) 妖鬼(妖怪) 婴儿院(孤儿院) 粤话(粤语) 运动园(运动场) 战负(战败) 争场(战场) 中边(中间) 砖子(砖头)

复合语素替代单纯语素：

比赛场(赛场) 表演员(演员) 财主人(财主) 茶杯子(茶杯) 大学习(大学) 大学院(大学) 当时候(当时) 短裤子(短裤) 法国语(法语) 高中学(高中) 花公园(花园) 可是惜(可惜) 落叶子(落叶) 煤火炉(煤炉) 骑马术(马术) 入学费(学费) 山地区(山区) 圣诞节树(圣诞树) 跳舞会(舞会) 微波浪(微波) 位置于(位于) 学习生(学生、实习生) 羊毛衣(毛衣) 医科学(医学) 音乐队(乐队) 音乐团(乐团) 樱桃花(樱花) 友人爱(友爱) 责任无旁贷(责无旁贷) 照相片(照相) 这一样(这样) 制衣服(缝制衣服) 中学校(中学) 祝贺词(贺词)

单纯语素替代复合语素：

包纸(包装纸) 不样(不一样) 藏衣(藏族服装) 车刻表(列车时刻表) 蛋质(蛋白质) 德饭(德式饭) 德人(德国人) 缝针(缝衣针) 荷语(荷兰语) 环画(连环画) 火站(火车站) 交部(外交部) 交具(交通工具) 经济家(经济学家) 考学家(考古学家) 咳嗽糖(咳嗽糖浆) 留生楼(留学生楼) 旅包(旅行包) 面车(面包车) 升旗式(升旗仪式)

生日会(生日聚会) 生学(生物学) 思复(反复思考) 网场(网球场)
洗机(洗衣机) 冼盆(洗澡盆) 羊串(羊肉串) 游区(游览区) 寓楼
(公寓楼) 澡水(洗澡水) 住区(住宅区) 作比(作比喻)
同词语素替代：
饱历风霜(饱经风霜) 冬游者(冬泳者) 反且(而且) 口叙(口述) 况
而(况且) 奶食(奶品) 品道(品德) 有新思(有意思、有新意) 专心
致意(专心致志)

(三) 语素错误
错用语素：
捱饥抵饿(忍饥挨饿) 帮访(探访) 不举成名(一举成名) 不由不觉
(不知不觉) 步操(出操) 成假(放假) 重山峻岭(崇山峻岭) 答达
(回答) 得点(特点) 感望(感慨) 刚在(刚才) 尽人眼帘(映入眼帘)
连和(连接) 聊谈儿(聊天) 盲目摸象(盲人摸象) 免逼(被逼) 确倚
(确定) 水不糖(葡萄糖) 谈知(谈话) 天历(来历) 同进(同时) 微
不中道(微不足道) 问师(问题) 心晨(心理) 修休(修理) 选当(选
拔) 演开(盛开) 一眯儿(一点儿) 衣绒服(羽绒服) 以事(以后)
应尽(应该) 用巧(灵巧) 幼滑(润滑) 幼气(幼稚) 指面(扑面) 总
而言说(总而言之)
语素多余：
便宴会(宴会) 大多部分(大部分) 干猪(猪) 喝唱(喝) 角元(角)
口嘴(嘴) 迫害荒狂(迫害狂) 清一早(清早) 收件信(收信) 天气氛
(气氛) 铁皮条(铁条) 玩和(玩) 文物化(文化) 吻婴(吻) 小买摊
(小摊) 秀脏(脏) 嘴口(嘴)
缺少语素：
百闻不见(百闻不如一见) 畅通阻(畅通无阻) 观园(大观园) 红帖
(红帖子) 乱八七(乱七八糟) 马来亚(马来西亚) 气败坏(气急败坏)
溶性(可溶性) 星天(星期天) 有的候儿(有的时候儿) 助于(有助于)

(四) 语素顺序错误
巴中(中巴) 包箱(箱包) 宝财(财宝) 尝品(品尝) 常日(日常) 称
著(著称) 答回(回答) 诞节圣(圣诞节) 地荒(荒地) 顶山(山顶)
非懂似懂(似懂非懂) 氛气(气氛) 顾照(照顾) 划比(比画) 加更
(更加) 建修(修建) 近来年(近年来) 经已(已经) 景蓝泰(景泰蓝)

决解(解决) 康安(安康) 乐快(快乐) 立站(站立) 亮漂(漂亮) 林园(园林) 绿红灯(红绿灯) 落掉(掉落) 卖买(买卖) 满客(客满) 满美(美满) 面地(地面) 骗诈(诈骗) 仆女(女仆) 期星(星期) 期星一(星期一) 其尤(尤其) 奇惊(惊奇) 气天(天气) 青男年(男青年) 热闷(闷热) 入进(进入) 善慈(慈善) 审评员(评审员) 牲牺(牺牲) 省节(节省) 失丢(丢失) 识认(认识) 始开(开始) 水泉(泉水) 司公(公司) 思意(意思) 特独(独特) 特奇(奇特) 体身(身体) 听助器(助听器) 舞跳(跳舞) 贤母良妻(贤妻良母) 乡家(家乡) 校院(院校) 信想(相信) 续继(继续) 己自(自己) 义意(意义) 泳游(游泳) 幼老男女(男女老幼) 远望镜(望远镜) 正八儿经(正儿八经) 正真(真正) 中药草(中草药) 自语自言(自言自语) 租出汽车(出租汽车)

(五) 其他错误

无法归类：
便干 不赤 不家 部是 除意 春次 村床 而所 肥魇 共实 结唱 经经 静见 可性 了许 南北风 南美国 讷讷而言 年少高 沙节 山晨 说期 吐吐面 卫生洞 文术 学本 压口 咱类 之实生 知如 中们 子定 足值

重叠错误：
安静静(安安静静) 宝宝贵贵(很宝贵) 顾客客(顾客) 黑暗暗(黑漆漆) 黑黑暗暗(黑漆漆) 连连不断(接连不断) 清楚清楚(清清楚楚) 散散步步(散散步) 喜欢不喜(喜欢不喜欢) 喜欢欢(喜欢) 小小心心(很小心)

缩略错误：
二便(大小便) 上下去(上去下去)

说明：括号内的词语包括：根据原文推测的目标词、目标短语和影响词的相关词语等。目标词是我们根据原文推测的，但由于篇幅限制，我们不能公布全部句子，读者不能只根据偏误词来推测目标词。

第二节 韩国学生学习汉韩同形词的偏误分析[①]

韩国语中有大量的汉字词,其中汉韩同形词所占比例相当大。比如,汉语水平等级大纲甲、乙两级 2 021 个多音节词当中汉韩同形词就有 1 256 个,占 62%。因此,在韩汉翻译教学过程中我们发现,韩国留学生使用汉语词语时,韩国语的汉字词给学生提供了很多方便,可是另一方面由于某些汉字词在两种语言中使用情况有所不同,又容易造成负面影响。本节以三年级韩汉翻译课三篇课文的学生翻译材料为主要对象,考察汉韩同形词给韩汉翻译带来的负迁移现象,进而揭示其成因及教学对策。

一 同形词偏误类型

两种语言部分同形词的区别有三种:一、词性不同;二、词义不同;三、搭配习惯不同。

(一) 词性不同

部分韩汉同形词词性不一致,学生受母语影响,容易用错。韩国语词性标志很明显,一些词单独使用的时候是名词,而后面加动词词尾"-hada、-jida"等就变成动词,后面加形容词词尾"-hada"等就变成形容词。由于韩国语形态标志明显,学生翻译

[①] 本文原标题为"汉韩同形词偏误分析",作者全香兰。原载《汉语学习》2004年第 3 期。

时很容易受原文的影响,再加上汉语形态标志不明显,二者词义又基本相同,学生把韩国语中的词性照搬到汉语中来是常见的现象。例如:

* ①旅行时<u>同伴</u>妻子是在晚会时带去～。
* ②甚至<u>责任</u>国防的将军也用外国人。

例句①中"同伴"在汉语中用做名词,而在韩国语中,汉字词"同伴"与动词词尾"-hada"结合后用做动词,可以带宾语,因此译文中的"同伴"应改为"陪伴"。

"责任"在汉语中是名词,而在韩国语中既是名词又是动词,单用时是名词,后加动词词尾就是动词。例句②中"责任"后边有动词词尾"-zida",学生受此影响翻译时把"责任"当成动词带了宾语,在这里"责任"应改为"负责"。再如:

* ③列车旅客<u>记录</u>了每天 300 万以上的数字。
* ④那天晚上发 e-mail 的数字也<u>记录</u>了 1 000 万。

汉语中"记录"有动、名两类词性,表示"把听到的话或发生的事写下来"的意思时它用为动词,比如"开始记录"、"把他的话记录下来";而表示"当场记录下来的材料"、"做记录的人"的意思时它就用为名词,如"会议记录"、"他是这次大会的记录"。这些跟韩国语中的汉字词"记录"基本相同,二者的区别主要在"记录"的另一个义项上:"记录"还表示"在一定时期、一定范围内记载下来的最高成绩",如"创造记录"。表示此义时,汉语中"记录"只用做名词,而在韩国语中它不受词性的限制,既可用做名词也可用做动词。原文中"记录"用做动词,因此学生受原文影响翻译时也把"记录"误用为动词充当谓语,译文应改为"创造记录/纪录"或"打破记录/纪录"。

(二) 词义不同

1. 同形近义

部分韩汉同形词部分义项相同,部分义项不同,有时在某些义项上二者还互相交叉,既相似又有所区别,不好区分。同时,部分词语在感情色彩、词义范围上也表现出一些差异。这种细微的差异对留学生来说是很难把握的,所以经常出错。例如:

* ⑤英国从1840年代开始做旅游业。

汉语中,"年代"除了具有"时代,时期,时间"义之外,还用在"每一个世纪中,从'……十'到'……九'的十年,如1990—1999是20世纪90年代"。因此,从1840年到1849年这段时间叫"19世纪40年代",不能说"1840年代"。韩国语中"年代"的第一义项跟汉语相同,而第二个义项是"年的数",所以,既能说"19世纪40年代",也可以说"1840年代"。只要是表示十年整数的时间段,皆可用"年代"。原文的"1840年代"根据汉语的习惯,应改为"19世纪40年代"。再如:

* ⑥手机联络代替从前的电话联络。

* ⑦到了除夕,在北京的富裕阶层当中最流行的是预约5 000至7 000元为一桌的晚餐。

例句⑥中的"代替"改为"取代"更好。汉语中"代替"指"以甲换乙,起乙的作用:年轻人代替老年人",而"取代"指"排除别人或别的事物而占有其位置:用机器取代手工生产"。韩国语中没有"取代"这个词,"代替"和"取代"所包含的意思都用"代替"来表示,所以学生的大部分译文都用了"代替"。这跟学生汉语词汇量少以及受韩国语原文影响有关。例句⑦中的"预约"指"事先约定"。韩国语中的"预约"词义与汉语相同。但汉语的"预约"一般用在"服务时间、购货权利"方面,而韩国语不受此限制。与韩国语"预约金"对应的汉语词语是"订金"。上面例句⑦中的"预约"应改为"预订"。

2. 色彩不同

部分汉韩同形词词性相同、概念意义相同,只是词的附属意义不同。例如:

* ⑧愤怒的老百姓在广州附近杀害了外国人。

"杀害"在汉语和韩国语中都是动词,意思是"杀死;害死"。而在汉语中表示"为了不正当的目的杀死(人)"的意义时才用"杀害",可是韩国语中"杀害"跟杀的目的没有任何关系,好人杀坏人还是坏人杀好人都可以用"杀害"。此句的内容是由于外国人在中国为非作歹,被中国老百姓杀死,因此译文中不该用"杀害",而应用"杀死"。有的学生甚至用了"屠杀",这也是因忽视词语的感情色彩而导致的偏误。

3. 同形异义

由于汉字的多义与组合后词义的侧重点不同,一小部分韩汉同形词同形而异义。这类同形词第一次遇到时容易受母语影响,但一旦了解"内幕",便会由于区别明显而容易记住。例如:

* ⑨因为出现了革新的交通工具汽车和汽船。

* ⑩不管过去还是现在,旅行给人的礼物就是回顾自己和世上的珍贵的时间。

例句⑨中的韩国语汉字词"汽车"在汉语中的对应词是"火

车",因为"火车"起初是利用蒸汽产生的动力来推动的,由此而得名。例句⑩中的"世上"在汉语里是"世界上"的意思,而韩国语中是"世界"的意思。韩国语中"世上"和"世界"两个汉字词的搭配习惯稍有不同。译文的错误同样是受母语搭配习惯的影响而形成的,"回顾世上"应改为"洞察世界"。再如:

* ⑪<u>人间</u>出生后,随着智能的发达首先对自己周围的事物感兴趣。

* ⑫给他们安眠药或镇静剂,不如消除他们对死亡的恐惧更加<u>贤明</u>。

例句⑪中韩国语汉字词"人间"在汉语中对应的词是"人",相应的译文中的"人间"应改为"人"。汉语的"人间"在韩国语中对应的是"人间世上"。例句⑫中的"贤明"应改为"明智"。汉语"明智"和"贤明"在韩国语中都与汉字词"贤明"相对应,要是不讲清楚这两个词在汉语当中的区别,学生同样容易用错。

(三) 搭配不同

韩汉同形词中部分词语词义基本相同,但二者搭配习惯不一样。搭配方面偏误的形成主要有两个方面的原因:一是学生在平时的汉语学习中没注意搭配习惯或是一时的疏忽;二是过去没遇到过这种搭配,没有这方面的知识,自然挪用韩语的表达习惯。例如:

* ⑬乘客数一百八十一万名,而且这会创造出历史以来最大的<u>记录</u>。

* ⑭最近最流行的是在除夕,北京的<u>富裕层</u>预订——套餐。

例句⑬中"记录"不能跟"最大"搭配,应改为"最高记录"。例句⑭中的"富裕层"应改为"富有阶层"。韩国语的汉字词里有"富裕"也有"富有",二者在韩国语中是同音词。"富裕"的使用频率高,可以跟"一层"搭配组合。而在汉语中"富裕"不跟"一层"构成词组,"富有"则可以,而且与双音节的"阶层"搭配更好。再如:

　　* ⑮一些人很担心人们发粗俗和<u>淫乱</u>的内容,但手机问候迅速地代替了现有的电话问候。
　　* ⑯他一边开始世界<u>一周</u>的观光事业,一边……

例句⑮中"淫乱"在汉语中是指"在性行为上违反道德准则",一般用在行为上,在这里与手机短信的"内容"搭配不太合适,应该改为"淫秽"。韩国语中"淫乱"、"淫秽"两个汉字词都有,但后者的使用频率极低,基本上被"淫乱"取代。例句⑯中的"周"在汉语中是"周围、圈子"的意思,"一周"指"一圈",如"绕地球一周"。而在韩国语中"一周"既指"一圈",又指"转一圈儿"。因此,"世界一周"在韩国语中是"环游世界"的意思,而在汉语中"世界一周"搭配不当,应把原文的"世界一周"改为"周游世界"或"环游世界"。

二　同形词偏误产生原因

同形词偏误产生的主要原因在于语际之间的干扰,而且大部分是由于直接挪用韩国语汉字词造成的。韩国语中的汉字词虽然最初来自汉语,但在不同的语言环境中二者在词性、词义、搭配等方面发生了不同程度的变化,因而在共时平面表现出很多差异,若不注意很容易产生偏误。

(一) 汉语词性标志不明显

词性方面的偏误主要出自形态标志上,汉语的形态标志不明显,词性不好掌握,而韩国语的词性标志明显,二者词义又相似,学生很容易受母语影响,只要韩国语标示出什么样的词性,他们就按韩国语的词性来套用。比如"关心",在韩国语中单独用的时候是名词,后面加动词词尾"-hada"就成为动词。因此,只要韩国语中"关心"用为名词,学生就会照样把它用为名词。而且韩国语中"关心"作动词用时少,作名词用时多,作名词时一般跟"is'ta(有)"搭配使用,于是学生常犯的错误就是"＊有关心",而在汉语中"关心"却是动词。此外,韩国语的"关心"在汉语中对应的多数情况是"(感)兴趣"或"关注"。

(二) 同形词词义之间的关系复杂

汉韩同形词之间的词义关系比较复杂,既有词义相同、相近的,又有词义不同的,而且有些词义项之间还互相交叉。因为一般韩国语中的汉字词基本保留过去借用时的原貌,意义和词性变化不大,而汉语词语的变化相对来说比较大,词性灵活、词义变化也不少。

另外,由于韩国语中新汉字词的产生没有汉语活跃,所以有些汉字词与汉语词语之间形成一对多的现象,如跟韩国语的汉字词"关心"对应的汉语词语有"关心"、"关注"、"兴趣",跟韩国语的"代替"对应的有"代替"、"替代"和"取代",跟韩国语"旅行"对应的有"旅行"和"旅游"等。近义词的出现必然给词义分配带来影响,部分意义相近的词在意义上有了不同的分工,造成汉韩同形词之间词义上错综复杂的关系。分辨这些词的细微差别,从而掌握它们的正确用法对韩国留学生来说确实有些难度。

(三) 搭配习惯不同

搭配方面的偏误主要来自语言习惯,有些同形词即使词性相同、词义相同,搭配习惯也会有所不同,这就需要学习和积累。比如"大"与"高","大"与"多",可以说"饭量大"但不能说"饭量多",可以说"最高记录"但不能说"最大记录",而在韩国语二者皆可。再如汉语说"风大",韩国语说"风强"或"风刮得多"。

有些韩国语汉字词由于使用频率不高,逐渐被淘汰,搭配时就出现汉韩不同的情形。比如,前面已提到的"淫乱"和"淫秽"、"富裕"和"富有"。由于"淫秽"和"富有"在韩国语中不常使用,逐渐被另外一个词取代,所以在两种语言中它们的搭配和组合规律也不一样。

(四) 同音干扰

韩国语中汉字音节数明显少于汉语,因此韩国语中汉字字音相同的比较多。据分析,部分偏误是对原文理解和同音干扰结合造成的,即学生对原文理解错了,其用词就随之受影响,此时同音会干扰词的选择。例如:

* ⑰放荡一时的<u>成人</u>弗朗西斯科通过旅行,坚定信仰、悟出清贫之道。

* ⑱所以僧侣们到现在也在继承<u>削发/脱发</u>的传统。

例句⑰中"成人"应改为"圣人"。"成人"和"圣人"在韩国语中是同音词,"成人"的使用频率高,学生没有理解好原文,就容易用自己熟悉的汉字词来套用。例句⑱中"脱发"、"削发"应改为"托钵(化缘)"。很多学生把这个词译成"脱发"或"削发",这是一个很有意思的错误,是由多种因素造成的。最重要的是这个词比较生僻,而恰恰因为这个词学生过去没接触过,晦涩难懂,才反映出学生对词的理解和运用中存在的问题。

　　首先,产生这个错误的直接原因是学生对原文理解不深。这是一篇关于旅行的文章,旅行跟"削发"、"脱发"是搭不上关系的。那么学生为什么会想到这个词呢?问题出在对"托钵"的理解和韩国语汉字词的同音干扰上,"钵"和"发"在韩国语中是同音字,都读"bal"。原文还出现"和尚",这就让学生联想到"削发"。韩国语有汉字词"削发",念"sak bal",如果学生不知道它的韩国语汉字音,很容易产生这种错误。那么"脱发"又是怎么来的呢?主要是受母语的影响,"托钵"的音"tak bal"和"脱发"的音"tal bal"只差一个音素,容易被忽略。即便如此,学生要是知道汉语中的"脱发"和"削发"的区别还能避免错误,至少可以回头再琢磨琢磨。可见,学生对原文的理解出现问题时,容易受同音的干扰。

　　在这整个过程中,学生在任何一个环节上有所察觉,都可以回过头来调整思路,也许能避免错误。可见,造成语言偏误的原因不是单一的,不是只由某一个因素引起的,有时它的错误是综合性的,是多种因素共同起作用的结果。

(五) 工具书的解释

　　工具书也是导致偏误产生的一个主要来源。翻译中学生遇到没有把握的词就会去查工具书,而学生用的汉语词典一般对词义的解释都很概括,比较简洁,多数汉韩同形词从词典意义上看很相近,学生不好分辨。而且学生带的韩汉、汉韩双语词典多是便携式袖珍词典。这些词典篇幅不大、词汇量少,解释不够详细,大部分只列出对应的词。由于这些词典对词的具体用法没作详细的解释,学生无所适从,难免生搬硬套。

（六）矫枉过正

以上偏误都是由于直接搬用韩国语中的汉字词造成的，而有些错误跟上面的情形不一样，恰恰是由于已有语言知识的干扰引起的。学生通过学习汉语对两种语言有了一定的认识，知道了韩国语的有些汉字词跟汉语不一样，所以有时即使韩国语有这个汉字词，学生心想可别犯搬用汉字词的错误，结果矫枉过正，该用但却回避使用这个汉字词。例如：

＊⑲永男的工资升高了，但又增加了支付，跟一年前没有什么差别。

上面的译文直接用原文中出现的韩国语汉字词"支出"就可以，而学生偏偏换成"支付"，用得反而不对。

（七）教学不得当

当前的教学和研究大多是针对欧美学生的，有些语法点和词语辨析是从欧美学生的角度，或者干脆是从汉语的角度出发的，所以有些词语的辨析我们忽略了，而这些被我们忽略的部分也许恰恰是韩国学生学习汉语中的难点。学生平时在口语或写作时容易采取回避策略，回避自己没有把握的语句或词语，而翻译中因为有原文的限制，有些表达是无法回避的，于是平时学习中的模糊认识便自然地暴露在翻译课上。

三 如何避免同形词偏误

（一）加强对比研究，重视研究成果的应用

对不同语种的学生来说，学汉语时遇到的难点是不同的，而我们现在所用的教材几乎都是以欧美学生为对象的。而学习汉

语的留学生当中韩国留学生所占比例最大,目前国内并没有推出一本像样的针对韩国留学生的课本。

汉韩对比研究跟汉英对比研究相比单薄得多,虽有一些高质量的论文和著作,但是这些研究成果没有得到足够的重视,而且没有反映到教材的编写和实际教学当中。

我们必须重视和加强汉韩对比研究,并尽量把这些研究成果应用到教学实践当中,重新调整适合韩国留学生的词语教学,编写出针对韩国留学生的教材及工具书,这样才能做到有的放矢,解决实际问题。

(二) 充分利用同形词

韩国语中汉字词的数量相当多,这三篇课文的词语统计数据也证明了这一点。三篇课文中共出现词汇856个,其中汉字词就有479个,占总数的56%。这些汉字词当中除了95个异形词(19.81%),剩下的都是同形词。下面是这些同形词的具体分类及统计数据:

表2-3

		例词	词数	百分比	
同形同义词	专有名词	韩国、中国、英国、日本	46	12.0%	75.3%
	量词	个、元、年、名、月、日	46	12.0%	
	韩汉混合词	通 hie、北 ts'ok、税 nieta 变 hie	15	3.9%	
	其他	古代、顾客、海外、社会	182	47.4%	

(续表)

	例词	词数	百分比
同形同义兼同形异义	道具、登场、集团、热烈	84	21.9%
同形异义	人间、驱使、汽车、放学	11	2.9%

通过以上统计数据我们可以看到,同形词当中同形同义词占绝大多数,达75.3%。这是韩国学生学习汉语中的有利因素。同形异义词量不是很多,由于区别明显,只要强调过就容易记住。至于同形同义兼同形异义词,则需要多强调多练习,分辨其用法及搭配习惯。总之,词语教学时我们要扬长避短,充分利用韩国学生的优势。

(三) 近义词的辨析要有针对性

近义词的辨析是很重要的,学生的词汇量达到一定程度之后,最困扰他们的就是近义词,越相近的东西越不好辨析和掌握。辨析近义词时要有针对性,过去近义词的辨析主要从汉语的角度,找一些意义相近的词进行比较和解释。这种辨析固然必要,而对使用不同语言的人着重辨析的词语应该有所不同。有些同义词也许对欧美学生来说是难以分辨的词,而对韩国学生来说则未必如此,反之亦然。比如,"尊重"和"尊敬","家属"和"家族"等,这些对韩国学生来说并不难分辨,给他们对应的韩国语汉字词即可,因为这两组词在韩国语中有对应的同形同义汉字词,它们在韩国语中的区别也跟汉语基本相同,不需要花费太多的时间和精力去辨析。倒是有些我们以往没注意到的词语对韩国学生来说是不好分辨的。比如:"贤明"与"明智";"汽车"

与"火车";"约束"与"约会";"质问"与"提问";"理由"与"原因"等。因为部分汉字词在汉韩两种语言中用法和意义并不完全一样,容易混淆。

(四)词义辨析中语素的解释很有必要

上面的统计数据表明,有21.9%的词语属于同形同义兼同形异义词,这也正是学生容易用错的词。为了让学生掌握好这些似是而非的词语,解词时,需要对语素进行解释。比如,"旅行"和"旅游"在韩国语中对应的汉字词只有一个"旅行",为了区分"旅行"和"旅游",应该解释好两个词中不同的语素"行"和"游"的语素义,这样学生遇到"对古人来说,(__)是一种痛苦"这样的句子时,才能选择"旅行"而不会选择"旅游"。

(五)词汇教学要与搭配练习相结合

词与词的组合搭配也好,语素与语素的组合也好,韩汉两种语言中组合和搭配的习惯很不一样,教学时不但要教给学生词义与词性,还要重视搭配习惯的提示。比如,"好奇心"在汉语中跟"强"搭配,而在韩国语中则与"多"搭配。再如,前面已经谈到,与汉语的"旅行"、"旅游"对应的韩国语汉字词只有一个"旅行",所以汉语可以说"旅行社"、"旅游业"、"游客"、"旅客",而韩国语只能说"旅行社"、"旅行业"、"旅行客"。如果讲"旅行"、"旅游"时,只讲意义不讲搭配与组合习惯,肯定不能保证学生真正掌握这个词的用法,学生使用时照样会出现一些语病。

四 结论

以上我们根据韩汉翻译课上学生的译文,对韩国学生汉韩同形词的偏误进行了具体的分析。汉韩同形词偏误产生的原因很多,如词性不同、词义之间关系复杂、搭配习惯不同、同音干扰、工具书解释过于概括、矫枉过正、教学不当,等等。针对韩国学生的汉语教学是对外汉语教学中的一个重要组成部分,为了避免以上偏误,我们要加强汉韩对比研究,重视对比研究成果在实际教学中的应用,不但要编出具有针对性的教材、参考书及工具书,而且要在具体教学中充分发挥韩国学生学习汉语词语的优势,扬长避短。另外,近义词的辨析要注意针对性,避免过去的一刀切的做法,词语教学中还要注重语素的解释和搭配习惯的说明。

第三节　留学生汉语表人名词偏误分析[①]

"人"在现代汉语中是构词能力很强的成词语素,同时它又是自由语素可以独立使用,不论作为构词成分还是作为单词出现频率都很高。同时它作为《汉语水平词汇与汉字等级大纲》中的甲级词和甲级字,是留学生在学习汉语的较早阶段就应该掌握的,但是观察留学生使用"人"时产生的偏误,我们发现留学生对"人"的掌握情况不太尽如人意。在诸多偏误中,最突出的问题是表人名词"～人"的生造词,如:

① 要是<u>正直人</u>吃亏的话,谁也不愿意当<u>正直人</u>。
② 那个时候一个<u>农民人</u>来问他们的事情。

[①] 本文原标题为"对汉语中介语表人名词'～人'的偏误分析",作者李华。原载《云南师范大学学报》2005年第3期。

③法官站了起来,对那个邻居说:你这个<u>骗人</u>,很明显你要诈骗他人之物,快离开这里。

为了分析留学生的偏误我们首先对《倒序现代汉语词典》(以下简称《倒序现汉》)中收录的形式为"～人"的表人名词进行分析描写,总结后位词素"人"构成表人名词的规则和特点,然后对北京语言大学"汉语中介语语料库"中的形式为"～人"的表人名词(包括生造词)进行统计,并对其错误类型进行归纳,通过对比《倒序现汉》中收录的以"人"结尾的表人名词和中介语语料库中表人的生造词"～人",找出偏误产生的原因,并期望为对外汉语词汇教学提供一些参考。

一 后位词素"人"构成表人名词的类型

根据构词情况,我们把《倒序现汉》中收录的149个表人名词"～人"分为三类:

(一) 与名词性词素组合

根据词义与词素义的关系,这类组合又可以分为三类情况:

1. 与地名组合构成专有名词,表示生活在某一地区或历史上生活在某一地区的人,如:阿拉伯人、汉人、北京人等。我们把这类词称为"阿拉伯人"类。"人"含有"人民"义,有具体的意义。

2. 构成"词人"、"诗人"、"报人"、"庄稼人"、"买卖人"等表示与某事有关或从事某种活动或工作的人。我们把这一类词称为"词人"类。与前一"阿拉伯人"类相比,该类词的结构较为紧密,两个构词成分间的关系也比较复杂,词义不只是词素义的简单相加,两个词素义高度融合,不能直接插入"的",在理解或释词时需要添加上其他成分,如"词人——擅长作词的人";"诗人——写诗很有成就的人";"买卖人——做买卖的人"。可以看出,前一个词素的词素义在释语的限定性成分中具有代表性。"人"已经开始成为表示从事某一工作或活动的人的标志,在词义中的地位也相应下降,构词中表现出某些词缀的特征,如位置固定,意义有一定程度上的虚化等。除此之外,在语音方面也体现出一定程度上的缀化倾向,该类词中的"人"有的已经变为轻声,有的虽然没有变为轻声,但在语流中属轻音,重音落在它前面的成分上。

3. "人"紧密附着在本身就表示某种人的名词性词根后面,没有实在的意义,整个词的意义已经由词根表示出来,如"客人"中的"客"就是"客人","犯人"中的"犯"就是"犯人"。我们称之为"客人"类。此类词中,"人"在意义上有羡余性,它和词根之间结合紧密,相互没有修饰和被修饰的关系,也不能在中间插入别的成分,"人"的作用是补足音节,该类词中的"人"是典型的词缀。

(二) 与形容词性词素组合

根据词义又可以分为两类:

1. 构成专有名词,如"黑人"①。

2. 构成如"蠢人"、"好人"、"伟人"等词,这类词的结构较为松散,在保持意义不变的前提下,中间可以直接插入结构助词"的"(如"好人"可以变为"好的人"),或把前一词素补充为意义不变的双音节词,然后插入"的"构成定中结构的词组(如"伟人"

---

① 黑色人种;属于黑色人种的人。

一词可以扩充为词组"伟大的人")。这类词全部是由单音节词素加"人"构成的。

3. 与动词性词素组合。值得注意的是,该类词里的动词性词素或是不及物性的,如"病人"、"行人";或已经是动宾结构的,如"撰稿人"、"读书人",很少是及物性的。因为"人"是一个极其活泼的自由语素,可以单独成词,如果及物性成分置于"人ヶ前,很容易被看作动宾结构的词组。"爱人"①属于例外,虽然"爱"是及物性的,可以构成"爱人民"、"爱祖国"等动宾词组,但是"爱人"一词通过轻重音(àiren)能够与"仁者爱人"中的"爱人"(àirén)区别。

二 中介语中表人名词"～人"的偏误分布

我们用检索汉字串的方式,对北京语言大学"汉语中介语语料库"的"人"进行穷尽性的调查统计,初步得到 5 953 条语料,然后对其一一甄别筛选,最后得到 274 个形式为"～人"的表人名词,其中正确的词有 172 个,生造词有 102 个。需要说明的是本文从语料库中筛选得到的"表人名词"并非严格意义上的词,而是形式为"～人"且意义表人的名词和名词词组(如"游人"、"骑车人"等,但是含有"的"的词组不在我们的统计之列,如"谦虚的人")。

按照第一部分的分类标准,我们把在"汉语中介语语料库"中得到的词进行分类,同时计算出偏误率。(见表 2-4)

---

① 丈夫或妻子;恋爱中男女的任何一方等。

表2-4 表人名词表

		正确	错误	偏误率
名词性词素 + 人	"阿拉伯人"类	103	3	0.03%
	"词人"类	12	22	64.7%
	"客人"类	12	16	57.1%
形容词性词素+人		32	17	34.7%
动词性词素+人		13	44	77.2%
合计		172	102	—

表2-4显示,"阿拉伯人"类表人名词数量最多。因为北京语言大学的留学生来自世界各地,在造句和作文中这类词的出现机会很多,所以此类词占了相当大的比重。该类词的偏误率仅为0.03%。很显然,留学生在组织和使用这一类词时几乎没有障碍。错误的三个词分别是"德人"、"俄人"和"中人",全部使用的是"国家简称+人"的形式。

留学生很早就知道了在表达属于某一国家、城市或地区的人时,用地名加"人"的方法,其中部分地名可以使用简称,如"印尼人"、"马来人"等。掌握了这一方法,可以无穷尽地造词。但是因为留学生不了解使用"简称+人"形式时不能使用单音节的简称这一规则,因而造成错误。虽然在中介语语料库中这类错误不是典型的错误,"日本人"、"中国人"、"印尼人"等正确的表达形式占优势,但是教师在教学过程中如果能够有意识地向学生说明这一规则,将有助于克服此类错误。

其他和名词性语素结合的"～人"偏误率较高,"词人"类和"客人"类的偏误率分别为64.7%和57.1%。因为这两类词内部名词性词素和"人"结合得相当紧密,很难把"人"分离出来,"人"构成此类词时受限较多,能产性不高,如果没有掌握构词规则的话就容易出错。

与形容词性词素组合,正确的词有 32 个,错误的有 17 个,偏误率为 34.7%,是除"阿拉伯人"类词外偏误率最低的,这是因为此类词中两个构词成分结合得没有那么紧密,很多单音节的形容词性词素都可以直接和"人"构词。生造词大部分是双音节或多音节词素加"人"构成的,如"忠厚人"、"幸福人"、"很坏人"等,另有两个生造词是"聋人"和"哑人"。

与动词性词素组合,13 个词是正确的,44 个词是错误的,偏误率最高,为 77.2%。

三 中介语表人名词"～人"的偏误分析

语言学习者在学习过程中常常受到各种因素的影响从而产生偏误,只有找到导致偏误的原因才能从根本上解决问题。偏误产生的原因多种多样,通过分析我们发现有几个最主要的原因:

（一）英语中相应对译词影响导致的偏误

英语是几乎全球通行的语言,很多国家的人都会讲英语,非英语国家的很多学生在学校里也把英语作为重要的外语进行学习,所以学习汉语的不少留学生都有英语背景,他们或者是英语母语者,或者有学习英语的经历,学习汉语尤其是学习词汇时很多人较多地借助于英语。加上教材中对生词的释义常常用英语,学生把汉语词和英语词简单对应的情况就很普遍。语料中不少生造词明显地表现出从英语翻译过来的痕迹,即动词或名词后加上"人"指与此相关的人。其中"人"对应了英语中的三个表人后缀-er、-ee、-ian 和两个表人词素——man、people:

a. 门看守人 doorkeeper　　工作人 worker
   乡间人 villager　　　　骗人 cheater
   旅游人 traveler　　　　主办人 undertaker
   设计人 designer　　　　卖人 seller
   买人 buyer　　　　　　劳动人 laborer
   表演人 performer
b. 离了婚人 divorcee　　　雇人 employee
c. 政治人 politician
d. 邮局人 postman　　　　商店人 shopman
   超级人 superman
e. 镇人 townspeople

相对而言,英语中 -er 的构词力最强,与此相关的偏误也最多。

不同的语言之间相通的地方很多,汉语中有不少表示人的词素,如"人"、"者"、"家"、"员"、"师"等,英语中同样有很多可以表示人的词素和词缀,如"people"、"man"、"-er"、"-ian"、"-ist"等。虽然汉语中的"～人"可以对应英语中的几个表人后缀和表人词素,如"-er"(工人,worker)、"-man"(富人,rich man)等,但英汉之间并不是一一对应的,而是复杂的,如"-er"可以是"～人"(情人,lover)、"～者"(参观者,visiter)、"～师"(教师,teacher)等。留学生对汉语中"人"的了解不够,只是凭借教材或词典中对表人名词的英文翻译就机械地把"人"对应为英语中表人的词素或词缀,因而生造出很多汉语中并不存在的"～人"。

(二) 对"人"的构词规则掌握不全面导致的偏误

留学生在学习过程中,把所学汉语的构词知识,用类推的办法不适当地套用在所有的构词上或者因为对规则了解不清而一概推而广之,造成偏误。这一原因导致的偏误主要表现在由形容词性词素和动词性词素加"人"构成的生造词上。

1.《倒序现汉》中收录的以形容词性词素加"人"构成的表人名词,全部都是由单音节词素加"人"构成的。语料库中的生造词则是由双音节的性质形容词加"人"或状态形容词加"人"构成的。双音节的形容词一般不作为词素参与构词,而是更倾向于作为单词参与构成词组,再加上"人"本身的复杂性——可以和别的词素组合成词,也可以单独成词。所以遇到这种情况,人们习惯于把它们都视为独立的词,使用结构助词"的"来连接。留学生没有掌握这一规则,因而产生了如下的生造词:

可敬人　忠厚人　正直人　马虎人　幸福人
热情人　最聪明人　不聪明人　很有名人
很严肃人　很热心人　很笨人

2. 与《倒序现汉》中收录的"～人"不同的是,构成生造词的动词性词素都是及物性的,这正好与我们前面总结的与"人"组合的动词性词素必须是不及物性的或是动宾结构式的说法相悖。"人"的可独立成词的特点使得"买人"、"吃人"等被理解成为动宾关系的词组,这样"人"不再是被修饰成分,而成为前面被支配成分。语法关系的变化导致词义的变化,"吃人"表示的是吃的动作,而不是"吃东西的人"。其他生造词列举如下:

偷人　钓人　导人　患人　牺牲人　服务人
体贴人　吹奏人　审查人　孝敬人　出售人

3. 对汉语中其他表人词素不了解导致的偏误。

a. 聋人　哑人　办事人　售票人
b. 罪犯人　农民人　贵族人　朋友人

现代汉语中除了"人"之外,还有很多表人的词素,如"子"、"员"等。"人"的本源义是泛指人的,不含有感情色彩。它在造句和构词时本身也不含有色彩义。我们说"一个人",不说"一位人",就是因为"人"不含有尊敬的感情色彩,所以不需要搭配含有尊敬色彩的"位"。再比较"瞎子"和"盲人",前者含有贬义的感情色彩,人们有时用它来骂人,而后者没有贬义的色彩。两者色彩不同的原因除了"瞎"含有贬义外,还因为"人"和"子"的搭配倾向不同,"子"更倾向于与"聋"、"胖"、"傻"、"疯"等搭配,整个词的意义是表示有生理或心智缺陷的人且含有贬义。"员"相对于"人"而言,强调其作为整体中的一分子,表人名词"~员"多指与政府工作或民政事务有关的人。"人"只是单纯指人,没有这一含义,因而"办事人"、"售票人"应该改为"办事员"和"售票员"。相比而言,"子"和"员"构成的表人名词含有较多的色彩义,使得留学生不易掌握此类表人词素,因而常常规避使用它们造词,产生了 a 类偏误。

b 类偏误产生的原因在于留学生不知道"犯"、"民"、"族"、"友"等也是表人的词素,它们已经和其前面的成分构成了可以单独使用的表人名词。上文所列"客人"类中的名词性词素虽然承担了整个词的意义,但不能随便单独使用,如 *"客厅里坐满了客"(应为"客厅里坐满了客人")。"人"充当词缀构词时只是意义上的羡余,它还承担着语法作用,而生造词中的"人"无论在意义上还是在语法上都是冗余的。留学生把"人"泛化为一个表人名词的记号,认为表示人的词一定含有"人"或凡是加了"人"的词都表示某种人,因而出现错误。

四 结语

综上所述,"人"是一个复杂的语素,既可以独立成词,又可以分别以实语素和虚语素的身份参与构词。与不同的构词成分搭配,"人"表现出不同的特征。"人"虽然有很较强的构词能力,但是它在构词时对可与之搭配的成分有很强的选择性。教师可以根据这一特点,针对学生容易出现的偏误,进行有重点的讲解,帮助学生理解"人"及相关表人词素,以减少偏误的产生。

第三章
汉语语法偏误分析

第一节 基于中介语语料库的汉语副词"也"的偏误分析①

关于副词"也"的偏误分析,不少著作有所涉及,佟慧君的讨论较为详细。② 但是我们很想知道,在较大规模的留学生汉语语料中,副词"也"的使用情况如何,包括:(1)使用率;(2)偏误率;(3)从汉语语法结构上看,偏误的主要原因是什么;(4)使用率和偏误率跟哪些语篇属性有关。

我们使用的是北京语言学院CCLI③中经抽样和词性标注的核心语料,约有100万字,533 872词次。该语料库的每一篇语料都录有较详细的语篇属性,便于我们对所研究的语言问题作背景分析。由于已标注词性,因此不仅容易检索副词"也",而且可以粗选出可能有偏误的句子。

我们从语料中检索出副词"也"3 367例,拿这个数除以总词

---

① 本文原标题为"跟副词'也'有关的偏误分析",作者陈小荷。原载《世界汉语教学》1996年第2期。
② 参见佟慧君《外国人学汉语病句分析》,北京语言学院出版社1986年版。
③ 汉语中介语语料库系统(CCLI)是国家教委和国家汉办"八五"规划项目,北京语言学院"八五"规划重点项目,语料总规模为352万字。

次,就得到"也"的使用率。① CCLI 中,"也"的使用率为 0.63068%,而在《现代汉语频率词典》②中,"也"的使用率为 0.53248%,两相比较,CCLI 中"也"的使用率明显偏高,这暗示可能有较多的误代和滥用。

本文在引用该语料库的例句时一律不作任何修改。这样做会有一些副作用,如例句中出现别的偏误时容易转移注意力,但是为了能观察到真实的上下文,对所要研究的问题作较准确的语境分析,这样做还是有必要的。另外,我们不仅要研究误例,也要研究正例,以便相互比较,找出问题的关键。这里所说的"正例",就是指该语料库中在副词"也"的使用上没有偏误的例子,并不排除它在别的方面可能存在偏误。

一 语境分析

(一)我们从 3 367 例中发现跟副词"也"有关的偏误 328 例,可分为四种类型:

甲类 "也"在主语前,例如:

① * 课堂里也他表现得很突出。

② * 即使我来过中国几次也我没生活过这么长时间。

③ * 有的时候我给他电话,也他给我。

乙类 "也"跟其他状语位置不对,例如:

④ * 我也刚才在那边找过半天。

---

① 有时一句多例。含副词"也"的句子是 3 247 个。
② 《现代汉语频率词典》,北京语言学院出版社 1986 年版。

第一节 基于中介语语料库的汉语副词"也"的偏误分析

⑤ * 我们日本人也当然重视电器的质量,可是比不上中国人。①

丙类 作为周遍性主语的偏正结构被"也"分开,例如:

⑥ * 他的脑子转得快,什么也知道汉字的事,知识渊博的人。

⑦ * 他有一点儿善良,但是一点也没有理解力。

丁类 "也"的误代和滥用,例如:

⑧ * 我今天也又跟她见面了。

⑨ * 他们低着声对我说几句骂人的话,也说希望主人把这位脏东西扔出去。

⑩ * 我忘不了我国家,我父亲,母亲,也我的朋友们。

⑪ * 一个古老的苦刑也是让犯人喝得太多。

以上例⑧中"也"多余,例⑨的"也"应为"还",例⑩的"也"应为"和",例⑪的"也"应为"就"。

(二)如果用"也"的误例个数与"也"的用例个数之比作为偏误率,则总计偏误率为 328/3 367 = 9.74%;在全部误例当中,这四类偏误所占比例为:

甲类	37 例	11.28%
乙类	30 例	9.15%
丙类	26 例	7.93%
丁类	235 例	71.65%

---

① 从上下文看,这句话的意思是说,作为消费者对电器质量的重视。

丁类所占比例最大,情况也最为复杂。我们注意到,误代的例子中,主要是该用"还"、"和"、"就"时用了"也"。由此可以猜想,如果没有别的因素,或者别的因素影响不大,那么 CCLI 中"还"、"和"、"就"的使用率会偏低。从以下数据来看,事实正是如此:①

	CCLI	《现代汉语频率词典》
也	3 367 例,0.63068%	6 999 例,0.53248%
还	1 458 例,0.27309%	5 318 例,0.40459%
和	2 867 例,0.53702%	9 138 例,0.69522%
就	2 560 例,0.47952%	10 107 例,0.76894%

(三)我们对前三类语序偏误特别感兴趣。总的来看,"也"的语序偏误不是很多。这就产生一个问题:为什么绝大多数句子中"也"不发生语序偏误,偏偏这些句子发生"也"的语序偏误呢?我们想从语境即"也"的上下文(有时也涉及含"也"的句子的上下文)来找原因。具体地说,我们要确定发生"也"的某类语序偏误的语境条件,使得偏误发生率(符合某些语境条件时,发生特定语序偏误的概率)和偏误覆盖率(已发生特定语序偏误,符合这些语境条件的概率)都尽可能高。显然,偏误发生率跟偏误覆盖率是一对矛盾:语境条件定得严,发生率高而覆盖率低;语境条件定得松,则发生率低而覆盖率高。我们处理这一矛盾的原则是,语境条件的确定要有句法上的根据。

(四)我们观察了甲类偏误的句子,发现这些句子通常是以下两种情况:

---

① "还"限于副词。《现代汉语频率词典》中是把介词"和"跟连词"和"一起统计的,因此我们这里对 CCLI 的数据也作同样处理。

第一节 基于中介语语料库的汉语副词"也"的偏误分析

第一,复句的后一分句有主语,而且除了"也"以外,没有其他关联词语。如例②和③,再如:

⑫ * 这个的原因是语法不对的说话也一般人听懂我的意思。

⑬ * 我们在一起想,有什么事情都会解决的,或者只是在一起谈话也心里的压力就放松多了。

⑭ * 我的朋友的身体好也我们的国家好。

⑮ * 在上星期六早上七点半我一起床要准备去玩儿就发现外边的天气不好刮大风也温度比较低。

如果有其他关联词语,"也"一般不会误置主语前,例如:

⑯ 可能我们应该很挑剔的选择朋友,反过来说我们也应该珍惜人们的友谊。

⑰ 我们怎么查看也不行,然后汽车也开不动了。

第二,单句以话题、状语或受事主语等开头,然后出现"也"和主语或小主语,如例①,再如:

⑱ * 这个时候也她比我有劲儿,又开始想想怎么走好呢?

⑲ * 这个也我觉得很有意思。

⑳ * 这武装警察也我无条件地选择。①

㉑ * 芳华和志英也关系好了。

在单句中如果不以话题、状语开头,也不同时出现大主语和

---

① 意思是选择职业。

小主语,一般不会产生甲类语序偏误。例如:

㉒ 你也去吧。

㉓ 我们两儿也算心服眼服,能亲自享受到万里长城的微妙。

当然,不能说有了上述语境条件就一定会发生甲类语序偏误。据我们统计,符合上述语境条件的句子有 430 个,发生甲类语序偏误的 36 个,频率是 8.37%;不符合这种语境条件而发生甲类语序偏误的句子 2 个:

㉔ *也好多姑娘被他杀死了。

㉕ *也我首先可理解每个国家的传统。

例㉔前面一句是"好多天过了。"所以如果不拘泥于标点,也可以认为㉔是复句的后一分句。例㉕前面也有句子。总之,我们还没发现段落起始句有以"也"开头的。

从句法研究的角度看,甲类语序偏误给我们一个重要启发。通常说,主谓谓语句是汉语的一种特殊句型,大主语和小主语之间可以插入副词。但是,大小主语之间插入副词是有很复杂的条件的。首先,作谓语的主谓结构应该结合得比较紧密,例㉑如果把"关系好了"改成"关系不错",可接受性就强多了,其次,有没有对比也不一样,例⑮"也温度比较低"是错的,但是如果出现在"太原温度不高,北京也温度比较低"里就不能算错。

再其次,如果大主语是话题⑲或受事⑳,副词一般也不插在大小主语之间。最后,如果把句首的时间词、处所词也看成主语,那么大小主语之间能否插入副词的问题就更复杂了,所以句首的时间词、处所词最好还是看成状语。

（五）乙类语序偏误主要是两种情况：

第一，"也"和时间词语的位置不对，如例④，再如：

㉖ * 现在也有时候回忆它。

㉗ * 我也这时候经常跟父母顶嘴，心里总是不开心。

㉘ * 我也以前常骑自行车了。

第二，"也"和语气副词的位置不对，如例⑤，再如：

㉙ * 但这时候还是夜里，大家都想睡觉，我们也当然想休息。

㉚ * 我是个男孩子，对于我来说，女朋友也当然很重要。

有趣的是，这个语气副词通常是"当然"。如果在词语例释时顺便出一个含有"当然"和"也"的例句，对预防这种偏误可能会有作用。

因此我们把语境条件划定为：句子中同时出现"也"和时间词语/语气副词，先后顺序不论。符合这种语境条件的句子有133个，发生乙类语序偏误的29个，频率是21.80%；不符合这种语境条件而发生乙类语序偏误的句子1个：

㉛ * 很正常的事也按自己的观点看中的是不正常。

关于多项状语的顺序，刘月华作了细致的分析，[①]但是讨论到"也"时，没有提"也"跟语气副词的关系；至于"也"跟时间词语

---

① 参见刘月华《状语的分类和多项状语的顺序》，载《语法研究与探索》第1辑，北京大学出版社1983年版。

的关系,也只是说两种顺序都可以,需依语境而定。我们认为,从"也"的使用来看,时间词语应分为两种,一种是体词性的,即时间词或相当于时间词的短语,如:"刚才、以前、这时候、那时候、有时候、……的时候"一般放在"也"的前面;另一种是表时间或频率的副词,如:"常常、经常、时时、时而"一般放在"也"的后面。

(六)丙类的"也"本身没有语序偏误,但正是由于使用"也"而把偏正结构分开。如例⑥、⑦,又如:

㉜* 但是我什么也不知道中国的情况。

㉝* 大家带着这个手表游泳,什么也没问题。

㉞* 一平方米也没有空的地方。

发生丙类语序偏误的语境条件包括:第一,是周遍性主语句;第二,这个主语可以用一个偏正结构来表达;第三,句子的动词必须是及物动词。据统计,符合这种语境条件的句子133个,发生丙类语序偏误的 26 个,频率是 19.55%;不符合这种语境条件而发生丙类语序偏误的句子没发现。

丙类语序偏误很少有人提及。这种语序偏误有多种修改办法可供选择,一是用偏正结构作周遍性主语,如㉝可修改为:

㉝' 大家戴着这个手表游泳,什么问题也没有。

二是把宾语提前作为话题,如㉜可修改为:

㉜' 但是中国的情况我什么也不知道。

在这种语境里如果用了"一次"或"一点儿",是否存在语序偏误,有时难以确定,如:

㉟? 我不喜欢坐公共汽车所以大学生的四年里一次也

没坐公共汽车。

㊱？我第一次来北京的时候，我一点儿也不会说汉语。

似乎换成以下说法后可接受性更强：

㉟'……一次公共汽车也没坐。

㊱'……一点儿汉语也不会说。

但是，有时只能采用跟㉟、㊱类似的句式，如：

㊲ 所以在医院工作时一次也没有跟患者吵架。

㊳ 一点儿也没想过父母。

总之，对于这种语境，多教几种句式，把每种句式的用法说清楚，是有利于消除丙类语序偏误的。

（七）当语料规模充分大时，可以近似地用频率来表示概率。按照我们为甲、乙、丙三类语序偏误所划定的语境条件，偏误发生率和偏误覆盖率分别为：

甲类	8.37%	97.35%
乙类	21.80%	96.67%
丙类	19.55%	100.00%

偏误覆盖率高，表明语境条件分析准确；在这个前提下，可以认为偏误发生率是客观存在的事实。不过，需要指出的是，我们虽然分析了约100万字的语料，但是对于留学生语料的总体来说，仍然是一个很小的样本，以上数据只是有一定的参考价值而已。

二 背景分析

CCLI所列的语篇属性有23种，我们从中选择了第一语言

(即母语背景①)、学时等级(写作该语篇时所在年级阶段)和语料类型(作文考卷、作文练习、读后写/听后写)三种语篇属性来作背景分析。

(一)我们所检索的核心语料共有 1 603 篇,含副词"也"的语料为 1 109 篇,就是说,虽然总的来说副词"也"使用率偏高,但是也只有不到 70% 的语篇使用了"也"。"也"的语篇覆盖率主要跟学时等级有关。下面学时等级 1—8 分别表示写作时在读第 1 学期……第 8 学期,学时等级为 9 的只有两篇,在本次及以下的统计中均忽略不计:

表 3-1

学时等级	全部语篇	用"也"语篇	语篇覆盖率
1	212	116	54.7%
2	374	229	61.2%
3	386	244	63.2%
4	246	201	81.7%
5	196	156	79.6%
6	103	90	87.4%
7	54	46	85.2%
8	31	26	83.9%

这种情况大致可以解释为,在 1—3 学时等级时,留学生还没有学或只是刚刚学习副词"也",所以语篇覆盖率较低。

---

① "第一语言"在概念上比"母语"准确。这里称"母语背景"是为求方便和通俗。

(二)从语料类型来看,副词"也"的使用率和偏误率如下:

表3-2

语料类型	词次	用"也"次数	偏误次数	使用率	偏误率
作文考卷	92 181	669	53	0.7257%	7.92%
作文练习	365 201	2336	246	0.6396%	10.53%
读/听后写	76 490	362	29	0.4733%	8.01%

其中,作文考卷的使用率最高,偏误率最低,大概可以解释为写作时通常较为严肃认真;作文练习则比较自由,所以偏误率最高;读后写/听后写虽然气氛不那么紧张,但是学生在语言上不可能有很大的自由发挥,所以使用率最低。总之,我们认为作文练习最能真实地反映留学生的汉语能力,而作文考卷可以反映他们所能达到的最高水平。

(三)CCLI的核心语料中,有第一语言56种,其中希伯来语背景语料4篇(477词次),没用一个"也"字。其他55种母语背景的语料,词次在一万以上的有11种,副词"也"的使用率和偏误率如下:

偏误率最低的是罗马尼亚语背景的,不过他们的使用率也相当低。使用率最高而且偏误率又相当低的是汉语背景的,这种情况比较好解释:这些留学生虽然生长在海外,但是家庭的语言环境对他们仍有很大的影响。

表 3-3

母语背景	词次	用"也"次数	偏误次数	使用率	偏误率
阿拉伯语	10 378	55	14	0.5300%	25.45%
朝鲜语	89 919	401	40	0.4460%	9.98%
德语	14 583	82	13	0.5623%	15.85%
俄语	26 115	126	6	0.4825%	4.76%
法语	26 914	166	17	0.6168%	10.24%
汉语	11 998	135	5	1.1252%	3.70%
罗马尼亚语	10 075	43	0	0.4268%	0.00%
日语	141 249	943	125	0.6676%	13.26%
泰语	12 803	99	9	0.7733%	9.09%
西班牙语	14 003	111	6	0.7927%	5.41%
英语	72 669	460	39	0.6330%	8.48%

从朝鲜语、日语和英语三大背景的语料来看，日语背景的使用率最高，偏误率也最高；英语背景的偏误率较低，但使用率不算低；朝鲜语背景的使用率最低，偏误率居中。若区分偏误类型，其所占比例如下：

表 3-4

母语背景	甲类偏误	乙类偏误	丙类偏误	丁类偏误
朝鲜语	12.5%	2.5%	7.5%	77.5%
日语	13.6%	13.6%	15.2%	57.6%
英语	5.1%	7.7%	2.6%	84.6%

可以看出，日语背景的语料中，"也"的各类偏误分布比较均匀，乙类和丙类偏误的比例明显高于其他母语背景语料中同类

偏误的比例；英语背景语料中主要是丁类偏误，其他类型的偏误所占比例都较低。

（四）从学时等级来看，副词"也"的使用率和偏误率如下：

表 3-5

学时等级	词次	用"也"次数	偏误次数	使用率	偏误率
1	37 889	199	17	0.5252%	8.54%
2	105 842	500	59	0.4724%	11.80%
3	116 886	619	71	0.5296%	11.47%
4	108 044	766	64	0.7090%	8.36%
5	67 594	472	52	0.6983%	11.02%
6	56 261	471	43	0.8372%	9.13%
7	24 755	219	12	0.8847%	5.48%
8	15 864	119	10	0.7501%	8.40%

如果不计第1和第8学时等级，直观地看，随着学时等级的提高，"也"的使用率是从低到高；偏误率则从高到低。这一点符合语言教学的一般规律。第8学时等级的情况有点特殊：虽然使用率趋于正常是我们所期望的，但是错误率明显上升则不好解释。

（五）学时等级跟副词"也"的使用率和偏误率到底是什么关系，这实际上是"也"的教学效果如何的问题，所以我们打算用统计学上的方差分析方法来作比较严格的检验。为了排除母语背景和语料类型的影响，我们选择至少用了一次副词"也"的日语背景的作文练习语料，除去学时等级为9的一篇，共计245篇，86 545词次，735个"也"，96个偏误。我们先统计每篇的词次、"也"的个数、偏误个数,并计算出每篇的使用率和偏误率;然后按学时等级将语篇分成 8 组,每组篇数、平均使用率、平均偏误率为:

i	Ni	$\overline{Y}i$	$\overline{Y}i$
1	29	0.783%	3.448%
2	24	1.157%	20.451%
3	34	0.726%	22.059%
4	28	0.921%	13.847%
5	74	1.068%	12.351%
6	22	1.100%	8.378%
7	20	0.771%	13.185%
8	14	0.734%	12.081%

总的平均使用率和总的平均偏误率分别为 0.936% 和 13.250%。

现在对"也"的使用率进行单因子(学时等级)不等重复试验的方差分析。① 按以下两个公式分别计算组间均方离差、组内均方离差:

$$\overline{S}_A = (\sum_{i=1}^{8} Ni(\overline{Y}i - \overline{Y})^2) / (8-1)$$

$$\overline{S}_E = (\sum_{i=1}^{8} \sum_{j=1}^{Ni} (Yji - \overline{Y}_i)^2) / (245-8)$$

$\overline{S}_E$ 反映了数据之间的随机误差大小,$\overline{S}_A$ 除了反映随机误差大小之外,还反映了各组(学时等级)平均使用率之间的差异。

---

① 各学时等级的语篇多寡不一,为了充分利用,宜采取这种方法。由于计算公式跟等重复试验不同,不会影响结论的可靠性。

如果比值 $\bar{S}_A/\bar{S}_E$ 过大（大于或等于某个临界值），则表明组间差异比较显著，否则可以认为组间差异不甚显著。经计算，这两个值之比为：

$$F_0 = \bar{S}_A/\bar{S}_E = 2.0433$$

查 F 分布表，$F_{0.05(7,237)} = 2.01 < F_0$，故应认为学时等级对副词"也"的使用率有显著影响。[①]

用同样方法对"也"的偏误率进行单因子（学时等级）不等重复试验的方差分析，结果为 $F_0 = 1.445 < F_{0.05(7,237)}$，故应认为学时等级对副词"也"的偏误率没有显著影响。

三 结论

通过语境分析和背景分析，我们可以得出以下结论：

（一）语境分析可以帮助我们比较准确地划定偏误发生的范围，这对于汉语语法研究和对外汉语语法教学都有启发作用。

（二）从所分析的语料来看，副词"也"的使用率和偏误率跟母语背景和语料类型都有较密切的关系。学时等级对"也"的使用率有显著影响，对"也"的偏误率没有显著影响。

第二节 日本留学生汉语助动词偏误分析[②]

助动词（或称能愿动词）是汉语动词中较为特殊的一类，大

[①] 这里 7(=8−1)和 237(=245−8)分别是第一自由度和第二自由度。
[②] 本文原标题为"浅析日本学生学习助动词的难点与误区"，作者陈绂。原载《第七届国际汉语教学讨论会论文选》，北京大学出版社 2002 年版。

部分有关现代汉语体系的著作都将这类动词单独提出,并明确指出它们的语法功能是用在动词前,"表示可能、应该、必须、意愿等意思"①。它是一个相对封闭的类,各部著作中所列举的助动词大致有二十几个。在《汉语水平词汇等级大纲》(以下简称《词汇大纲》)中有 22 个词被标注为助动词:能、能够、会、可以、可能、应该、应、该、应当、要、得、总得、须、必须、必需、当、愿、愿意、敢、肯、乐意、想等。其中甲级词 13 个、乙级词 3 个、丙级词 5 个、丁级词 1 个。

按照它们所表示的不尽相同的语义,助动词又可以分为几个小类:胡裕树先生把它们分为表示"可能"和"应该、意愿"两类;张志公先生和史锡尧、杨庆蕙两位先生都分为表示"能够"、"应该"、"必要"、"意愿"四类,还有将之分为表示"能够"、"应该"、"意愿"三类的。我们认为,具体分类虽有所不同,但基本宗旨是一致的,既归纳出了助动词的语法功能和语法意义,也不妨碍我们对它们的理解和讲授。

这类动词与其他动词之间不尽相同的语法特点、它们在文句中所表现出来的意义以及这些意义之间的种种差异等等,都给学习汉语的外国学生造成了一定的困扰,因而成为对外汉语教学中的一个难点。本节主要针对日本学生使用助动词时所产生的错误展开分析,力图找出产生错误的原因以及解决问题的方法。

---

① 参见史锡尧、杨庆蕙主编《现代汉语》,北京师范大学出版社 1991 年版。

一 助动词偏误类型分析

在教学中,我们发现,由于表达的需要,日本学生在遣词造句时经常使用助动词,使用频率最高的有"能"、"能够"、"可能"、"会"、"应"、"应该"、"该"、"可以"、"要"、"愿"、"愿意"、"必须"、"想"等词,这不仅占到汉语助动词的多一半,而且涵盖了助动词所能表示的"可能、应该、必须、意愿"等各种功能,可见学生们对这类词还是有一个基本的、整体的掌握的。然而,我们也发现,在众多的使用助动词的句子中,有相当数量的句子存在着种种不同类型、不同程度的谬误,这又反映出了日本学生在如何正确使用这类词上还存在着一定的问题。对这些问题进行认真的分析,可以帮助我们进一步了解日本学生学习助动词,乃至学习汉语时所存在的误区,从而对症下药,找出更合理的教授方法。

我们在具有中级汉语水平的日本学生中收集了 84 个在使用助动词上有问题的例句,并根据其问题的性质将它们分为四类:

(一) 漏用

这类病句共收集到 39 例,占病句总数的 46% 左右,是所占比例最多的一类。这类错误也分两小类:A. 漏用了助动词,共 28 例;B. 只用了助动词而漏用了其他类的词,共 11 例。

A. 漏用了助动词。如:

① 他努力追求,就(　)达到目的。(能)

② 我想起码(　)喝光他的果汁。(应该)

③ 父母为了孩子一定(　)付出任何牺牲。(会)

④ 男性当爸爸后,既(　)养孩子,又(　)维护家里安

全,责任比较重大。(要)

⑤ 孩子们的心里不(　)承认自己的错误。(愿意)

⑥ 我觉得(　)帮助她。(可以)

从例句中看,所漏掉的助动词有"能、应该、会、要、愿意、可以"等,占了他们经常使用的助动词的大多数,可见,这种漏用是"全方位的"。

B. 句中只使用了助动词而漏用了其他类的词,如:

⑦ 那你就不会(　)很大压力。(有)

⑧ 要(　)的事很多。(做)

⑨ 你才能(　)一个成功的人。(成为)

⑩ 应该(　)一个喜欢游泳的人。(是)

⑪ 自己可能(　)癌症。(得了)

⑫ 爸爸不可以(　)孩子喝酒。(让)

从例句中我们看出,在"会、要、能、应该、可能、可以"等助动词之后都可能发生漏用主要动词的情况,这就是说,这种差错同样并不只是出现在对某一、二个助动词的使用中,而是几乎与日本学生所经常使用的所有的助动词有关。

(二) 多用

这类病句共收集了12例,占病句总数的14%左右。如:

⑬ 只能卖了一箱。(能)

⑭ 日本人做事情应该都会事先准备好。(应该)

⑮ 他学习很要努力。(要)

⑯ 他还要想喝饮料。(要、想)

⑰ 如果考虑到孩子志趣的话,就会能减少走歪路的孩

子。(能、会)

⑱ 我20岁了,<u>可以能</u>喝酒了。(能、可以)

多用助动词的错误在全部病句中所占的比例并不多,主要涉及表示"可能"和表示"应该"这两类助动词。这种失误又分两种情况:一种是某些句子并不需要使用助动词,但日本学生却加上了一个助动词(例⑬—⑮),所加的助动词往往是"能、应该、要"等;另一种情况是某些句子虽然应该使用助动词,但只需要使用一个,日本学生却用了两个(例⑯—⑱)。这种失误往往发生在同类助动词内部,以表示"可能"的助动词为最常见,如"能"与"会"同时使用(例⑰)、"能"与"可以"同时使用(例⑱)等。

(三) 错用

这类错误共收集到25例,占全部病句的30%强。其中又可以分为两小类:A. 助动词之间错用,共16例;B. 助动词与其他类的词错用,共9例。下面简举几例加以说明:

A. 在助动词之间错用,如:

⑲ 请问,这东西<u>要</u>退不<u>要</u>退?(要—能)

⑳ 如果不了解,结婚以后<u>应该</u>发生矛盾。(应该—会)

㉑ 尽量不<u>应该</u>把两个人相比。(应该—要)

㉒ 也不<u>会</u>说明我当时的感情。(会—能)

㉓ 我不<u>可以</u>解决这个问题。(可以—能)

㉔ 他们不<u>要</u>伤害走路的人。(要—愿意)

例⑲—㉔都是产生在助动词之间的错用,这种错用,既有发生在不同类别之间的,也有发生在同一类别内部的。如例⑲混淆了表示意愿和表示可能这两个不同的类别;例⑳是将表示应该与表示可能的两类助动词搞混了;例㉑则是混淆了表示意愿和表示应该这两个不同的类别。这几例都发生在不同语义类别之间。发生在同一语义内部的错用,如例㉒该用"能"而用了"会",例㉓该用"能"而用了"可以",都发生在表示可能的助动词中;例㉔该用"愿意"而用了"要"则发生在表示愿望这一类别之中。通过上述例句,我们看到,在助动词之间产生错用的现象也是比较普遍的。

B. 与其他类的词相互错用,如:

㉕ 最好具备两种<u>能</u>。(能—能力)
㉖ 我<u>愿望</u>在中国的贸易公司工作。(愿望—愿意)
㉗ 日本社会现在<u>要</u>外国人打工。(要—需要)

助动词与其他类的词的相互错用,情况比较复杂。有的是将名词误用为助动词,如例㉕是将助动词"能"作为名词"能力"使用;例㉖是将名词"愿望"当做助动词"愿意"使用;有的是将普通动词与助动词搞混了,如例㉗就是将"要"作为动词"需要"使用。

(四) 词序颠倒

这类病句共收集到 8 例,不到病句总数的 10%,是所有病句中数量最少的。如:

㉘ 我愿意跟姥爷<u>不</u>一起玩了。("不"的位置)
㉙ 他们孩子什么<u>要</u> <u>都</u>买。("都"的位置)
㉚ <u>要我</u>喝可乐。(主语"我"与"要"的位置)
㉛ 为了健美,<u>应该我</u>运动吧。(主语"我"与"应该"的位置)

使用了助动词的句子出现了词序颠倒的讹误,其原因是多种多样的,但本文只就有关助动词的问题加以分析。我们发现,这类失误一般是将副词的位置放错了,如例㉘的"不"和例㉙的"都";当然也有其他情况,第㉚、㉛两例,都是将主语"我"和助动词("要"、"应该")颠倒了,第㉚例句子虽然通顺,但与原来要表达的意思完全不同了;第㉛例就根本不通了。容易产生这类失误的句子一般以使用了"能"、"不"、"要"、"应该"等助动词的为多。这类失误在病句总数中所占的比例虽然不多,但也反映了日本学生在使用助动词时容易出现的问题。

前文说过,日本学生在使用助动词时,所产生的失误是带有普遍性的。在收集例句的过程中,我们还发现,这种普遍性不仅表现在讹误几乎涵盖了他们所经常使用的助动词的全部,而且也表现在学生们的出错率上,也就是说,我们所调查的班级中的日本学生几乎个个都会出错,只是错误的数量与种类不同罢了。同时,我们也发现,这种偏误是很顽固的,即使经过多次的纠正,还是频频出现。这一点恰恰证明了学界对中介语的特点的归纳。

二 助动词偏误出现原因分析

以上这些谬误显示了日本学生在学习和掌握助动词时存在的一些误区,那么,造成这些误区的原因是什么呢?我们认为首先应该从学生的母语与目的语之间的差异上考虑。

日本学生学习汉语是一种"第二语言的学习",而"第二语言学习一般是在母语习得大体已经完成之后进行的,学习者的母语交际能力早已达到相当的水平,他们的其他知识与技能也日趋完善"①,因此,教师教授的只是"某种新的语言表现形式",也就是一些新的语言规律。这种"新的"语言形式与语言规律与他们业已掌握的母语之间的差距越大,学习目的语的困难就会越大。日本学生在学习汉语助动词时显现出来的问题正是这种"差距"所造成的困难的凸现。而要搞清楚这种"差距",首先必须清楚地了解母语与目的语达两种语言的本体特征。

作为汉语的一个组成部分,助动词自然体现着汉语自身的特点,这些特点与日语有着明显的区别。主要表现在以下几个方面:

(一) 在表达方式上的种种差异

正如前文所述,汉语在表达"可能"、"需要"、"愿意"等意思时,必须有助动词的"参与",即形成"助动词 + 动词"的语法格局。助动词作为一种"用在动词前、把动词的动作行为变为可能或变为愿望、需要的词"②,必须与句中的主要动词结合使用,不能单独使用。这是助动词最明显、最主要的语法功能与语法特征,也是汉语与日语的本质区别。

首先,我们分析一下在表达"可能"意义时两种语言之间的差异。在日语中,表达这一概念的句型主要有下列几种:

1. 使用动词的可能式

动词的可能式即"动词未然形后续可能助动词[れる]、[られる]"的形式(サ变动词则一般采取"词干 + できる"的形式)。也就是说,在日语中,是用动词的形态变化表示"动作行为变为

---

① 参见冯志伟《应用语言学综论》,广东教育出版社 1999 年版。
② 参见刘月华《实用现代汉语语法》,外语教学与研究出版社 2001 年版。

可能"这一含义的。如:

① 他努力追求,就能达到目的。
——彼は努力精進しさえすれば目的を達成できる。

② 他也能用日语打电话了。
——彼はもう日本語で電話がかけられます。

在这两个例句中,我们可以清楚地看出,汉语用"能+达到"、"能+打"的形式表达的意思,在日语里采取的是改变动词("達成する"和"かける")词尾的表达方式。

2. 直接使用"可能动词"

"可能动词"是一种与一般动词相对的动词,表示"有能力做什么"的意思。它实际上是五段活用动词未然形后续可能助动词[れる]时发生音变造成的,其实质仍然是动词词尾的变换,与上面的句型并没有本质的区别。不过,在日语中,人们习惯将这些词称之为"可能动词"。如:

"讀む"(读)— "讀める"(能读)

"書く"(写)— "書ける"(能写)

"話す"(说)— "話せる"(能说)

"立つ"(站立)— "立てる"(能站立)

在汉语中用"助动词+动词"所表达的意义在日语中只用一个可能动词就可以了,如:

③ 我能读日语报纸了。
——私は日本語の新聞が讀めた。

④ 他会说俄语,也会说日语。

——彼はロシシヤ語を話せ、日本語も話せる。

在这两种日语句型中,都没有出现汉语所使用的"动词+助动词"这一语法格局。因此,如果日本学生对两种语言中所存在的差异缺乏清楚的了解,没有将这两种完全不同的表达形式进行有机的对比,就可能出现漏用汉语动词或助动词的讹误。上文中所列举的"漏用"的例句,大多与这一原因有关。

3. 采用"……ことができる"的形式

"动词连体形+ことができる"是日语表示"能做什么"的意思时经常使用的另一种形式。如:

⑤ 你才能成为一个成功的人。

——それでやっと貴方も成功者になることができる。

⑥ 如果考虑到孩子的兴趣的话,就能减少走歪路的孩子。

——子供の氣持が分かれば、道を踏み外す子供達を減らすことができる。

这种表达方式也是汉语中所没有的,虽然句中出现了表示可能意思的动词"できる",但与汉语相比,也存在着明显的差别:第一,表达可能的意思时,它一般出现在句子的最后,并不是用在主要动词之前;第二,作为一个动词"できる"可以单独使用,如:"今日中にできますか?(今天能做完吗?)","できる(变体)"就是句中的主要动词。同时,"できる"具有几个不同的含义,这一点和汉语的"能"也很不相同,因此,它在日语中的语法功能及其所含有的语法意义,同样会给日本学生在学习汉语助动词时带来干扰。

以上我们较为详细地比较了日语与汉语在表达"可能做什么"时的各种差异,同样,在表达"愿意做什么"和"应该做什么"时,这两种语言之间的差异也是相当大的。

日语是用希望助动词"たがる"、"たい"接在动词连用形后面来表示愿望的,如:

⑦ 孩子们的心里不愿意承认自己的错误。
——子供達は自分の間違いを<u>認めたがらない</u>。
⑧ 他还想喝饮料。
——彼はまだ飲み物を<u>飲みたがっている</u>。
⑨ 我要喝可乐。
——私はコーラが<u>飲みたい</u>。

从例句中我们可以看出,日语的助动词是用在动词之后的;其次,在意义的表达上,日语的这两个助动词也是有分工的:表达第三者的愿望用"たがる";表达第一人称、第二人称的愿望时用"たい",这一点也与汉语有明显的区别。

在表达"应该做什么"时,日语一般有两种方法:在动词后面接续"べきだ"或者接续"なければならない"。如:

⑩ 如果没有钱,那么应该工作。
——もしお金がなかったら,仕事を<u>するべきだ</u>。
⑪ 我想起码应该喝光他的果汁。
——少なくとも彼がすすめてくれたジュースを<u>飲み干さなければならない</u>と私は思う。

有的字典上称"べき"为"文语助动词",它也用在动词之后,一般的用法是"动词的连体形＋べき＋だ"，表示"应该"的意思，且不说这种用法本身与汉语助动词的用法就不尽相同，会给学生们的学习带来一定的困难；仅就使用的汉字而言，"べき"用的汉字是"可"（"可き"），也极容易给日本学生造成误解，上文所列举的将"可以"与"应该"搞混的例句，其讹误之所以产生恐怕正缘于此。

如果直译的话，"なければならない"应译作"如果不……的话，是不行的"，这当然是"应该"的意思。但从语法结构而言，它是先将动词变为假设形，再进行否定，这显然与汉语的"'应该'＋动词"的结构并不相同。

总之，在汉语中需要添加助动词来表达的意思，在日语中，一般是采用变换动词词尾或者连接后续助词的方式来表达的，这些表达方法都与汉语的表达方法有着本质的区别，这种差异自然很容易给初学汉语的日本学生造成误解，使他们很难找到这两种语言之间的对应点。我们认为，日本学生在遣词造句时所出现的种种讹误，即上文所说的漏用、多用、错用以及颠倒句中词的顺序等等，往往都是由于直接套用了日语的格式造成的。其中最明显的就是表示"可能"与"愿意"两种意义的句型。

（二）在意义上的种种差异

1. 汉语助动词的兼类现象及其在词义上的差异

汉语没有严格意义上的词形变化，因此，词类与词类之间往往缺乏严格的界限，词的兼类现象十分突出。这一点也体现在助动词上。助动词虽然是一个相对封闭的类，但也有兼类现象，即某些助动词又同时兼有其他类词的性质。在《词汇大纲》中明确标注的具有兼类性质的助动词就有"必须"（助动词、副词）、

"该"(助动词、动词)、"会"(助动词、动词)、"可能"(助动词、名词)、"想"(动词、助动词)、"要"(助动词、动词)、"愿"(动词、助动词)、"愿意"(助动词、动词)等8个。在实际应用中,兼类现象还要多、还要灵活。

词的兼类自然会产生词义的差别,在使用这些兼类词时,如何区分不同类别的词在语义上的差异就成为日本学生的难点之一。因为在日语中,词汇本身具有一定的形态变化,词的类别比较清楚,即使是一些具有相同词干、在语义上也具有双重词性的词,词性的变化也会在词尾上体现出来。另一方面,表达"可能、应该、愿望"等意思的任务大部分是由接续助词来承担的,这些助词的用法及其所表达的意义基本上是单一的,因此在助动词的使用上,没有汉语中所出现的词的兼类现象,使用起来自然也就不容易搞混。习惯于词性分明的日本学生在学习和区分汉语的兼类词以及由于兼类而导致的词义上的差异时,自然会由于不能深刻理解这种语言特性而产生讹误。我们认为,第1节中的第㉗例,就是混淆了"要"作为动词和作为助动词二者之间在词性上、语义上的差异,在应该使用动词的地方不适当地使用了"要",句子自然就不通了。

2. 汉语助动词的多义现象以及在表达上的差异

如前所述,汉语助动词不仅具有鲜明的语法功能,而且还能表示实在的意义。一般说来,不同类别的助动词所能表示的意义是各不相同的,因此,它们应该使用在不同的语境中,彼此之间也不能相互置换;而同一类别的助动词之间由于常常表达同一语义,因此彼此间可以相互置换。但是,我们也必须看到,就一个助动词而言,是否会只有一个义项呢?答案显然是否定的。

与其他实词一样,由于引申等各种原因,单义的助动词是十分罕见的,每一个助动词往往具有多个义项,这种多义性致使同一类别的助动词之间在语义上产生种种差异,从而在表达上呈现出相对的灵活性,因此,彼此之间有时也不能置换。

如"能"、"能够"、"可能"、"可以"、"会"这组助动词在表达的意思上有相同之处,有的彼此间可以互换,如将"谁都能参加"换成"谁都可以参加",意思上出入不大;同样,我们既可以说"看样子他不可能来了",也可以说"看样子他不会来了"、"看样子他不能来了",虽然意思上有些差别,但都讲得通。但在表示"客观可能性"时就不能通用了,如我们可以说"明天可能下雨",却不能说"明天能够下雨"或者"明天可以下雨";同样,在估计某件已经发生的事时只能用"可能"而不能用其他的词——我们只能说"他可能已经来了",却不能说"他会已经来了"、"他能已经来了"等。

又如"该"与"应该"属于一类,都可以表示"情理上或事实上需要",我们可以说"他应该参加",也可以说"他该参加",意思上没有太大的区别。但是,在表示"估计或推测"时,就只能用"该"而不能用"应该"了:可以说"吹了风,又该感冒了",但不能说"又应该感冒了";同样,可以说"我们应该吃饭了",却不能说"我们应该饿了"。

这些语言现象,中国人已经司空见惯,形成了一种不用解释就能很自然地理解的"语感",但对于日本学生来说,就不那么容易理解了,自然就更不容易掌握了,因为这些语义上的差别在日语中基本上是并不存在或者是并不明显存在的。与汉语不同,日语中没有众多的意义上大同小异的助动词,它在表示某种意向时所使用的表达方式即使不是一种,彼此之间在形式上也绝没有产生混淆的可能,因此,日本学生在初学阶段,面对着汉语形形色色的、有同有异的助动词,出现了上述种种偏误,自然就是十分正常的现象。

3. 汉语助动词在否定形式上的差异

汉语助动词,特别是同一类别中的助动词在语义上的种种差异,带来了它们在否定形式上的不同,这也是教授日本学生助动词时应该特别注意的。

如"能"的否定形式是"不能",但属于同一类别的助动词"可以"在表示"没有能力做什么"时,它的否定形式并不是"不可以",而是"不能"。试比较:

①他能用英语写文章。——他不能用英语写文章。
②他可以用英语写文章。——他不可以用英语写文章。

很明显,第①组的两句话是相对的肯定、否定形式;而第②组的"他不可以用英语写文章"一句并不是原句的否定形式,它表示的意思是"目前的情况不允许这个人用英语写文章";它的否定形式应该是"他不能用英语写文章"。之所以出现这样的差异,与"可以"一词的意义很有关系:作为助动词,"可以"虽然具有与"能"相同的、表示"有能力做什么"的功能,但是它还表示对某种动作行为的"许可"和"赞成",这一义项是"能"所没有的。而"可以"的否定形式只能对"许可"、"赞成"这一含义进行否定,不能对"能力"进行否定。所以,虽然"可以"与"能"有时可以表达相同的意思,甚至可以互相置换,但是,"不可以"与"不能"的意思则是完全不同的。

在这一点上,汉语与日语之间同样存在着差异:日语的各种句型间的否定形式基本上是统一的,不存在汉语中的这种区别,因此,日本学生也就很难了解汉语助动词否定式的一些不同寻常的规律,例㉓应该用"能"而用了"可以",就典型地说明了这个问题。此外,例㉒应该用"能"而用了"会",也与汉语的不同的否定形式有关:"会"可以作为助动词表示"可能"的意思,但是"不会"在某种情况下表示的却是"没有技能做什么"的意思。

综上所述,日本学生学习和使用助动词时出现的种种讹误,与母语的影响有很大关系,正因为汉语与日语在表达"可能、应该、希望"等意思时采用的是很不相同的方式,造成了日本学生学习时的障碍,使他们未能清楚地理解汉语助动词的使用方法,出现种种偏差。

另一方面,我们认为,无论是助动词之间的混淆,还是助动词与其他词的混淆(如例㉕"能"和"能力"的混淆、例㉖"要"和"需要"的混淆、例㉗"愿望"和"愿意"的混淆等),其原因,一方面是由于助动词本身在意义上的差异以及在使用中所显示出的灵活性,造成了日本学生对它的不理解或者不够理解,另一方面也涉及一些与汉语词义、汉语造词规律以及词汇教学等有关的问题。这一点,将在下文进一步探讨。

三 对对外汉语教学的启示

以上我们所分析的是日本学生在学习和使用汉语助动词时产生讹误的原因之一。众所周知,在学习一门外语的过程中出现种种偏误是很正常的,其原因也一定是多种多样的,除了母语所造成的负迁移之外,教材编写和教学方法中的某些偏差同样可能造成学生学习中的困惑。因此,认真分析学生们学习中的问题,对我们的教学工作会有相当的启示作用,促使我们去考虑,在我们的教学中是否也相应地存在着"误区"？我们认为,答案是肯定的。既然如此,那么,我们应该如何进行助动词的教学呢？在教学中又应该注意哪些问题呢？根据对外汉语教学的规律,我们提出以下几点看法,以期得到广大同行和专家们的指正。

（一）在大纲以及教材的编写中,应该给予助动词更多的关注

应该说,目前的《词汇大纲》对助动词已经给予了相当的关注,不仅排列出了几乎所有的助动词,而且明确地标注了词性,应该说,这对于留学生来说,是很有帮助的。但我们仍然感到,这个词汇大纲还可以做得更具体一些,如对兼类词的处理,目前是在一个词之下标注不同词性,因此,就把不同的意义、不同的语法功能归入同一个级别了,这样的归属显然是不够科学的,正像前文论述的那样,汉语助动词内部的情况是十分复杂的,它所带有的兼类现象以及多义性使得每一个助动词的使用法则也显得很灵活,只是笼统地按词形进行排列和标注,无形中就降低了它的指导作用。

在教材编写中也有这样的情况,我们统计了几套比较有影响的阅读教材(即精读教材),发现它们对助动词的处理都不太到位——不仅数量偏少,而且讲解也比较简单,既没有把助动词的主要特点较为全面地展现出来,也缺乏对其意义特征以及使用规则的总结。如果我们的教师对于这一问题再缺乏必要的重视的话,其结果就可想而知了。我们认为,目前日本留学生在助动词的掌握上所表现出来的似懂非懂的倾向,就说明了我们在教材编写上以及在教学过程中的不精细与不到位。我们希望,在高年级的教材中,尤其在汉语本科生的教材中,对助动词有一个较为系统的解说。

(二) 在讲授的过程中,应该强调语法与语义之间的密切关系

我们认为,讲授过程中在语法与语义之间存在着一定程度上的脱节,或者说在讲解语法知识时缺乏与语义的有机联系是造成上述失误的第二个原因,上面所列举的十几个错用能愿动词的病句无一不说明了这个问题。在将"要"作为"需要"使用、将"愿望"作为"愿意"使用、将"能"作为"能力"使用等例句中,我们看到,学生们不仅将词义搞混了,将助动词与普通动词混淆了,而且也将共用同一个语素的两个不同的双音节词搞混了,甚至还将单音节词与双音节词搞混了。我们认为,产生这些讹误的原因虽然是多种多样的,但有两点不容忽视:第一,对于语义的不理解严重地影响了学生们对于助动词的掌握;第二,对于汉语构词法知识的欠缺也是留学生们在学习助动词的过程中出现偏差的重要原因。这就给了我们很重要的启发:如何讲解才能最有效地帮助学生们理解与掌握有关助动词的知识?我们认为,遵从汉语的特点,将语法与语义有机地结合起来进行讲授,这一点是非常重要的,因为只有这样,学生们才有可能对助动词有一个较为全面的理解,因而也才有可能正确地使用它们,这是因为"汉语由于缺乏形态,语法分析在一定程度上依据语义分析,使得语法、语义的关系更为密切"[①]。第三,必须让学生们对

---

① 参见史锡尧《语法、语义、语用》,人民教育出版社 1999 年版。

于汉语构词法这一重要问题具有理性的认识与掌握,这是汉语与其他语种的本质区别之一,也是留学生们在学习汉语的过程中很难理解、但又必须理解的要点之一。汉语的语素与语义之间的关系决定了汉语构词的特点,而汉语构词的特点又与汉语的语法、语义有极为密切的关系,对汉语的构词特点缺乏必要的了解,就直接影响到留学生们对汉语知识的学习与掌握,助动词也不例外。上述这两个问题解决了,在助动词的使用中所产生的种种讹误也就容易避免了。此外,我们还应该充分利用对比的手法,将相关的两个词之间的种种差异以及一个词内部所具有的不同语义及其不同的语法功能尽可能地揭示出来,使学生们能够充分地感受到并搞清楚这些差别,这样就能使他们对这些词的特点及其用法产生深刻的印象,掌握起来自然就容易多了。同时我们还应该将学生们有可能产生讹误的地方预先估计出来,提醒他们注意。我们随时都应该意识到,我们所教的是成年人,尽管帮助他们尽快地掌握语言技能是我们的主要任务,但也应该看到,技能的培养对于成年人而言,同样是要在一定的理解的基础上进行的。

总之,我们一贯主张,对外汉语教学既然是一门"研究如何将汉语作为外语进行教学的理论与规律"的学科,那么,对于汉语本体的研究就是这门学科重要的研究内容之一,然而,这种研究应该是"应用型"的,应该以解决教学中的问题为目的。我们既要避免缺乏理论指导的、"就事论事"的研究,也要避免"只研究主义"的不切实际的倾向。

第三节　外国学生语法偏误句的等级序列[①]

语言理论是语言教学的理论基础,对外汉语语法教学也应有理论的指导。不过,语言理论与语言教学的关系是间接的,它是通过运用语言理论对语言进行的描写来服务于教学的。

生成语言学思想的最新发展,强调语言学的目标是使有关语言的说明尽可能简洁和概括,所有的表征式和派生过程尽可能经济,其标准是:所提出的用来解释语言现象的设置数目应尽量少。这就是"经济原则"。而且认为,句子结构的表征中不应有羡余或多余的成分,每个成分必须充当一个角色并得到解释,即所谓"完整解释原则"。[②] 这就是乔姆斯基的"最简方案",也有人叫做"最小程序"(Minimalist Programme)。并认为,这一论点将各种语言之间的不同归结为其虚词成分(Functional Elements)和词汇方面的差异。并预言,理论语言学研究中的这一新发展,必将会对语言习得研究产生一定的影响。[③]

基于这种理论而形成的一种研究方法,就是对比研究方法。这是当代语言研究中最普遍、最著名的研究方法。这一方法在语言学的各个学科、各个方面都得到广泛的应用,有着很深刻的

[①] 本文原标题为"外国人语法偏误句子的等级序列",作者赵金铭。原载《语言教学与研究》2002年第2期。

[②] 参见戴维·克里斯特尔《现代语言学词典》,沈家煊译,商务印书馆2000年版。

[③] 参见袁博平《第二语言习得研究的回顾与展望》,《世界汉语教学》1995年第4期。

理论意义。宁春岩在介绍对比法的使用时,概括为两个要点:第一,对比是关于句子与非句子,可能与不可能,"符合语法的"或"造得好的"与"不符合语法的"或"造得不好的"等相对概念之间的对比,是关于"是与非"、"有与无"、"成立与不成立"等绝对概念之间的对比。第二,对比要在"最小差异对"(Minimum Pair)中进行,就是说对比的对象要满足"一切相同,只差一点"的条件,而不是任何差异都有可比性。① 显而易见,一个事物与另一个事物的最小差异之间,往往显现了事物的本质属性。桂诗春、宁春岩为"最小差异对"所下的定义为:"'只有一点不同,而其余全部相同'的两个句子或其他序列符号称作'最小差异对'。"②

这样,在对外汉语语法教学中,将目的语句子与中介语句子在语法上组成一个个"最小差异对",识别这些最小差异对,应用这些最小差异对,无论从教学的角度,还是从习得的角度,都会取得更为本质更为深刻的认识。

本节拟从六个方面,运用"最小差异对"对外国人学习汉语语法中出现的中介语句子进行分析识别,从而为教学提供些许依据。

一 汉语中可能出现的句子与汉语中不可能出现的句子(可能与不可能)

人类语言的语法尽管在表层上差别很大,但在深层上应该

---

① 参见宁春岩《简述美国当代理论语言学的特征及研究方法》,《国外语言学》1996 年第 1 期。

② 参见桂诗春、宁春岩《语言学方法论》,外语教学与研究出版社 1997 年版。

存在着很多共性。人类第二语言的学习是在其母语的交际能力已达到相当水平的基础上进行的,学习者的心智已经成熟,某些方面的知识与技能也日臻完善。这时他们并非是重新习得一种语言,而只是培养新的语言习惯,扩大其言语行为手段,在已掌握的母语语言规则之外再学习一种可以替代的规则。① 在学习汉语的过程中,学习者一般会尝试将已知的语法规则转化到汉语学习中,于是他们造出一些对母语者来说不可能出现的句子,这多由如下三种情况造成。

(1) 语法讲解的误导,或讲解得不到位,还不足以使学习者避免错误;

(2) 汉语的语法特点较为特殊,是外族学生学习的难点,普遍性错误在所难免;

(3) 学习者母语语法的特点较为特殊,以其母语为依据类推,因此附而出错。

我们比较一下:

    a. 花瓶被我打了。

    b. ＊食堂的菜被我们闹肚子了。

b 句是汉语不可能有的句子。a 句可转换为"我打了花瓶",b 句可转换为"闹肚子食堂的菜",两句之间的"最小差异"在动词"打"和"闹肚子",这是两类不同性质的动词。如果在讲授被动句时,注意阐明其对动词类的要求,或可避免此类错误。又如:

---

① 参见冯志伟《应用语言学综论》,广东教育出版社 1999 年版。

第三节 外国学生语法偏误句的等级序列

> * 张老师画了两年一幅画。

这句话包含两个表述:(1)张老师画了一幅画。(2)张老师画了两年。两个表述合为一句话时,汉语里应说:

> 张老师画了两年才画了一幅画。

两者的"最小差异"在于后者重复了动词,而重动句正是反映汉语特点的句式。又如印尼学生在使用"不"时,有普遍性的错误:

> * 他把书不打开。
> * 今天天气比昨天不好。
> * 我打电话不告诉老师。
> * 他喜欢躺着不看书。

这也许与学生的母语特点有关。其"最小差异点"在于否定词"不"的位置。

汉语使用人多,使用地域广。普通话中不可能出现的句子在汉语方言中未必就不正确。比如在西宁话中,当跟别的状语同现时,否定词紧靠谓语 V/A,如①:

> 他按时不上班。他不按时上班。
> 你怎么好好不学习。你怎么不好好学习。
> 快点不走不行。不快点儿走不行。
> 这部小说我仔细没看过。这部小说我没仔细看过。

又如外国人在学习汉语中的否定副词"不"、"没"时,有一个

---

① 参见邢福义《小句中枢说的方言实证》,《方言》2000 年第 4 期。

阶段就是"没"的泛化。如：

* 大家没知道他俩结婚的事。
* 来中国以前,我没有会说汉语。
* 我每天都没有锻炼身体。

但是在柳州话中,在"没 A/V"结构中,"没"有"不"义,如①：

没送了,你们回去了。

没找到就没要了。

肚子没舒服。

剩下一点怕没够。

语法的共性与个性是相对存在的,当代语言学的语法理论更注重对人类语言共有的语法规则的研究。对外汉语教学是一种第二语言教学,我们更关注汉语语法独具的特点。但是只有了解了人类语言的共性,才能更深知汉语的个性。而且在现代汉语普通话中不可能出现的句子,在汉语方言中可能是正确的。因此,可能与不可能在汉语中多少带有些相对性。如果学生在其他地区听到汉语方言的不同表达方式,则又当另论。

二 符合语法的句子与不符合语法的句子(正确与错误)

外国学生的病句有相当多是违背汉语语法规则的,这大多是因为还没掌握基本语法规则,或者虽知规则,但受其母语语法规则的干扰,而造出违反汉语语法规则的句子。如,在汉语"动补/趋"式中是不能加"了"的,可是学生造出了这样的句子：

---

① 参见邢福义《小句中枢说的方言实证》,《方言》2000 年第 4 期。

* 他走了进教室来。
* 阿里跑了回家去。

错句与正确句的"最小差异"在于是否用"了"。又如"都"与"对/对于"连用时,呈交错现象:

我们都对这个问题感兴趣。
* 我们都对于这个问题感兴趣。
我们对于这个问题都感兴趣。
对于这个问题我们都感兴趣。
对这个问题我们都感兴趣。
* 我们都感兴趣这个问题。

正确句与错句的"最小差异"在于副词"都"与介词不能连用,其次在于"感兴趣"不能带宾语。又如汉语中说:

今天我一支没抽。
今天我一支烟没抽。
今天我一支烟也没抽。
今天我连一支烟也没抽。

但是,不能说:

a. * 今天我一支也没抽烟。
b. * 今天我连没抽一支烟。

错句 a 与正确句的"最小差异"在于动词后能否再带宾语;错句 b 与正确句的"最小差异"在于"连"后应紧跟名词性结构,而不能是动词或带否定副词的动词。

像错句 b 这样的句子在汉语方言中却是存在的,如在长沙

话中,"连"字句否定式为:

> 连不做一点事。连一点事也不做。
> 连不能干一点儿。一点儿都不能干。

在把普通话句子与方言中同一句式比较时,我们依然可以应用"最小差异对"方法,找出二者的本质差异。又如:

> * 让玛丽连忙把书给我送来。

这一错句与正确句子的"最小差异"在于副词的使用,"连忙"不用于祈使句中,应该为"赶快"、"马上"、"立刻"。又如:

> * 他有点儿比你差。
> 他比你差一点儿。

其最小差异在于"有点儿"可否用于"比"字句中。

正确与错误,是学习第二语言中要特别注意的。教师要善于引导,学习者要特别着意于目的语语法现象的特异之处。

三 符合语法的正确句子与符合语法的不正确句子(推导与类推)

语法规则是从众多语法现象中概括出来的,它仅是一种抽象的公式。吕叔湘说:"要知道公式是抽象的,它的具体实现不是无限制的。有些组合符合这个公式,但是实际上没有这种说法。"例如①:

---

① 参见吕叔湘《怎样学习语法》,载《吕叔湘语文论集》,商务印书馆 1983 年版。

第三节 外国学生语法偏误句的等级序列

	要	谈谈	这个	
今天				两个 问题
	不	谈	这两个	

可以组成同一格式的12个句子，其中有5个是从来不说的（加 * 为记）。

今天要谈这个问题。　　今天不谈这个问题。
今天要谈两个问题。　　* 今天不谈两个问题。
今天要谈这两个问题。　今天不谈这两个问题。
今天要谈谈这个问题。　* 今天不谈谈这个问题。
* 今天要谈谈两个问题。　* 今天不谈谈两个问题。
今天要谈谈这两个问题。* 今天不谈谈这两个问题。

语言现象本身的组合要受到诸多条件的限制。外国学生在学习汉语以前对汉语是一无所知的。他们在学习过程中会按照老师所教的语法规则举一反三，按教学语法规则去类推，结果是语法虽无懈可击，然而还是错了。比如：

a. 连小孩儿都懂这个道理。
b. * 他连感冒都不怕。
c. * 这姑娘连可口可乐都敢喝。

正确句与错句的"最小差异对"仅在"连"字后面的名词与后面的动词性成分搭配后的语义，也就是说搭配产生的语义与人们的常识相悖。正确句言道理之简单，错句"不怕感冒"与"敢喝可口可乐"并不能言人的敢作敢为，如果换成"她连感冒都怕"、"这姑娘连可口可乐都不敢喝"，则言胆小，或谨小慎微，句子则

成立。可见,仅掌握语法规则是不够的。又如:

    a. 我有一点儿不舒服。

       * 我有半点儿不舒服。

       我没有半点儿不舒服。

    b. 我知道一点儿。

       * 我知道半点儿。

       半点儿我也不知道。

    c. 她一点儿也不胖。

       * 她半点儿也不胖。

       她半点儿也不懂。

"一点儿"和"半点儿"都极言其少。在 a 组中"最小差异对"在于"有"和"没有","半点儿"不能置于肯定句中。b 组的"最小差异对"在主、宾语的位置,"半点儿"不能作宾语,c 组的"最小差异对"在于谓语的性质,"半点儿"不能修饰形容词。可见,仅仅是语法格式正确,并不能确定生成的句子一定正确。只有找出正确句子与可能出现的错句之间的最小差异对,有针对性地传授语法规则,才能杜绝语法正确的错句的出现。因此,提倡语法规则要简明扼要,而辅以较大的词的用法的语料库,或曰淡化语法规则,注重词的用法,道理一也。

四　造得好的句子与造得不好的句子(高下之分)

造得不好的句子是一种不完全错句,只是在说母语者听起来别扭,但又往往说不出到底错在哪里。也就是说,有时一时竟找不出好句与差句之间的"最小差异点"。如:

＊妈妈每天不收拾屋子。

这句话表达的是什么意思？毛病出在哪里？如果是：

　　a. 妈妈每天不收拾屋子，心里就不舒服。

那么，前面的否定句，表明一种假设。当然，还可以是：

　　b. 妈妈不每天收拾屋子。
　　c. 妈妈每天都不收拾屋子。

a、b、c三句的"最小差异对"在于否定副词"不"的位置，a表示一种假设，b否定的是"每天"，c否定的是动词"收拾"。对学习者的一个造得不好但似乎又说得过去的句子要持谨慎态度，一定要弄清作者的本意，找出"最小差异对"，因意正句，不可随意增删修正。又如：

　　＊昨天我去看了一个我的朋友。

乍看，也许这不算错句，但造得不好。正句应为：

　　a. 昨天我去看了我的一个朋友。
　　b. 昨天我去看了一个老朋友。

错句与a句比较，"最小差异对"在于表领属的修饰语应冠于前；错句与b句比较，"最小差异对"在于没有了表领属的修饰语后，数量词语应在表性质的形容词之前。又如：

　　＊她穿了一件漂亮的外套，我也想买一件。

如果表明不相关的两件事，这是两个独立的句子，但作者想说的话应为：

她穿的那件漂亮的外衣,我也想买一件。

两句的"最小差异对"在于动态助词"了"用得是否恰当。汉语动词没有时态变化,可是用一些特殊的方式也可以准确地表达时态意义。"了"是表示动作状态完成的动态助词,学习者囿于母语或所学外语的影响,认为"那件衣服""她"已经穿在身上,动词"穿"后自然应有动态助词"了",于是形成了错句。

五 无标记的句子与有标记的句子(标记的有无)

结构主义语言学的主要派别之一布拉格学派以对立为基础研究音位,其代表人物雅可布逊(R. Jakobson)提出,对立双方可分为无标记项和有标记项。"有标记"指具有某种区别意义特征。对立双方的区别主要表现在有标记项上面,于是出现不对称现象。[①]

沈家煊指出:"语言中的标记现象(Markedness)是指一个范畴内部存在的某种不对称现象。"一般来说,无标记项的分布范围要比有标记项大。语法中无标记项的意义一般比有标记项的意义宽泛,或者说有标记项的意义包含在无标记项之中。从认知上讲,有标记项的理解比无标记项的理解来得复杂。[②]

吕叔湘曾指出:"就普通话语法研究普通话语法,也还是常常应用对比的方法——拿一个虚词与另一个虚词比较,拿一个格式与另一个格式比较。"[③]比如:

---

① 参见文炼《语言单位的对立和不对称现象》,《语言教学与研究》1990年第4期。
② 参见沈家煊《不对称与标记论》,江西教育出版社1999年版。
③ 参见吕叔湘《通过对比研究语法》,《语言教学与研究》试刊第2期,1977年。

    a. 你会不会说日本话?(无标记,真正的询问)
    b. 你会说日本话吧?(有标记"吧",倾向于肯定)
    c. 你会说日本话吗?(有标记"吗",倾向于怀疑)

实际上如果两个句子只有标记的有无不同,其他一律相同,那么这两句话的"最小差异对"就在于标记。又比如:

我六点就来。(无标记,未然)
我六点就来了。(有标记,已然)
他刚来。(无标记,已然)
* 他刚来了。(无标记的"他刚来"已表示已然,再加表示完成的动态助词"了",重复)

动态助词"了"、"着"都是标记,"了"表明动作、状态的完成,"着"表示动作、状态的持续。但学习者正是在这个标记的使用上出了问题,如:

* 上星期天我们去几个公园。(无标记)
* 我一定要记住了这些生词。(多标记)
* 人民的生活水平提高着。(标记用错)

张国宪把这种有标记项与无标记项的对立,从语法上的对立和语义上的对立进行了分类。[①] 与本文相关的如:

(一)语法上有标记与无标记的对立

1. 正负对立:我　　你　　他(无标记)
　　　　　我们　你们　他们(有标记)

[①] 参见张国宪《语言单位的有标记与无标记现象》,载邵敬敏主编《句法结构中的语义研究》,北京语言文化大学出版社1998年版。

2. 顺兼容对立：看　　听（无标记）
　　　　　　　　看了　听着（有标记）

(二) 语义上有标记与无标记的对立

1. 有无对立

无标记：高兴点儿　　有标记：* 小气点儿
　　　　漂亮点儿　　　　　　* 调皮点儿
　　　　老实点儿　　　　　　* 骄傲点儿

可见有标记的词语限制了对句式的选择。不了解一类形容词所具有的语义特征，是出现此类错误的原因。以下例子也属于这种对立：

　　有点儿贵　　* 有点儿好
　　有点儿长　　* 有点儿漂亮
　　有点儿累　　* 有点儿努力

2. 互补对立

无标记：多远？　有标记：* 多近？
　　　　多高？　　　　　* 多低？
　　　　多大？　　　　　* 多小？
　　　　多深？　　　　　* 多浅？

吕叔湘也说过这个问题。① 如：

　　大海　　　大陆　　　大衣　　　大粪
　　* 小海　　* 小陆　　* 小衣　　* 小粪

人类认识事物有"有界"与"无界"的对立。这种对立也可以

---

① 参见吕叔湘《有"大"无"小"》，载《语文杂记》，上海教育出版社 1984 年版。

构成语言结构上的"最小差异对"。我国最早谈到这一问题的是朱德熙先生,他在讲到状态补语时说:"状态形容词可以受'早已''已经''马上'这类表示动作有界的词语的修饰,性质形容词不行。"①如:

早就想得很透彻　　＊早就想得透彻
已经走得很远　　　＊已经走得远
马上忘得干干净净　＊马上忘得干净

六　语法错误句子的等级序列

近来"标记论"又提出标记的"相对模式"问题,即:"新的标记模式是'相对的'多分模式,可以用一个等级来表示,如:单数＞复数＞双数＞三数/少量数,它表示有标记和无标记是个程度问题。"传统的"二分模式"可以看作"相对模式"的一个特例。"'相对标记模式'可以用多个语法项组成的等级来表示","等级上的各项并不是离散的,而是构成一个渐变的连续体"。② 我们把这种语法项的等级非离散与渐变性,应用于使用"最小差异对"来分析句子与非句子。桂诗春与宁春岩曾用句子前面的符号表示句子造的好坏的程度(Degree of Wellformedness),一个问号的要比两个问号的在讲话者的语感中好一些,两个问号的要比带"＊"的好一些,最不好的,也是根本不能说的是带一个"＊"的。

a. What did you buy?
b. ? What did who buy?

---

① 参见朱德熙《语法讲义》,商务印书馆 1982 年版。
② 参见沈家煊《不对称与标记论》,江西教育出版社 1999 年版。

c. ?? What who bought?

d. *? Why who bought the book?

e. * Who why bought the book?

他们认为在句子 a 和非句子 e 之间的句子 b、c、d 似句非句,有的西方语言学家称这类句子为"边缘句"(Marginal Sentences)。

由于边缘句处于句子与非句子之间,显示出句子与非句子的界限,而这种界限正是寻找普遍语法规则和原理以及语言本质属性所需要的。①

袁博平用一个横轴表示"完全可以接受"与"完全不可以接受"的一个连续统。②

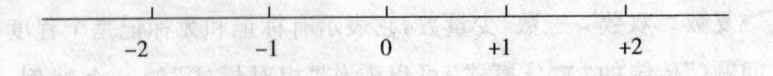

```
    -2      -1       0      +1      +2
        完全不可以接受            完全可以接受
```

按照这样的等级,我们将上面论及的各类句子排列如下:

a. 汉语中正确的句子

b. ? 造得不好的句子

c. ?? 符合语法的不正确的句子

d. *? 不符合语法的句子

e. * 汉语中不可能出现的句子

为了证实上述的等级,我们从《汉语病句辨析九百例》③中

---

① 参见桂诗春、宁春岩《语言学方法论》,外语教学与研究出版社1997年版。

② 参见袁博平《汉语中的两种不及物动词与汉语第二语言习得》,演讲稿,2001年。

③ 参见程美珍、李珠《汉语病句辨析九百例》,华语教学出版社1997年版。

把有关"把"字句的 30 句病句,按上述 b、c、d、e 进行分类,因是从病句出发,我们逆序示例:

e. 汉语中不可能出现的句子

＊ 阿里把带回来了录音机。
＊ 玛丽把安娜给自己的自行车了。

d. 不符合汉语语法的句子

＊? 人们把粽子扔了在河里。
＊? 她在柜子里把衣服放。

c. 符合语法的不正确的句子

?? 希望你们把这个地方喜欢。
?? 我们打算去把上海旅行。

b. 造得不好的句子

? 把那棵小树大风刮倒了。
? 我已经把本子上写上我的名字了。

这四类句子,每类都可以用"最小差异对"寻出与正确句子的本质差异,针对这些差异出现的情况,改进教材、教法,使教学更具针对性,从而提高教学质量。

值得注意的是汉语普通话中不可能出现的句子 e 类,在贵阳话中却可以说,如:"她把爱看书了","x+谓语中心+了"这一句法框架,规定了"把"是副词,基本语义为"已经",表示说话人对新出现的情况惊喜、感叹等感情。又如:

酒把吃完了。

　　　　　　他家哥把去美国了。

　　我们通过应用"最小差异对"来分析外国学生学习汉语时所形成的中介语句子,可以看出普遍语法在转化为汉语句子中,也就是在类推过程中所出现的问题。带有普遍性的错误往往出在比较体现汉语特点的那些语法规则上。比如汉语动词没有时态变化,那些表达时态意义的特殊表达方式,就是学生易于出问题的地方,汉语中特有的"把"字句、补语,也较难掌握。汉语注意意念关系,语法结构灵活多变,表达方式多种多样,外国人学起来就不容易。

第四节　"使"字兼语句偏误分析[①]

一　研究"使"字兼语句的原由与方法

　　这里所说的"使"字兼语句,是指以动词"使"为第一谓语的兼语句,比如"这样的计划会使企业破产"、"你的话使我很高兴"。下文把句首主语称作大主语,把谓语"使"的宾语即兼语称作小主语,兼语的谓语称作小谓语(即第二谓语),其格式为:
　　　　　　大主语 + 使 + 小主语 + 小谓语
　　为使叙述方便,下面将其简称为"使"字句。
　　"使"字句是外国学生错误率比较高的一种句式。之所以如此,大致有以下几个原因:
　　第一,无论是在口语中还是在书面语中,尤其是在书面语

---

① 本文作者李大忠。原载《世界汉语教学》1996 年第 1 期。

中,"使"字句的使用频率都很高;

第二,外国学生常常把"使"字与口语中用得很多的"叫"和"让"完全等同起来,他们在许多该用"叫"或"让"的地方都用"使";

第三,与汉语工具书的释义方式有关系。

"使"字句在对外汉语语法教学的安排中出现较晚。这也许是外国学生"使"字句偏误主要出现在中高级阶段的一个原因。

教学实践告诉我们,学生处在不同的学习阶段,即便是同一个语法项目,出现的偏误类型也会不完全一致。比如以下各例在中高级阶段就很少见:

* 他的话使我很大的教育。
* 参观访问使我们很大的收获。
* 冬天使这些建筑一层浅灰色。
* 老师使班长考试的通知。
* 这个消息使高兴极了。
* 这里各方面使都我们很满意。

基于上述情况,我们着意从具有中等以上汉语水平的外国学生的语料中搜集偏误实例。下文所分析的实例来自英、俄、德、意、日、韩、捷、泰共八个国家的留学生,他们在选修语法偏误分析课前的 HSK 成绩都在一百分以上。我们的做法是从大量的偏误实例中找出对各国学生都带有共同性的偏误类型,也就是按语法偏误的性质和类型分类,分析造成每一类偏误的原因,也就是从汉语语法规则方面来说明各类偏误为什么在汉语里不能成立。由于所分析的实例来自所教学生本人,由于每一类偏误对各国学生具有共同性,因此,这种描写和分析可以获得最大限度的针对性和实用价值,而与一般语法分析中采用的正面分析和全面描写有诸多不同。不言而喻,这是一种静态描写的方法。

下面分析的几种偏误类型是最主要的,比例最大的,自然,也是对多国学生具有一致性的。

二 偏误类型分析

(一) 第一类

请看实例:

① * 老师使我擦一擦黑板。

② * 老师使我们作文。

③ * 我使他做这件事。

④ * 他使我去商店买东西。

⑤ * 我使他去负责这件事儿。

⑥ * 公司使他去日本。

⑦ * 他的爸爸使他学习。

⑧ * 王老师使他学习中文。

⑨ * 管树的部门使人去看一看。

⑩ * 我使他去打听情况。

⑪ * 父母不使我看无聊的书。

⑫ * 工会干部使我们访问一般工人的家庭。

⑬ * 秦始皇使大臣修长城。

⑭ * 母亲使聂小倩住她家。

⑮ * 他只会使人做这做那,自己从来不干。

任何一个汉族人一下子就能作出正确判断:这些例子中的"使"都应当改用"叫"或者"让",或者其他具有使令意义的动词,如"派、派遣、打发、支使、命令、请"等等。十余年语法偏误分析课的教学实践告诉我们,教师不能仅仅满足于告诉学生该用什么、不该用什么(那样就变成简单的改错了),也不能仅仅指出某种偏误形式为汉语所没有。教师应当对摆在面前的这些偏误形式本身加以解释,说明这些"使"字句为什么不能被汉语语法所接受,让学生既"知其然",又"知其所以然"。

上引各例为什么不能成立呢?我们可以从以下几个方面来考察原因:

第一,从"使"字句的整个格局来看其整体意义。可以与下面的正面例子作对比:

> 你的话使我难过。
> 虚心使人进步,骄傲使人落后。
> 好的计划能使工作进展顺利。
> 看书能使人聪明。
> 他使我办不成这件事儿。
> 他的技术使我佩服。
> 昨天的事使他情绪有些波动。

在这些例子中,大主语可以是人,可以是事物,也可以是动作行为。兼语后边的小谓语不论是动词还是形容词(最后一例的小谓语是主谓短语"情绪有些波动"),所表示的意义都是大主语给小主语带来的某种结果,或者说,大主语是给小主语带来这个结果的原因或条件。因此,从整个句子的格局来看,这种句子都含有"致使"的意义。凡是符合这个条件的就可以用"使"字句，口语中可以用"叫"或"让"。凡是不表示"致使"意义、没有结果意义的，就不能用"使"，而只能用表示使令意义的"叫、让、请、派"等动词。

上引各误例中的"使"实际上表示的都是使令意义而不是致使意义，更没有导致某种结果的意义，故都不成立。

第二，从"使"字句的小谓语来考察。先看由动词充当小谓语的。请对比：

a. ＊爸爸使他学习。

b. {爸爸使他没办法学习。
爸爸使他能够学习下去。
爸爸想了很多办法，使他学习得比谁都好。

a. ＊公司使他去日本。

b. {公司使他能顺利地去日本。
公司使他去不了日本。
公司帮了他很多忙，使他放心地去日本。

a 类例子的小谓语前无状语，后无补语，仅仅是单个动词，这两例都没有致使意义。从句子的整个格局看不出由于什么原因或条件给小主语带来某种结果的意义，"学习"和"去"这两个动词本身也不含有结果意义（比如和"……使企业破产"中的"破产"对比，后者明显具有结果意义），所以 a 类都不能成立。

b 类各例都含有致使和导致某种结果的意义，故都是正确的。这些例子中有的大主语后、小谓语前有表示条件或原因的词语,有的小谓语后边有补语。我们可以把这些成分看成表示条件或结果意义的形式标志。

再看看由形容词充当小谓语的"使"字句。我们知道,形容词表示的性质或状态都是相对的,可比较的,具有可变性。因此在"大主语+使+小主语+小谓语(形)"这个格式中,由形容词充当的小谓语一定具有〔一A→A〕这个语义特征(这里的 A 代表形容词)。比如"使我难过"就一定指"我"由不难过变得"难过"。"老张的话使小王糊涂"一定是说"小王"由不糊涂变"糊涂"。"你刚才的话使我的心冰凉",一定是说"我的心"原来不是"冰凉"的。这里的"难过"、"糊涂"和"冰凉"所表示的就是变化以后的结果或状态。正是由于这个原因,形容词才可以单独在"使"字句中作小谓语。

这类偏误的出现一方面跟外国学生不能区分"使"与"叫"、"让"有关系,同时也与我们的一些工具书的释义方式有关。比如《现代汉语词典》和《现代汉语八百词》都用"致使;叫;让"来解释"使"。[①] 这对汉族人当然没有问题,可对正在学习汉语的外国人就有点麻烦。由于他们汉语水平不怎么高,汉语语感不强,对"致使"这样抽象的提法普遍理解有困难,于是就只剩下用"使"来代替"叫"或"让"这种可能了。另外,《现代汉语词典》在解释"使"的第一个义项时写道:"派遣;支使",举例中有一句是"使人去打听消息"(第 1045 页)。我们怀疑这种用法在现代汉语(尤其是口语)中的合法性。有的高级汉语教材选用了鲁迅先

---

① 参见中国社会科学院语言研究所词典编辑室《现代汉语词典》,商务印书馆 1989 年版;吕叔湘主编《现代汉语八百词》,商务印书馆 1981 年版。

生的《藤野先生》作课文,该文中有一句话"他使助手来叫我了"。南京师范大学的李菊先先生就对这句话提出异议,认为用现代汉语普通话语法规范来衡量,这句话是"不规范"的。① 孟琮等所编的《动词用法词典》在解释动词"使"时就没有"派遣、支使"的义项。② 在语法偏误分析课上,许多国家的学生告诉笔者,他们的很多误例就是看了词典上的例句"使人去打听消息"和"致使;叫;让"这个释义后才写出来的。他们还都坦率地承认,对"致使"这个提法的真正含义并没有真正理解,于是就只好把"使"和"叫、让"无条件地等同起来了。这在一定的意义上可以说是误导的结果。

(二) 第二类

先看实例:

① ＊这种情况使我去中国学习。

② ＊今天的天气使我去香山玩儿一玩儿。

③ ＊香港的生活环境使我学习广东话。

④ ＊北京的冬天太冷,使我们在宿舍里。

⑤ ＊学习汉语使我买一本好词典。

⑥ ＊李老师的话使我研究汉语语法。

这六个例子来自英、意、日、韩四国学生。这些例子有以下几个特点:

1. "使"都没有"派、派遣、打发、支使"的意义;

---

① 参见李菊先《关于中、高级对外汉语教材的思考》,《世界汉语教学》1992年第4期,第298页。

② 参见孟琮等《动词用法词典》,上海辞书出版社1987年版,第656—657页。

2. 小谓语都是表示具体行为动作的动词,前边没有状语,后边没有补语;

3. 大主语多为名词,但都不是指人的。例⑤的大主语是动宾短语"学习汉语"。

综合观察这些句子的整体格局可以看出,这些句子的大主语都是给小主语提供一种环境、条件,或者对小主语提出一种客观要求,这种环境、条件或要求就使小主语应该或不得不做某事,有必要或有可能做某事。这些句子主要不表示大主语给小主语带来的结果或变化。根据这样的语义内容,以上各例改正的方法应当是在原来的小谓语前边或后边加上相应的词语。比如例①可改为"这种情况使我能够去中国学习"。例②可改为"今天的天气使我产生了去香山玩儿一玩儿的想法"。例③可改为"香港的生活环境使我不得不学广东话"。例④可改为"北京的冬天太冷,使我们(星期日)只好在宿舍里"。例⑤可改为"学习汉语使我需要买一本好词典"。例⑥可改为"李老师的话使我有信心研究汉语语法"。

(三) 第三类

① * 哥哥嫂子对他很不好,使他从家里赶走。

② * 一阵电话铃声使她弄醒了。

③ * 那个金发女郎使我迷住了。

④ * 春暖花开的季节使同学们引诱到香山。

⑤ * 那个姑娘使小伙子吸引了。

这些例子有以下共同点:

1. "使"后边的小谓语"赶"、"弄"、"迷"、"引诱"、"吸引"都是及物动词;

2."赶走"、"弄醒"、"迷住"、"引诱到"都是及物动词带补语的形式,例⑤的"吸引"本身虽不是动补结构,它后边也没带补语,但它后边有"了";

3."使"的宾语"他"、"她"、"我"、"同学们"、"小伙子"在意义上都是后边动词的受事对象;

4.这些句子所表示的意义,都是大主语给"使"的宾语带来某种变化或使其产生某种结果。

这几点正好符合"把"字句的要求,因此这些"使"字句改为"把"字句都十分自然。实际上学生的问题正是错误地用"使"代替了"把"。

三　偏误产生的原因

外国学生为什么会出现这样的偏误呢?

第一,从"使"字句的角度看。外国学生之所以会出现这样的问题,是由于他们忽视了(或者说没有掌握)"使"字句的一个本质性的特征:"使"的宾语必须是后边动词或形容词的主语。对照误例来看,例①中实际上发出"赶"的动作的主体不是"他",而是"哥哥嫂子";例②中"弄"的主语不是"她",而是"一阵电话铃声"。其余三例类推。这就在根本上违反了"使"字兼语句的规则。

第二,从"把"字句的角度看。"把"字句又叫"处置式",即表示对"把"的宾语的一种"处置"。对这种提法,语法学家历来有争议,这里不讨论,仅就对外国人教语法而言,用"处置"这个概念来表述"把"字句的语法意义,不客气地说,没有用,等于没说。宋玉柱先生多年思考以后,近年提出他对"处置"的新见解:"句中谓语动词所表示的动作对'把'字介引的对象施加某种积极的影响,从而使得该对象发生某种变化,产生某种结果,或处于某种状态。"①这个提法在语法学界受到好评。现在的问题是:即便是这样的界定,外国学生也容易把它同"使"字句表示的意义混同起来。比如《现代汉语词典》解释"使"的"让;叫;致使"意义时举的一个例子是:

土地改革使农民从封建剥削制度下解放了出来。

这个句子里的"使"若换成"把"完全自然。这是为什么呢?因为"使"字句的意义与"把"字句的意义在一定程度上具有同一性:都是"使对象发生某种变化,产生某种结果,或处于某种状态"。但这种同一性也不过仅此而已。实际上,上引例句用"把"和用"使"性质完全不同:用"把"时,全句的主语是"土地改革","解放"是它的动词谓语;如用"使",那么"农民"就成了"使"的受事宾语,"解放"就成了"农民"的谓语,是"农民"自己完成或实现"解放"的行为。这样,虽然性质不同,但用"把"和"使"语义上都能各自成立。

正是在这一点上,第三类偏误中的例句与上引《现代汉语词典》中的例句不同:农民可以自己实现"解放",或者说是"农民"自己"解放"自己;但例①中"他"不能"赶走"他自己,例②中用"使"就变成"她""弄醒"了自己。其余三例同样,用了"使"以后语义结构就都不能成立了。

抽象和概括都有程度或层级的问题。用抽象的概念来界定

---

① 参见宋玉柱《现代汉语语法基本知识》,语文出版社1992年版,第117页。

语法意义在汉语语法研究中是必由之路,但对没有或很少有汉语语感的外国人来说,其指导言语实践的价值是有限的。不仅如此,它还有可能产生误导。因为它很抽象,所以概括的对象就多,外国人就很容易把那些相近而不相同但却与抽象的界定相符合的不同的语法意义视为同一。按这样的理解去组装句子、连句成篇、编织话语,就很容易出现偏误。这里分析的第三类偏误看来就是这么造成的。

第五节 外国学生汉语语法功能偏误分析[①]

一 功能型语法偏误的含义

(一)在对外国学生的汉语语法偏误进行分析时,我们发现有一类语言偏误属于语言单位的语法功能的违规使用,主要包括"越职使用",即超出其职能范围;"越位使用",即出现在不该出现的位置,从而造成句法结构之间、句法成分之间、词类与句式之间、句法意义之间等的"违规同现"现象。我们把这类语法偏误现象称作功能型语法偏误,并试图通过对这类偏误现象的梳理和归纳,寻求"违规同现"现象背后是否有某些规律性的东西。

(二)留学生学习汉语过程中常常会说出或写出令人瞠目的句子。所以出人意外,原因之一就是他们把本不该同时出现

---

① 本文原标题为"功能型语法偏误中的'违规同现'现象探析",作者武惠华。原载《中国对外汉语教学学会第七次学术讨论会论文选》,人民教育出版社 2002 年版。

在一个句子中的语言成分组合到一起,违背汉语的语言规律。其中,有许多"违规现象"是成系统的、有规律的。我们所要探讨的功能型语法偏误即属于这种情况。著名第二语言教学研究专家,英国的皮特·科德(S. Pit Corder)曾经说过:"学生带着交际的意图使用自然语言;他们成功与否,则是另一回事。因此,我们必须假定,他们的语言是有系统的。对错误进行描写所依据的假设是,错误乃是某种体系的证明,这种体系不是目的语的体系,而是某种'别的'语言的体系。对那种'别的'语言进行描写,正是错误分析的理论目标。"[①]他还说:"错误分析的关键在于语言的系统性,因而也在于错误的系统性。如果不根据这一假设出发,没有人会问津错误分析这项工作。""对于没有系统性的东西是无法进行描写和解释的。"[②]我们试图寻找留学生语言偏误中这类有规律的违规现象。

(三)本文所引用的误例,除了来自本人搜集的外国留学生的错误语料外,还利用了杨庆蕙《现代汉语正误词典》和李大忠《外国人学汉语语法偏误分析》两书提供的例子。[③] 对误例的分析主要采用朱德熙的《语法讲义》作为语法框架。[④] 吕叔湘主编的《现代汉语八百词》对所收词语的语法功能、语法意义的阐述,特别是对每一个词具体用法的说明,亦是我们进行偏误分析的

---

① 参见 S.皮特·科德《应用语言学导论》(中译本),上海外语教育出版社 1983 年版,第 259 页。

② 同上,第 261 页。

③ 参见杨庆蕙主编《现代汉语正误词典》(供外国人用),北京师范大学出版社 1993 年版;李大忠《外国人学汉语语法偏误分析》,北京语言文化大学出版社 1996 年版。

④ 参见朱德熙《语法讲义》,商务印书馆 1982 年版。

重要依据。① 下文若非直接引用,恕不一一注明。

二 功能型违规同现的类别

(一) 述宾结构中述语的违规误用

a. 她的脸又红又圆,似乎苹果。
b. 很多小国修过长城,周围他们自己的国家。
c. 晚会上,小伙子们都目不转睛这个漂亮的姑娘。
d. 我从小就很恐怖蛇。
e. 我也想去旅行很多地方。
f. 出国以前,她离婚了她丈夫。

词类是按照语法功能划分出来的类别。语法功能指的是词在语言结构中的活动能力,具体表现为词与词相组合的能力,以及词在句子里担任一定职务的能力。使用时超越词的语法功能,就会出现功能型不可同现的错误。a 中的"似乎"是副词,副词唯一的职能是作状语,而不可能带宾语。b 中的名词"周围"无法充当述语,更不能带宾语。c 中的"目不转睛"是陈述式的四字成语。汉语中的成语结构复杂,在句子中可以作定语、谓语、状语、宾语和补语,而不能形成述宾结构。即使是诸如"视而不见"、"充耳不闻"这样一些动词性的成语后边,一般也不能带宾语。以汉语为母语的中国人在使用成语过程中,极少会出现成语后边带宾语的错误。② 而针对外国人编写的《现代汉语正

---

① 参见吕叔湘主编《现代汉语八百词》,商务印书馆 1980 年版。
② 参见杨庆蕙主编《现代汉语正误词典》(供中国人用),湖南出版社 1995 年版。

误词典》中就收了21个这样的误例。留学生让四字格的成语硬带上宾语,这是功能误用,是"违规同现"的一个典型情况。至于形容词、不及物动词和动宾结构动词后边能不能带宾语,能带什么样的宾语,情况则比较复杂。朱德熙认为:"不及物动词和形容词作述语,只能带准宾语,不能带真宾语。有些形容词能带真宾语(巩固国防,严格手续),应看成兼属形容词和及物动词两类。"①吕叔湘排除了非谓形容词和状态形容词带宾语的可能。②李泉曾对1 230个性质形容词作过定量分析,分析结果表明,即使是性质形容词能带宾语的也只有170个,只占总数的13.82%。③至于不及物动词能带什么样的宾语,研究者的表述不尽相同,有"非受事说"④、"准宾语说"⑤、"非客体说"⑥,等等。具体而言,应指动量宾语、时量宾语和数量宾语等。按照上述标准,d和e中的形容词"恐怖"和不及物动词"旅行"都因带了真宾语而"违规"误用。李大忠曾前后两次对动宾结构动词进行考察研究,发现动宾式动词有逐年增多的趋势。⑦ 其中,不带宾语的居多,约占63%。可以带宾语的动宾式动词诸如"抱恨"、"动员"、"浪迹"、"无关"、"留神"等,都是常见于书报刊的。高更生对动宾式动词与宾语的搭配规律进行过讨论,认为动宾式动词

---

① 参见朱德熙《语法讲义》,商务印书馆1982年版。
② 参见吕叔湘主编《现代汉语八百词》,商务印书馆1980年版。
③ 参见李泉《"形+宾"现象考察》,载《词类问题考察》,北京语言学院出版社1996年版。
④ 参见刘月华《实用现代汉语语法》,外语教学与研究出版社1983年版。
⑤ 参见朱德熙《语法讲义》,商务印书馆1982年版。
⑥ 参见林杏光、鲁川《动词大辞典·序言》,中国物资出版社1994年版。
⑦ 参见李大忠《外国人学汉语语法偏误分析》,北京语言文化大学出版社1996年版。

可带的宾语包括对象、处所、原因、受事、施事、致使、目的以及谓词性宾语等。他指出：带什么样的宾语，取决于动宾式动词和宾语的语义类型和宾语的语义特征。① f 中的"离婚"即属于不能带宾语的动宾结构，学汉语的留学生让这类不能带宾语的动宾式动词硬带上宾语，造成言语偏误。这种偏误带有相当的普遍性，尤其是 c、d、e、f 类偏误。

（二）述补结构中的述语或补语的违规误用

　　a．香山的秋天，草木红叶得挺漂亮。
　　b．她的脸红红得像苹果。
　　c．他卷裤子起来进河去了。
　　d．孩子听了清楚妈妈的话，有点儿不高兴。
　　e．我们看见到司机快快开车，非常害怕。

述补结构是外国学生学习的难点，因为诸如可能补语、趋向补语之类的语言结构，是很多学生的母语当中没有的。外国学生以他们所掌握的有限的汉语语法知识来组合述补结构，常会出现各种偏误。a 句中的"草木红叶"是名词的联合结构，在带"得"的补语前充当述语，这属于"越职行事"。因为"得"字句作述语的只能是动词和形容词。b 句中的形容词"红"重叠后作述语，又带了状态补语，这是不符合汉语规律的。汉语里无论是动词重叠还是形容词重叠之后，都不能这样用。② 也即动、形重叠式作述语不能与带"得"的补语同现，否则即是违规同现。究其

---

① 参见高更生《"动宾式动词＋宾语"的搭配规律》，《语文建设》1998 年第 6 期。
② 参见李临定《带"得"字的补语句》，《中国语文》1963 年第 5 期。

原因，动词重叠后所形成的 VV 式表示将然、假然或常然，而状态补语中的动词或形容词表现的事实一般来说是已经发生的，从而造成述语的"未然"与补语的"已然"在时态上的冲突。为避免时态的冲突，"被"字句和"把"字句也不能和可能补语同现于一句。形容词重叠后形成的 AA 式 ABAB 式或 AABB 式，已经是生动化的形式，具有很强的描写性，它排斥后面具有相同作用的状态补语，以免造成冗义。c 句在动词"卷"和由复合趋向动词构成的述补结构中间加进了宾语"裤子"，形成动宾结构带趋向补语。动宾结构不仅不能和趋向补语同现，也不能和结果补语、可能补语、状态补语和程度补语同现，原因在于动词和补语所形成的述补结构具有极强的向心力，它不容许任何成分介入其间。① 带复合趋向补语的动词必带宾语的话，可以通过介词"把"，把动词宾语移到动词之前，或者放到复合结构补语之间。状态补语可以通过重复动词来保持述补结构的向心力。带结果补语、可能补语和带简单趋向补语的动词，则可以把动词的宾语移到整个述补结构之后。d 句中的"听清楚"是结果补语，但是动补之间出现了表示动态的助词"了"，造成了动词加"了"其后再带补语的违规组合。与述补之间不能出现宾语的理由一样，动补之间也不能插入"了"、"着"、"过"。假如出于表达的需要，必须出现"了"和"过"时，它们应该处在述补结构之后。而表示持续状态的"着"，由于所表达的时态和结果补语、状态补语、趋向补语和可能补语所表达的已然或未然时态互相冲突，因而

---

① 参见李大忠《外国人学汉语语法偏误分析》，北京语言文化大学出版社1996年版。

与述补结构无法同现。e句中的动词"看见"是表示结果的动结式动词,但是它后面又出现了表示结果的"到",造成两个结果补语同现于动词之后,这种同现也是违规的。

(三)主谓结构中的谓语成分的违规误用

　　a. 去年夏天,我在桂林的留学很短期。
　　b. 我不见得他会来。
　　c. 那位漂亮的妇女很风度。
　　d. 我把骂他的事情后悔了。
　　e. 我的衣服被雨湿了。

在这五例中,充当谓语的分别是非谓形容词、副词、名词、不及物动词和形容词。a中的"短期"是非谓形容词。顾名思义,它是没有资格作谓语的。学生误用它,是把它当成了形容词。李宇明用连续性的观念,在定语的范围内,就空间、程度、时间三个维度考察非谓形容词、一般形容词和动词等的差异与联系之后发现:"非谓形容词的空间性、程度性和时间性的值都几近于零,其地位处在名、形、动的临界点上。此种地位造成了非谓形容词的高增殖率、功能的易游移性以及与名、形、动三个词类构词方式相仿而词性有异等特点。"[①]非谓形容词的主要功能是作定语而不能作谓语,把非谓形容词当作形容词而用作谓语即是功能越职违规,出现这种情况的原因可能就是因为非谓形容词与形容词构词方式相仿,致使学生误用。b中的"不见得"是副词,副词一般不能充当谓语。学生误把它当作动词放到了谓语位置上,使其功能越职造成偏误。c句中的"风度"是名词,因为

---

① 参见李宇明《非谓形容词的词类地位》,《中国语文》1996年第1期。

它不属于表示人的年龄、籍贯、身份等一类词,因此它不能以谓语的身份直接出现在主语后。d 句中的"后悔"是不及物动词,却成为"把"字句中的谓语动词。"把"字句的作用在于引出受事,主语和宾语必须以施受关系同现于介词"把"的前后,这就要求句子中的谓语动词必须是及物动词。"把"字句的语法意义多数情况在于强调主语对"把"后的宾语进行处置,这又要求动词前后必须有别的成分来体现处置的结果,而此处的句末"了"不能起到这个作用。e 句中的"湿"是形容词,它出现在"被"字句里充当谓语,显然不符合"被"字句对谓语提出的要求。"被"字句的作用在于引出施事(尽管施事常常可以省略)。决定"被"字句能否运用最关键的是动词,能用于"被"字句的动词都是有处置性的。e 句中的形容词"湿"不能带宾语,亦无处置意义,因此担当"被"字句谓语动词亦属"违规"。"把"字句和"被"字句是外国人大量出错的地方,多数错误又在于选不准处于谓语位置上的动词,换言之,错因往往在于词语的功能违规误用。

(四) 偏正结构中修饰语和中心语的违规同现

a. 如果学生已经大人,老师最好让他们承认自己的错误。

b. 在日本,除了赶紧的人以外,人们都不愿意坐很挤的公共汽车。

c. 我不恐怕他来,又给他打了电话。

d. 他承认他拿走了你的车钥匙,问题不是很明明了吗?

e. 长城在北京特别北的地方。

a 句中的时间副词"已经"修饰名词"大人"是错误的。因为副词是只能充任状语的虚词,除"刚六点"、"才两块钱"等兼有谓词性的数词、数量结构以及数量名结构可以受副词修饰外,一般来说,副词后的中心语应该是谓词性的。① b 句中的"赶紧"是表示动作行为发生迅速、不容迟延的副词,它带上"的"后修饰名词,作介词"除了"的宾语。副词作修饰语时,它后面若带助词,应该写作"地",中心语当是动词或形容词。"的"若和修饰语结合的话,修饰语必然是定语。副词是不能充当定语的。而"赶紧的人"这一偏正结构,无论着眼于前者还是着眼于后者,都是无法满足要求的。学生误把"赶紧"当作了形容词,造成不该同现的偏正结构。c 句中的否定副词"不"一般不能同包括"恐怕"在内的语气副词无间隔连续同现,否则即为违规同现。d 句中的程度副词"很"修饰语气副词"明明",用在反问句当中,同样也是错误的。因为程度副词的语法功能是修饰形容词以及少数动词和述宾结构,它无法和"明明"无间隔连续同现。e 句中的程度副词"特别"修饰方位词"北",也属于越职行事。因为方位词属于体词,它主要用于名词或名词性短语后边形成定中偏正结构,或者置于介词后边形成介宾结构,不能受程度副词修饰。上述五个误例的问题都出在副词上面。实际上,对于外国学生来说,了解副词只能作状语不是太难的事,问题在于学生不知道或记不住该怎么区分不同的词类。当然,对副词内部各小类的语法功能不甚了了,也是误例常出的原因。

---

① 参见朱德熙《语法讲义》,商务印书馆 1982 年版。

(五) 动词重叠式与相关成分的违规同现

a. 我尝尝着小点心的时候,就想妈妈。
b. 吃完生日饭,我们还跳舞跳舞。
c. 每个周末,我去琉璃厂学习弹弹琵琶。
d. 我们去王府井买东西,逛逛的商店都有很多人。

动词重叠是重要的语言现象之一,它的作用主要是调整动词的时量和动量。重叠后的动词与动词基本式相比,在语义和句法上表现出很大差异。它表示动作行为持续的时间短、反复的次数少,比基本式更具动态性。正由于这个特点,使它在充当主语、宾语和定语时受到很大的限制。学生在使用动词重叠式时,把握不了它所受到的种种限制而屡屡出错。a 句中的"尝尝"后边出现了动态助词"着",属于违规同现。因为"动词重叠式与动后时间成分的共现能力极弱,除'了'之外,几乎不能有动后时间成分出现。动后时间成分主要与'体'有关,这说明动词重叠不能再有经历体、进行体、附着体、开始体和继续体等"①。与此相应,一些在重叠的动词前表示时间的状语也不能与之同现,如"曾经""从前""已经""正在""即将"等。动词重叠式与动后时间成分不可同现,其原因在于两者所表达的语法意义互相冲突。表示短时的"尝尝"与表示持续的"着"就存在着矛盾,因为不带"了"的动词重叠式只能表示动作行为将要发生、可能发生或经常发生,而这三种时间体都和已经开始、尚未终结的持续体所表达的意义不一致。b 句中的"跳舞"重叠后作谓语,它并没超出职能范围使用,而是错在重叠方式上。由动宾结构形成

---

① 参见李宇明《动词重叠的若干句法问题》,《中国语文》1998 年第 2 期。

的离合动词在重叠时,大多数只能重叠前边的动词词素,后面的名词性词素不能重叠。外国学生因为没有把握离合动词的这一特点,因而出错。c 中的"弹"重叠后可以带宾语"琵琶",但不能再共同作"学习"的宾语,动词重叠式作宾语受到很大的限制。从目前的研究情况看,能够带动词重叠式作宾语的仅限于三类极少数的动词,即"是""算""等于"一类判断性动词,"让""叫"一类使令动词和"讲""说""打算"等动词,因为这些可以带小句的动词,或对宾语几乎没有特殊要求,或要求其动词宾语具有动态性,或不会损抑其后动词的动作性。① "学习"的词义决定了完成自身行为所需的时间是非短时的,它不能跟表示短时的"弹弹"共现。d 中的"逛逛"加上"的"后作"商店"的定语,这也是不合汉语规则的,因为动词重叠式一般不单独作定语。它若充当定语,必须满足下列两个条件之一:必须两个或两个以上动词重叠式连用;带有其他修饰成分。② 满足前者则有语义上的特殊要求,满足后者,对修饰成分也有限定。

(六) 句尾语气词"吗"和"呢"的违规误用

    a. 你每天几点睡觉吗?

    b. 你想去上海还是杭州吗?

    c. 你有没有录音机吗?

    d. 他大概不回来了吗?

    e. 明天你到底去颐和园吗?

    f. 人们常问我:"日本的女人结婚后,不工作呢?"

---

① 参见李宇明《动词重叠的若干句法问题》,《中国语文》1998 年第 2 期。
② 参见李珊《双音动词重叠式 ABAB 功能初探》,《语文研究》1993 年第 3 期。

语气词是后置虚词,它无法脱离句子或句子谓语而独立表情达意,因此它是与句子或句子成分同现率最高的词类之一。具有初、中级汉语水平的留学生不太容易掌握各种句尾语气词的用法,因此常采取回避策略,尽量不用或少用。而"吗""呢""吧"是他们常用的语气词,致使这几个词出错的几率更高些,尤以"吗"出错最多。这三个词经常出现在疑问句和反问句中,这两类句子的内部又可以划分出不同的小类。与"吗"同现的句式绝不与"呢"同现,反之也是一样。请见下表:

表3-6

	疑问句				反问句		
	是非类	特指类	选择类	反复类	难道类	大概类	何必类
吗	√	×	×	×	√	×	×
呢	×	√	√	√	×	√	√
吧	√	×	×	√	√	×

可见,这两个语气词所依附的句式是互相排斥的,而它们在疑问句和反问句中所起的作用是互补的。"吧"的位置有时和"吗"一样,有时和"呢"一样。但是在表达意思时,却蕴含了说话者不同的态度。"吗"与"吧"都可以出现在是非问句中,用"吗"时是说话者不知而问,用"吧"时是说话者已知而求证。"吧"用于特指问、选择问和反复问时,实际表达的是祈使语气,朱德熙称之为"吧$_2$"。① 在表示估计、揣测的"大概"类反问句中,用

---

① 参见朱德熙《语法讲义》,商务印书馆1982年版。

"吧"表示说话者不肯定的语气要甚于用"呢"。外国学生很难准确把握上述三个词在使用过程中的细微差别,难免会出现上述错误。a、b、c、d句分别是特指问、选择问、反复问和表示估计、揣测的反问句,它们都不能与"吗"同现。e形式上是个是非问句,但是句中有表示进一步追究的副词"到底",实际上表达了让听话者选择的意思,因此"吗"也不能和"到底"同现。f句是个是非问句,"呢"不能与它同现。

三 结语

在一个汉语句子中,哪些语言单位可以同现,哪些不能同现,对于用母语进行表达的中国人来说,不会出现太离谱的错误。因此,现有的针对中国人编写的汉语教科书和辞典,在这个问题上都没有专门的论述。但是在一些语法专著或论文中,不少人却不同程度地涉及了这个问题。比如朱德熙在谈到语气词的使用时提到"同属一组的语气词不能共现"。[1]《现代汉语八百词》在说明词语用法时,经常使用"必带××"或"不能带××"的表述方式,实际上就是指出汉语句子中必须同现或不可同现的规律。近年来,研究同现关系的论著日渐增多,比如对谓语动词与前现词语的语义同现关系的研究,对谓语动词与后现名词的语义同现制约的研究[2];关于"狭义共现约束"与"广义共现约束"对语言理解的作用的研究[3];关于"形名同现及形容词的向"

---

[1] 参见朱德熙《语法讲义》,商务印书馆1982年版。
[2] 参见马庆株《汉语动词和动词性结构》,北京语言学院出版社1992年版。
[3] 参见张国宪《"V双+N双"短语的理解因素》,《中国语文》1997年第3期。

的研究①。此外，马庆株在《结构、语义、表达研究琐议》一文中提到的关于能愿动词小类共现时的排列规则、形容词小类排列时的共现规则、谓宾动词小类之间及其与体宾动词共现时的排列规则等研究成果，则是更加深入地探讨了制约语言单位组合的种种因素。②

　　对汉语句子中不可同现的现象进行研究，是对外汉语教学面临的一个课题。理论研究和教学实践都表明，汉语句子中词和词组是句法结构中最重要的语法单位，它们的同现关系是选择性的一种表现，既有词汇上的选择，也有语法上的选择。信息发出者和接收者都必须遵循共同的信息处理原则，同现规则是其中重要的原则之一。违背同现规则，就会出现错误组合。揭示违规同现现象背后所隐含的规律，并且在课堂教学和教材编写中把这些不能组合的规律和原因告诉学生，可以有效地弥补只从正面去教学生语言单位组合规律的不足。也就是说，一方面告诉学生什么样的组合和同现是合乎汉语规律的，另一方面从反面告诉学生什么样的组合和同现是不符合汉语规律的，这样可以大大提高我们的教学质量和教学效率。当然，要系统地找到"违规同现"的规律并非易事，但我们认为从学生的大量语言偏误入手应该是可行的，也应是偏误分析的一个重要方面。

---

　　① 参见刘丹青《形名同现及形容词的向》，《南京师范大学学报》(社科版)1987年第3期。
　　② 参见马庆株《结构、语义、表达研究琐议——从相对义、绝对义谈起》，《中国语文》1998年第3期。

第六节 韩国学生语法偏误分析[①]

母语不同的学生学习汉语,由于母语的干扰不同,所产生的偏误也不尽相同。深入细致地分析不同母语的学生所产生的不同偏误,对于加强教学的针对性、提高教学质量、编写专门的针对性的教材都大有裨益。

韩国语在历史上虽然受到汉语较大的影响,从汉语中借用了大量的汉字,据称现代韩国语中仍有 70% 的汉字词,且其意义与现代汉语的词义相同相近者居多,但其语言类型与汉语很不相同。韩国语不像汉语主要依靠虚词和语序表达语法关系,它主要依靠附加成分(词尾)表示语法关系。其句子成分的排列顺序不十分严格,必要时可以调换,语序变了,只要词尾不变,句子成分就不变。韩国语的这些特点,使得韩国学生学习汉语时较容易掌握汉字及词汇,而较难掌握词的语法功能及句法结构。

本节将着重分析韩国学生在学习中所出现的典型的语法偏误。

一 句法成分的偏误分析

(一)汉语中用时段表示动作持续的时间,在句法上往往用补语来表达。比如:

[①] 本文原标题为"韩国学生汉语语法偏误分析",作者肖奚强。原载《世界汉语教学》2000 年第 2 期。

① 我在北京工作了三年。
② 小李在美国生活了五年。

汉语用时点表示动作的开始或结束,在句法上往往用状语来表达。比如:

③ 我每天八点到学校。
④ 八点上课,他八点一刻才到。

韩国语中因没有补语,时点和时段都以状语表达。这就易使学生误以为汉语里表示时点、时段的状语和补语没有什么差别。因而常出现状语、补语颠倒的情况。比如:

⑤ 我三年学习汉语了。
⑥ 我差不多五年住在他家隔壁。
⑦ 我想知道他看电影星期一下午还是星期二下午。
⑧ 他大概来五点。

前两例是时段补语误作状语,后两例是时点状语误作补语。

(二)将不及物动词用作及物动词,把本该以介词引导作状语的成分误作不及物动词的宾语,是韩国学生常见的语法偏误。比如:

⑨ 如果你再说假话,我以后就不交往你了。
⑩ 我着急你弟弟的健康。
⑪ 我妹妹失败了大学入学考试。

这三例中将"交往"、"着急"、"失败"误作了及物动词,句中的"你"、"你弟弟的健康"、"大学入学考试"应分别由介词"和"、"为"、"在……中"引导,置于谓语动词之前充当状语。

与此相似的是学生在使用汉语所特有的所谓"离合词"时，常将离合词误作及物动词，把该由介词引导的成分误作宾语。比如：

⑫ 我毕业淑明女大以后，……

⑬ 今天总长握手我。

⑭ 我告诉你，你可要保密我。

对外汉语教学界对离合词的教学已有足够的重视，陆续发表了一些文章，并出版了专门的词典。笔者认为，学生之所以在离合词上容易出错，关键在于把短语性质的离合词简单地等同于及物动词。其实离合词在带时态助词、趋向、时量、动量补语时的句法功能基本上与一般的动宾短语的句法功能相一致，教与学双方对这一点如有充分的认识，偏误一定会减少许多。比较棘手的问题是离合词常常带有关涉对象，这些对象该由什么样的介词引导，不同的离合词有不同的要求，其中大有讲究，不能一概而论。这应该是离合词的教学重点。而这一点似尚未引起充分注意。比如，讲求实用的《现代汉语离合词用法词典》的"毕业"条虽然收有该词带状语的例子："你该什么时候毕业？""他已经毕业了。"但没收带介词短语作状语或补语的用例。①比如：

⑮ 我三年前从南京师大毕业。

⑯ 我三年前毕业于南京师大。

---

① 参见杨庆蕙主编《现代汉语离合词用法词典》，北京师范大学出版社 1995 年版。

例⑮是较随便的口语,例⑯用于较正式的语体,二者都是常用句式。像这样的常用句式,词典中不收,其实用性将大打折扣。再如:"拌嘴"、"报警"、"报名"等条目,该词典也没有收入相应的带有关涉对象的例句。如:"和……拌嘴"、"帮……报警"、"替……报名"等。这不能不说是一个缺憾。有人认为和介词短语组合是动词的基本功能。而某类词的基本功能语法书或教材是不必一一罗列的,否则,篇幅将不胜其大。但是如果一些动词(短语)与何种介词短语组合很有个性,我们却强调全体动词与介词短语组合的共性,这于教学与研究究竟有多少帮助,很值得深思。套用计算机界朋友的话就是,现在的语法研究出来的东西,对本族人来说太繁;对计算机自然语言处理来说又太简。第二语言习得与计算机自然语言理解有一个很大的相似之处,那就是二者都不能像本族人那样"意会"我们以为用不着讲的语法规则。所以我们应该对那些本族人习焉不察而外国人易产生偏误的地方多加注意并给以适当的描写和说明,以适应对外汉语教学的需要。如果我们的教材、词典和教学人员都能从句法功能上注意离合词和动宾短语的相似之处、离合词和离合词之间的相异之处,那必将会使学生这方面的偏误大为减少。

(三)介词短语的偏误,除了上节涉及的该用而没用的情况以外,还有一种情况也比较突出,即往往把该作状语的误作补语。如:

⑰ 如果你去买东西,顺便买给我一本书。

⑱ 这本书一定要还给图书馆到后天。

⑲ 他躺着在床上看书。

⑳ 我有约会在公司门口。

这几例中的介词短语"给我"、"到后天"、"在床上"、"在公司门口"都应放在句中谓语动词的前边作状语。值得注意的是"买给我一本书"作为陈述句是合法的，而作为祈使句则不合法，这和动词的次类有关。"买"类获取义动词不能以"V＋给＋O＋O"的结构表示祈使义。例⑰修改成合法的祈使句有两种可能：(1)给我买一本书。(2)买一本书给我。(1)是"帮/替我买一本书"，(2)是"买一本书送给我"。例⑰的原义是(1)，不是(2)。从"买给我一本书"的成句功能我们可以看出，不同句类对短语有不同的要求。换言之，短语对不同的句类有不同的适应能力。考察短语的成句能力，是个既有理论意义又有实用价值的课题。

（四）韩国语中状语的位置较自由，可以在主语前，也可以在主语后。而汉语有些状语的位置不很自由，一些副词作状语只能在谓语动词前，而不能在主语的前边。韩国学生由于母语的干扰，在这方面常常出现偏误：

㉑ 他们的政治地位比以前高得多，但是还是城里人看不起他们。

㉒ 快要天冷了，我要一件毛衣。

㉓ 经过一年多的学习，终于他的汉语实力提高了。

㉔ 我家院里有很多花木，一到春天就花开了。

其中的"还是"、"快要"、"终于"、"就"，应分别放在主语"城里人"、"天"、"他的汉语实力"、"花"的后边。

二 形容词（短语）的偏误分析

（一）汉语中的单音节形容词作定语、状语，不用结构助词，而双音节形容词或形容词短语作定语、状语,一般要用结构助词,除了少数几个例外,如"许多"、"好多"。这些内容在初级汉语中就已学到。学生如果掌握不好,极易混淆而产生偏误:

㉕ 她们两个人是最好朋友。
㉖ 她们快乐照着相。
㉗ 中国平民有好多的特点。
㉘ 他站在那儿呆地望着。

前两例中的"最好"、"快乐"后面应分别加上结构助词"的"和"地"。后两例中的"好多"、"呆"后面则不应带结构助词"的"和"地",前者的"好多"不带"的"是双音节中的特例,后者的"呆"不带"地/的"则是单音节形容词作状语或定语的一般规律。教学中如果不将一般规律和特例都教给学生,学生极易产生混淆。

(二)形容词一般不能单独作谓语,作谓语时一般得是一个短语,即要么前加程度状语,要么后加程度补语。不了解这一点,就容易产生偏误。比如:

㉙ 他很用功,所以他的成绩总是好。
㉚ 他可能不参加我们的宴会,因为他常常忙。

这两例的"好"和"忙"前都应有一个修饰性的程度副词,句子才能站得住。

(三)与缺少状语或补语的情况相反,有的偏误往往叠床架屋,造成重复:

㉛ 没想到我们这么很快就见面了。
㉜ 我家的花都开了,都很漂亮极了。

㉝ 他的身体比较胖胖的。

例㉛中的"这么"和"很"、例㉜中的"很"和"极了"都应该删除一个。例㉝要么说"比较胖",要么说"胖胖的",不能说"比较胖胖的",因为形容词重叠后不再受程度副词修饰。

(四)形容词有时可作动词用,表示情况的变化,如:"苹果红了。""天气暖和了。"但这时的形容词一般不能再受程度副词的修饰。这也是常常出现偏误的一个方面:

㉞ 这下很糟糕了。
㉟ 老师您到韩国来教我们,很辛苦了。
㊱ 昨天我累了,所以今天起得很晚了。

但是我们发现,句中如果用了时间副词"已经",程度副词就可和"了"同现。如:

㊲ 我已经很累了,你不要再来烦我了。
㊳ 他已经起得很晚了,你比他起得更晚。

我们同时注意到,含有"已经"的程度副词与"了"同现句只能作为始发句,说明原因、理由或充当比较对象,它必有后续句,否则不能自足。这些复杂的句法、语义关系,教学人员必须"心中有数",才能提高教学的针对性。

(五)汉语的程度副词可分为绝对程度副词和相对程度副词两大类。前者如:很、挺、非常、十分等,后者如:更(加)、还(要)、稍(微)、最等。所谓"绝对",是说这类副词与形容词组合后语义是自足的,如:很好、非常漂亮。所谓"相对",是说这类副词与形容词组合后需要有比较对象语义才能自足。这些比较对象有的是上下文或语境隐含的,如:他更漂亮了。这句话的意思或者是"他比以前更漂亮了"或者是"他比某人更漂亮了",总之,不管是哪种意思,"他更漂亮了"都隐含比较对象。有的比较对象则在句子中同现,如:他比我还要努力。在表达中隐含比较对象的相对程度副词的句法功能与绝对程度副词的句法功能相同,如:"朴顺姬念得很好。""韩恩荣念得更好。"这就容易使学生误以为两类副词的句法功能相同,因而会出现如下偏误:

㊴ 今天比昨天很冷。

㊵ 我这个星期比上个星期忙得很。

同是相对程度副词,句法功能也并不一样。"更(加)"、"稍(微)"既可用于显性的比较,如:"他比我更好。""小李比我稍高一点儿。"也可用于隐含的比较,如:"上海更大。""北京稍微冷一些。"但"还(要)"只能用于显性的比较,如:"我比他还高。"不能用于隐含的比较,比如,不能说:"我还高。"如果我们在教学中不能从句法、语义方面分析清楚,学生极易将某些(个)词的句法功能泛化,而产生偏误。

李大忠认为偏误的(39)例可修改为如下说法:[①]

㊶ 今天比昨天冷得多(了)。

㊷ 今天比昨天冷多了。

㊸ 今天比昨天冷得不得了。

㊹ 今天比昨天冷极了。

---

① 参见李大忠《外国人学汉语语法偏误分析》,北京语言文化大学出版社1996年版。

他认为㊶—㊹都是可接受的合法的汉语句子。我们认为㊶、㊷可说,而㊸、㊹不可接受。其原因就在于"冷得多(了)"、"冷多了"是相对程度,它们需要比较对象,故能用于"比"字句;而"冷得不得了"、"冷极了"表示的是绝对程度,语义上不需要比较对象,所以不能用于"比"字句。李文正是没有注意到二者的这种区别,才误以为㊶—㊹都是可以说的。

三 特殊句式的偏误分析

汉语中的一些特殊句式,如"把"字句、被动句、"连"字句等,外国学生不容易熟练掌握。韩国学生受其母语的影响,在这些句式上所产生的偏误亦有其自身的特点。下面分述。

(一)韩国语的基本语序是主宾谓,即宾在谓前。因而韩国学生稍不留意,便会产生负迁移:

㊺ 我们一块儿学校去吧。
㊻ 祝您中国回去一路平安。
㊼ 每天下午我的房间打扫。

这样的宾语前置的偏误在韩国学生的作业中是经常可以看到的。与此相关的是"把"字句的运用。"把"字句是对外汉语教学的难点之一。但韩国学生一般认为"把"字句的学习对他们不成问题。他们以为"把"字句就是把宾语提前,而韩国语正是宾语在前,因此只要在韩国语的宾语之前加上"把"就可造出汉语的合法的"把"字句。但问题并不像想象的那么简单,因为韩国语中是宾语都在谓语前边,而汉语中并非任何情况都可用或需用"把"字的。韩国学生常泛化"把"字的使用规则,对不需"把"

字的情况也用“把”字句：

㊽ 请您把身体保重。

㊾ 政府把乡下人帮助了在经济、教育、文化等等方面。

㊿ 他写的把死去的爱人怀念的部分，让我非常悲哀。

(51) 今天你要是进城，就替我把两张电影票买。

(52) 朴英顺住院的时候很想看书，请你把一本书借给她吧。

例㊽、㊾、㊿中的谓语动词“保重”、“帮助”、“怀念”没有处置义，一般不能构成“把”字句，而类似的偏误在韩国学生中是经常见到的。例(51)、(52)也是对“把”字句的使用条件掌握得不好造成的。“把”字的宾语应是有定的，而这二例中“把”字的宾语都是无定的。另外，“把”字句的谓语动词不能是光杆形式。例(51)的偏误还在于句中的“买”只是个光杆动词。

有时应该用“把”字，学生偏误的句子中用的是主宾谓语序，但缺少“把”字，如：

(53) 请你这件衣服送给他。

(54) 我的照相机坏了，请你的照相机借给我用一下。

(55) 用了两个月的时间，我终于这件事完成了。

以上三例如果加上“把”字，都是正确的汉语句子。但我们不能简单地认为学生只是在这儿遗漏了一个“把”字。也许产生这些偏误的学生还没有掌握“把”字句的用法，以上例句只是母语主宾谓语序负迁移的结果。

（二）汉语中的被动句有的有标记、有的无标记。而韩国语中各种句法成分都是有标记的。受母语的影响，汉语“被”字的

使用往往被扩大,无标记被动句往往用上"被"字。如:

⑯ 韩国民族服装在图书馆被展出。
⑰ 作业被交给老师了。
⑱ 汉城地下铁路被建设的很好。
⑲ 我被动手术一个星期了。

(三)"连……也/都……"表示一种强调。这种强调常表示一种反常、出人意料的情况。比如:

⑳ 她连母亲都不认识了。

不管是她(女儿)不认识母亲,还是母亲不认识女儿,都是不正常的情况。所以,如果不是强调这种超常的情况,一般不需要用"连"字强调。请看偏误用例:

㉑ 他很健康,连什么运动都喜欢。

健康的人喜欢运动是很正常的事,不必用"连"来强调,用了反显别扭。

"连"字句大部分是否定形式,而否定词何时用"没",何时用"不",是学习的难点。一般说来,表未然用"不",表已然用"没",表持续的状态用"不"。请看偏误用例:

㉒ 今天早上,我连饭都不吃上学了。
㉓ 他每天连一分钟也没休息工作。

以上二例,"没"、"不"恰用颠倒了。例㉒说的是已然,该用"没";例㉓说的是持续的状态,该用"不"。"连"字句常常与别的动词连用,这时往往需要结构助词或副词连接,这也是学生易产生偏误的地方。比如,例㉓的"工作"之前缺结构助词"地",例㉒

的"上学"之前缺关联副词"就"。

一些结合得较紧的动宾短语,如"回头"、"洗脸"、"吃饭"等,用"连"字强调时应将其宾语提前,而将否定词置于动词之前,如:"连饭也没吃。""连觉也没睡。"这一点韩国学生大都掌握不好,常出偏误:

㉔ 他连回头也没有就回山上去了。
㉕ 他连洗澡都不洗就睡觉了。

也有将补语提到"连"字前边充当状语的,但这种偏误较少。如:

㉖ 回国以后,我给他连一封信也还没寄。

(四)"除了……以外"与"还/也"、"都/全"搭配,通常的解释是前者表加合关系,后者表排除关系,但学生对这一句式的掌握如果仅限于此,则会产生如下偏误:

㉗ 除了春节,什么节日你还知道?
㉘ 除了狗,我都喜欢猫。
㉙ 除了篮球以外,我都喜欢任何运动。

这是因为"还/也"与"都/全"不仅有语义上的差异,还存在句法功能上的不同:表加合关系的"还/也"句中的动词如果有语义上的受事,一般要求跟在谓语动词后边,而不能置于谓语动词之前,例㉗改说成"除了春节,你还知道什么节日"则没错;而表示排除义的"都/全"不能用于主语是单数的句子,所以例㉘不能说;当具有周遍性的词语作谓语动词的受事时,可用"都/全"表排除关系,但周遍性词语不能置于动词之后作宾语(如例㉙),必须前置为周遍性主语。例⑩可改为：

⑩ 除了篮球以外，任何运动我都喜欢。

这些由语义的细微差别而引起的句法差异，学生要全面掌握并熟练地运用并非易事。这首先需要我们的教材及施教人员能给以言简意赅的解释，但这方面可供直接参考或使用的成果并不多，值得进一步研究。

第四章
汉语语篇偏误分析

第一节 外国学生汉语语篇偏误分析综述[①]

一 留学生汉语篇章偏误研究综述

（一）20世纪90年代以前——汉语中介语篇章偏误研究的空白期

我国对外汉语教学界运用偏误分析理论对汉语中介语的研究始于1984年。这一年，鲁健骥在《语言教学与研究》上发表了《中介语理论与外国人学习汉语的语音偏误分析》一文，引起了对外汉语教学界的重视。此后，许多学者开始运用偏误分析理论对汉语中介语句法层面语音、词汇、语法的偏误进行细致、深入的研究，写出了大量论文，取得了一批成果。但令人遗憾的是，这一时期，对汉语中介语超单句结构的语篇层面的偏误分析还是无人问津。虽然，我国语言学界早在70年代末就有人开始介绍篇章语言学的理论（或称"话语分析"理论），到80年代末已发表了近百篇有关篇章语言学方面的论文，但这一切对对外汉

[①] 本文原标题为"篇章偏误及篇章教学研究综述"，作者陈晨。原载《汉语研究与应用》。

语教学界的影响几乎是微乎其微的,运用篇章语言学理论对汉语中介语中的偏误进行分析、研究基本上处于空白阶段。笔者认为,这种情况恐怕与我国语言学界长期以来只重字、词、句而忽视对超单句结构(篇章)的语法研究传统有很大关系。

不过需要指出的是,对外汉语教学界在这一时期虽然对于学生汉语中介语中的篇章偏误未进行具体的分析、研究,但对这一语言现象的发现是较早的,对这一问题的关注也是由来已久的。早在几十年前,许多对外汉语教师在教学实践中就发现学生在运用汉语时常常出现这样的情况:他们在学过一段时间的语音、词汇、语法之后,说或写单个句子时可以基本无误,可是如果让他们连续说或者写几个句子作成段表达时,便话不连贯,语无伦次。因此,早在70年代末80年代初,重视培养学生的成段表达能力就被列为对外汉语教学(尤其是中高级阶段)的基本任务之一。一些教师相继发表文章表示对此问题的重视。当时,对此问题从理论上阐述得最为深入的是1984年杨石泉发表的《话语分析与对外汉语教学》一文。[①] 他在文中指出:"我们过多地注意了句型的训练、单个句子的分析,而对句际关系、句子在连续表达中的作用与变化、语段(句群)的结构分析等重视不够,满足于句子正确,意思能懂。致使学生在语法阶段之后相当长一段时间内徘徊不前,这不能不说是一个重要原因。"他在文中还谈到了引入话语分析理论对对外汉语教学的作用及意义:"话语分析学研究话语的结构,解释话语的连贯性,十分切合对外汉

---

① 参见杨石泉《话语分析与对外汉语教学》,《语言教学与研究》1984年第3期。

语教学的要求。对于话语分析的精华,我们不妨采取'拿来主义',用以改造我们的教学。虽不敢期望整个教学面目一新,至少会使成段表达的训练建立在科学的基础之上,使之更富有成效。"

令人遗憾的是,对外汉语教学界虽然早在七八十年代有不少学者对汉语中介语在语篇层面上出现的问题有所关注并且也有学者提出要运用篇章分析(或称话语分析)的理论和方法来研究和解决这一问题,但在其后的近十年时间里几乎未有相关的研究文章出现。可以说,我们对于汉语中介语篇章层面的研究是滞后于对外汉语教学的要求的。

(二) 90年代初至今——汉语中介语篇章偏误研究的起步阶段

1. 对汉语中介语的篇章偏误分析在理论上的定位

如上所述,90年代前对汉语中介语的偏误分析基本上停留在语音、词汇、语法等中介语的静态层面,对语篇、语境和语用等动态层面的中介语的偏误分析基本没有涉及。这与长期以来中介语理论对于偏误的认识有一个从不成熟到逐渐成熟的过程,即仅从形式正确的标准判断其是否掌握到从包括句法、语篇、语境、语用等各方面的标准去判断其是否掌握有着直接的关系。

随着中介语理论对偏误的认识逐渐成熟,我国学者也注意到了对汉语中介语的偏误分析的理论的完善,并对篇章偏误分析进行了理论上的定位。1993年鲁健骥在他的《中介语研究中的几个问题》一文中指出:"形式上的'对'与掌握是两回事。掌握还是没掌握要放在更大的背景上去检验。更大的背景,一般可以指超单句结构、语境和语用。在这种情况下,形式上对的,如果不是真正掌握,往往就会前言不搭后语,在语用上就会不得体。"①1994年,他又在《外国人学汉语的语法偏误分析》一文中指出:"在很多情况下,特别是在中高级教学阶段,偏误不完全表现在形式合不合语法上,而是表现在篇章中。"②1996年,高宁慧在《留学生的代词偏误与代词在篇章中的使用原则》一文中说:"我们主张将偏误分为狭义和广义两种,狭义偏误指句法以内的偏误,广义偏误既包括句法以内的偏误,又包括篇章层面的偏误。"③1997年彭利贞在《论中介语的语篇层次》一文中认为:"我们提出中介语的语篇层次研究,目的是为了给中介语研究的其他层次做必要的补充。语言的静态研究和动态研究相结合的原则,要求我们在对中介语系统做在语音、词汇、语法诸层次静态研究的基础之上,从动态的角度对中介语进行综合的观察和分析。而语篇层次上的中介语研究,为这种动态的研究提供了有效的途径。"④这也就是说,既然汉语中介语包括非偏误性语言成分和偏误性语言成分两部分,那么,对汉语篇章偏误的分析就应归属汉语中介语语篇层次的研究范围,它为从动态的角度研究汉语中介语提供了有效的途径。2000年,鲁健骥又在《外国人学汉语的篇章偏误分析》一文中进一步指出:"汉语篇章偏误

---

① 参见鲁健骥《中介语研究中的几个问题》,《语言文字应用》1993年第1期。
② 参见鲁健骥《外国人学汉语的语法偏误分析》,《语言教学与研究》1994年第1期。
③ 参见高宁慧《留学生的代词偏误与代词在篇章中的使用原则》,《世界汉语教学》1996年第2期。
④ 参见彭利贞《论中介语的语篇层次》,《第五届国际汉语教学讨论会论文选》,北京大学出版社1997年版。

分析是对汉语中介语内部研究的扩展或称深化。"①

2. 这一阶段的主要研究成果

90年代起,对外汉语教学界对于汉语中介语篇章偏误的研究开始起步,至今已发表相关的研究文章十多篇。主要文章有高宁慧的《留学生的代词偏误与代词在篇章中的使用原则》,王绍新的《超单句偏误引发的几点思考》,杨翼的《汉语学习者的语篇偏误分析》,彭利贞的《论中介语的语篇层次》,田然的《外国学生在中高级阶段口语语段表达现象分析》和《从系统功能角度分析语篇教学》,何立荣的《浅析留学生汉语写作中的篇章失误》,林欢的《外国留学生的汉语篇章偏误分析》,罗青松的《对外汉语语篇教学初探》,杨德峰的《从复句形成过程及偏误等角度看副词的篇章功能》,王硕的《从日本学生的偏误谈汉语的指示代词》以及鲁健骥的《外国人学汉语篇章偏误分析》等等。②下面,我们从几个方面对这些研究成果进行归纳和总结。

---

① 参见鲁健骥《外国人学汉语的篇章偏误分析》,载《第六届国际汉语教学讨论会论文选》,北京大学出版社2000年版。
② 参见王绍新《超单句偏误引发的几点思考》,《语言教学与研究》1997年第4期;杨翼《汉语学习者的语篇偏误分析》,第五届国际汉语教学讨论会参会论文,1996年;田然《外国学生在中高级阶段口语语段表达现象分析》,《汉语学习》1997年第6期;田然《从系统功能角度分析语篇教学》,载《汉语速成教学研究》(第二辑),华语教学出版社1999年版;何立荣《浅析留学生汉语写作中的篇章失误——兼谈写作课的篇章教学问题》,载《中国对外汉语教学学会第六次学术讨论会论文选》,华语教学出版社1999年版;林欢《外国留学生的汉语篇章偏误分析》,载《汉外语言对比与偏误分析论文集》,北京大学出版社1999年版;罗青松《对外汉语语篇教学初探》,载《芝兰集》,人民教育出版社1999年版;杨德峰《从复句形成过程及偏误等角度看副词的篇章功能》,载《汉外语言对比与偏误分析论文集》,北京大学出版社1999年版;王硕《从日本学生的偏误谈汉语的指示代词》,载《汉外语言对比与偏误分析论文集》,北京大学出版社1999年版。

(1) 语料来源、数量和研究对象

这些文章的分析语料大多来自学生平日的作文、作业、练习和试卷,少量来自课堂上成段表达的录音等,提供语料的学生的水平大多为中级以上(其中,还有几篇文章未对语料来源进行说明)。从语料的数量看,大部分文章语料数量不够充足,仅有三篇文章搜集到的成篇语料超过了一百篇以上。从研究的对象来看,这些文章大多研究的是学生书面语言中的篇章偏误,但基本上未按学习者的母语背景的差别对语篇材料进行区分,从这一点来看,研究对象缺乏针对性。

(2) 对篇章基本结构单位的界定

在这些文章中对篇章的基本结构单位进行界定的仅有六篇。这六篇文章对这一问题的看法可分为三种观点:1)认为篇章的基本结构单位是小句。2)认为篇章的基本结构单位是句子。3)认为篇章的基本结构是小句或者句子。

(3) 研究的视角

从研究的视角可以把这些文章分为两种:一种是整体性的,从整体上分析、研究汉语中介语中的语篇偏误的类型及其产生的原因。这些文章中的大部分文章属于这一类。另一种是局部性的,对汉语中介语中的某一局部问题进行分析、研究,这一类文章主要有三篇。下面,我们对这两类文章的主要研究成果作进一步总结和说明。

第一,整体性研究

A. 对汉语中介语的语篇偏误类型的分析

篇章现象的研究一般可大致分为两大类:篇章连贯与篇章结构的研究。整体性研究的文章的研究兴趣主要放在篇章的衔接连贯方面,对篇章如何"谋篇布局"等篇章结构的问题基本上不予以讨论。

整体性研究的这九篇文章中,有八篇主要讨论的是汉语中介语书面语言中的篇章偏误问题,有一篇是以汉语中介语口头语言的篇章偏误为主要研究对象的。由于这些文章在研究对象语体上的差别,所以,谈到篇章偏误类型的分析时,我们把这两类文章分开加以讨论。

研究对象以汉语中介语的书面语言为主的八篇文章中对产生篇章偏误的类型大致归纳为两类:一是语句的衔接与连贯方面的问题;二是语境、语用方面的问题。

它们对语句的衔接连贯方面的研究可分为以下几个方面:

a. 逻辑联系语方面的问题:王绍新认为学生进行超单句表达时,由于缺少或错用连接手段,造成句间承接关系不明,话语的意义就无法完整准确地理解。杨翼指出了学生连接成分使用不当的几种类型:混用、误用及不用连接成分。她还指出除连接成分使用不当外,还存在连接成分管界不清的问题。彭利贞认为这一类偏误有三种情况:一是中介语的逻辑联系语与目标语的篇章中的逻辑联系语相比,显得相当匮乏,常常出现遗漏;二是因句子语义本身形成的关系句子之间,反复出现多余的连接成分;三是由于对联系语的习得有限或对句际逻辑语义关系本身理解的有限,出现了联系语的误用和混用。她在文中举了很多例子来说明这个问题。何立荣也认为学生在运用关联词语上的失误主要表现在关联词语上的贫乏、滥用和错用。罗青松认为学生出现的这类问题是错用或缺少必要的连接词语造成的。林欢认为这类问题主要可分为三类:一是连接词语需成对使用时出现的问题;二是由于学生的连接词语贫乏造成的问题;三是连接词语使用不当产生的问题。田然主要谈了学生运用汉语逻辑联系语中最常见的两种形式——词类和短语逻辑联系语时出现的问题。鲁健骥在他的文章中也举例说明了这一类偏误的存在。

b. 省略方面的问题:杨翼指出学生的语篇偏误现象中存在省略不当这一问题;彭利贞把这一类问题称为"指代多余"的情况;田然把省略方面的问题具体分为三类加以说明,它们是:主语省略的问题,定语省略的问题,动宾结构中的宾语省略的问题。罗青松也谈到了这方面的问题,并认为这类问题中最突出的问题是主语省略的问题。鲁健骥一文中虽未明确指出这方面的问题,但他在照应方面的偏误类型归纳中的"不该照应而照应"这一类实际上也属这方面的问题。

c. 照应(或称指代)方面的问题:杨翼在文中把这类问题分为两类:一类是缺乏外照应;另一类是缺乏内照应。后一类又进一步分为缺乏前照应和缺乏后照应两种。并举例进行了说明。鲁健骥把这一类偏误现象分为三个方面:一是文中没有被照应对象;二是不该照应而照应;三是该照应没有照应。并用具体例子来说明这三类不同情况。田然在文中主要谈了指示照应方面的问题。林欢指出指代方面的问题主要是指代不清的问题。此外,罗青松在文中也谈到了这一类偏误现象。

d. 句子排列次序方面的问题:罗青松指出学生篇章偏误中存在句子的排列顺序在逻辑上以及目的语的表达习惯上缺乏合理性这一类现象。王绍新、何立荣文中也涉及了这一问题。

e. 句式选择方面的问题:何立荣在她的文章中指出:句式

一致也是篇章衔接自然的一个方面。句式的选择在篇章中不可能像单句那样自由、随意,必然要受到篇章因素的制约,掌握起来难度较大,留学生在这方面的失误也就比较多,文中举了大量例子来说明这一问题。罗青松在文中也涉及了这方面的问题。

f. 词汇衔接手段方面的问题:杨翼在文中把这方面的问题分为五类情况,它们是:该重复的没重复;该用同义词的没用同义词;该用反义词的没用反义词;该用上义词的没用上义词和该用局部词的没用局部词。田然则从词汇的复现和词汇的同现这一角度讨论了这方面的问题。

g. 信息度方面的问题:王绍新在她的文章中指出超单句语言结构用于交际时目的在于交流信息,而交际的前提是交际双方存在信息差,发话人的话语中含有受话人未知的信息,语言交际才是有价值的。她把能给受话人提供新信息的句子称为有效句,反之称为无效句。她认为学生产生超单句偏误现象的原因之一就是在交际中常常提供的是信息无效句,并举例加以说明。田然运用系统功能理论的观点:即语句顺序基本遵循从已知到未知、从确定到不确定、句末中心(end focus),以及由已知信息引出未知信息等原则,并对这一问题进行了分析、研究。她把学生在这方面产生的问题归为两类:一是前后信息不一致的情况,二是无信息——违背述位原则的情况。并举例予以说明。

h. 语义连贯方面的问题:这些文章从以上几方面谈到的语句衔接方面的偏误问题,其实都涉及了语义连贯方面的问题。为了讨论的方便,我们以下所谈到的语义连贯方面的问题主要指表层形式衔接正确而深层语义不连贯的这一方面的问题。彭利贞曾指出,中介语语篇在语义连贯方面表现出的特征之一是,孤立状态下正确的句子进入语篇后，或跟语篇中其他语言成分没有内在联系，或者因为某种方面语义因素的影响和其他语言成分深层语义的联系上出现偏离，有的甚至和处于这一语义网络中心本该有的语义内容正相反。何立荣文中指出，除了衔接关系外，篇章的连贯还必须考虑句与句之间意义上的联系。她认为篇章不是句子杂乱无章的堆砌，而是围绕一定中心、遵循一定的规律组成的；而留学生却往往对于这一点很少注意或无力顾及。此外，王绍新和杨翼也在文中涉及了这方面的问题。

以上我们对语句衔接偏误方面的几种主要类型进行了归纳和总结。当然，有的学者在文中还提及时空、语气、主位推进、替代等篇章偏误问题。因其对此并未充分展开讨论，所以我们未把它们列为主要偏误类型来说明。①

除了上面已谈到的这些文章以外，还有田然的《外国学生在中高级阶段口语语段表达现象分析》一文也涉及了汉语中介语口头语产生的语篇偏误问题。田然的分析包括自然语段和复述语段两部分，语料全部取自于课堂录音。她谈到的学生自然语段表达的现象中，涉及的语篇偏误的问题有：a. 由于未考虑篇章因素的制约而造成的句式选择不当的问题。b. 形式连贯问题，主要是连接词使用不当的问题：如连接语词的贫乏、滥用，尤其是指同形式不知如何换用。c. 语义不连贯。她谈到的复述式语段表达这一部分涉及的语篇偏误现象是：指同语混乱（特别是人称代词）。

---

① 参见杨翼《汉语学习者的语篇偏误分析》，第五届国际汉语教学讨论会参会论文，1996 年。

第一节 外国学生汉语语篇偏误分析综述

B. 对于篇章偏误原因的分析和研究

这些文章中有六篇文章谈到了汉语中介语篇章偏误。根据他们对于篇章偏误原因的分析和研究,可以把篇章偏误的原因归纳为以下几种类型:

a. 认知方面的原因:彭利贞在文中指出认知上的错误会造成语义关联的偏误。她在文中说,这里所说的认知主要指对句际关系的认知,她在文中举出了由于对句际关系的误认,而造成了连接成分误用的篇章偏误的例子。她在文中还指出有时学生对汉语思维习惯(如在思维定势上,就因果复句来讲,汉语倾向于前因后果,同样在其他偏正复句上,也有前偏后正的倾向)的不了解,也会造成篇章偏误的出现。最后,她还认为对真实世界即所谓的大语境的认知的错误也会造成这类偏误现象的产生,比如,她举了学生在复句中转折连词使用不当的例子:"*a. 现在是春天,b. 可是常常下雨,c. 听说这样是杭州的典型天气。"a 和 b 在"杭州的春天"这一真实世界中并不存在转折这种语义关系。罗青松也在文中谈到了由于学生对汉语思维习惯的不了解而产生篇章偏误的情况。

b. 学习环境方面的原因:杨翼在文章中指出:教师讲解不充分,教材不周密,课堂训练不得当等学习环境方面的因素都会导致这方面偏误的产生。她认为目前由于汉语语篇理论本身还不够成熟,这对教师的讲解和教材的编写都产生了一定的消极影响。另外,传统的对外汉语成段表达训练法因对学习者的输入内容中缺少了语篇连贯知识一环,也存在一定的缺陷。

c. 目的语之间的相互干扰:彭利贞认为,两种或两种以上的具有形式上或语义上相似性的目的语规则的相互迁移也会造成篇章偏误。一方面是学习者学得的连接成分相对较少,另一方面是在学习者大脑语库中储存的一些连接成分之间存在相似性(这种相似性包括形式上的或者语义上的),这种相似性会导致它们之间的相互干扰,而出现前文中所说的连接成分的误用或混用。杨翼指出学生所学的有限的目的语知识对新的目的语知识有干扰。她认为学生学习汉语的初级阶段是以单复句为最大的学习单位,而到了中高级阶段则以语篇为最大的学习单位。在初级阶段所学的有限的单复句知识的影响,很容易使学习者大脑里的汉语中介语系统的语篇概念发生偏误,以为语篇中的句子跟当初学过的单复句一样,只不过是数量上的增加而已。彭利贞在文章中也谈到了这种情况。

d. 母语负迁移的影响:罗青松在文中谈到,学生常常忽视他们的母语和汉语在表达习惯方面存在的差异,在表达中随意借用,因而出现了一些语篇的中介形式。她举了英语国家学生汉语作文中句子排列顺序与汉语表达习惯相反的例子说明了这一问题。

e. 学习者的主观因素:鲁健骥指出简化是篇章偏误形成的原因之一,它多是因为说话人目的语水平不高而引起的。他把简化分为两种情况,一种是说话人想表达比较复杂的意思,但因语义水平有限,表达不出来,必须简化;另一种是说话人适应听话人,要把复杂的意思简化。他认为,从篇章的角度看,简化引起的偏误主要是语句的不连贯。田然在谈到语篇问题中学习者的主观因素时,提到了两方面的问题:一是学生对语篇学习的认识问题,指出外国学生对语篇的重视程度要远远低于对句子的重视程度;二是学生学习时的心理问题,比如,由于"惧怕出错"

的心理而不敢采用"省略"等篇章衔接手段而造成的偏误。彭利贞也谈到了这方面的问题,她在文章中指出语篇的编制者或者头脑的语料库中未储存某些连接成分,就对自己已知的某些连接成分缺乏使用信心,而采取一种回避策略。这往往造成连接成分的缺损。杨翼在分析学生的篇章偏误产生的原因时,也提到了由于学习者采取"回避"的交际策略而导致偏误的发生这一点。

第二,局部性研究

这一部分主要的代表性文章有三篇:高宁慧的《留学生的代词偏误与代词在篇章中的使用原则》和杨德峰的《从复句形成过程及偏误等角度看副词的篇章功能》以及王硕的《从日本学生的偏误谈汉语的指示代词》。下面我们把三篇文章分两类加以归纳和总结。

A. 和代词有关的篇章偏误分析研究

高宁慧考察了学生在篇章中运用代词产生的偏误情况,依据的语料来源为从近百篇中高级水平的学生作文中任意抽取的30篇作文和对中高级学生的55份代词调查问卷。通过考察,她把学生在篇章中出现的与代词相关的偏误分成了三类:第一类是不该用代词而用了;第二类是该用代词而没用;第三类是错用代词。第一类偏误中又分两种情况:a. 代词多余,此类偏误按照代词在小句中的句法位置又可分为主语多余和定语多余。b. 该用名词而用了代词。第二类偏误中也分为两种情况:代词缺失,这种情况又可以分成主语缺失和定语缺失。第三类偏误中,她主要介绍了两个问题:a. 代词位置不当;b. 代词的平行性问题(主要是指汉语中并列项的定语往往要求一致,学生在篇章中运用代词时常常忽视这一要求而产生偏误)。

王硕的文章中谈到日本学生在篇章中运用指示代词的偏误主要表现为：由于不了解汉语的指示代词，除了一般的指示作用以外，还可用来复指或确指而产生的偏误。如不会用"这"、"那"来复指上文，不会用"这"、"那"来确指等。

B. 和"副词"有关的篇章偏误分析研究

杨德峰注意到了与"副词"有关的篇章偏误现象，他指出不使用副词或副词使用不当，也是留学生篇章中常常出现的问题，并举例进行了说明。

二 篇章教学研究现状

正如前文所述，对外汉语教学界显然早在20世纪70年代末80年代初，就注意到了汉语教学中，句子并不是语法教学的终点，并把语法阶段后，培养学生"成段"能力作为教学（尤其是中高级阶段的教学）的基本任务之一；并且，也有学者早在80年代中期就提出要运用"话语分析"理论（或称篇章分析理论）来改造对外汉语教学，从而使语篇教学建立在更加科学的基础之上；①但其后十多年的时间里，对于汉语语篇教学的研究基本是停滞不前的。对学生的语篇教学也基本上未找到什么具体有效的方法和手段，可以说理论上的要求与教学实践是长期脱节的。随着对外汉语教学事业的发展，这个问题已越来越受到人们的重视，"走出篇章教学的盲区"的呼声也越来越高。一些学者发表文章，对如何进行汉语的语篇教学进行了有益的探讨。

赵燕皎在《走出语篇教学的盲区》一文中指出，当务之急是：

---

① 参见杨石泉《话语分析与对外汉语教学》，《语言教学与研究》1984年第3期。

要把语篇教学的成果转化为教学实践,使语篇教学从感性上升为理性,从不自觉或不甚自觉变为自觉的教学。① 田然在《从系统功能角度分析语篇教学》一文中,以系统功能语法理论为指导,对语篇教学作了尝试性的探讨。她把语篇教学分为两部分:语篇知识的教学和语篇语法的教学。在语篇知识的教学中,她认为要重视语篇中词汇的教学(包括词汇复现的教学和利用词汇连贯语篇的教学)、语篇中照应手段的教学及语篇中省略、关联成分、逻辑联系语等方面的教学。在语篇语法方面,她以"了"字句和"把"字句在语篇层面的用法为例,提出有必要建立一套汉语语篇语法体系以有别于长期以来遵循的"句本位"的语法体系。

罗青松在《对外汉语语篇教学初探》一文中提出"语篇教学的根本原则是要调动学生的认知能力"。她认为可以通过以下途径来实现这一原则:1.建立语境观念,培养语境意识。这又依靠以下几方面得以实现:(1)输入语料应包含比较丰富的语篇手段。(2)训练内容要有交际价值。(3)教学内容应该综合结构、语义和语用三个方面。2.注意逐步深化训练层次,具体包括以下几点:首先,语篇教学要从有形向无形过渡;其次,要注意由浅入深地指导学生运用。3.引导学生将母语和汉语的语篇手段进行对比,具体方法为:(1)对一些可以直接转移的语篇手段,主要是连接的词语,可以用直接翻译的方式教给学生。(2)把一些语篇手段的区别强调出来。

---

① 参见赵燕皎《走出语篇教学的盲区》,载《对外汉语教学探讨集》,北京大学出版社1998年版。

彭小川的《论副词"倒"的语篇功能——兼论对外汉语语篇教学》中谈到这一问题时认为,语篇联结的手段很多,关联词语是其中一类。① 长期以来,我们只是比较重视连词的教学,对汉语中类似"倒"这样的起关联作用的副词却重视不够,这种情况需要改变。

刘月华的《关于叙述体的篇章教学——怎样教学生把句子连成段落》一文中介绍了她对叙述体的篇章教学的具体方法——让学生主动了解篇章的连接方式。她以"改病文"方法为例,具体步骤是:第一步,把一篇短文中起连接作用的词语删去,然后让学生自己补出。第二步,让学生删去多余的名词或代词。第三步,给学生讲解语流中汉语的词语需要按照汉语的信息结构排列。除了"改病文"方法外,她还介绍了"综合填空"和连句成段法以及作文等方法。②

目前,超句法的语篇教学主要体现在成段表达和写作等方面,很多学者也从这两个角度对这一问题进行了探讨。

(一) 成段表达方面

杨翼在《汉语学习者的语篇偏误分析》一文中对改进对外汉语语段教学提出了以下几点建议:1.教材要重视语篇连贯表达的练习设计,主要指要突破"限定标题、词语、句型让学生成段表达"这一单一模式;练习方式应多角度、多层次。2.教师要引导学生,改变成段表达时仅从单复句角度构思的思维定势,帮助其

---

① 参见彭小川《论副词"倒"的语篇功能——兼论对外汉语语篇教学》,《北京大学学报》1999年第5期。

② 参见刘月华《关于叙述体的篇章教学——怎样教学生把句子连成段落》,《世界汉语教学》1998年第1期。

树立从语篇全局来构思句子的观念。3. 把"滚雪球"式的问答练习与分解(指把影响语篇与衔接的各个要素分解)后的理解性输入结合起来。4. 要注意影响连贯的综合因素(如时态不清、语气不明、句型杂糅、词语不当、时空参照点混乱等因素)。此外,她还在《培养成段表达能力的对外汉语教材的结构设计》一文中提出了对新式培养成段表达能力的教材结构设想。① 她把这种教材的特点归纳为四点:1. 推进策略新:指采取与以往教学中运用的组合式推进策略完全相反的分解式推进策略,即由语篇→语段→复句→单句→词组→词,安排中高级阶段的教学内容。2. 输入方式新:采取感性输入(以往教材多只提供此种输入)与理性输入(主要指以图形、表格、公式符号等直观形式来演示课文所展示的衔接与连贯的因素)两种方式结合的方法。3. 操作流程新:新式教材在以往教材常用的"展示"与"生成"这两阶段中加入了三个先后阶梯作为过渡,它们依次是"演示"、"识别"、"重视";这样,就延缓了从"展示"→"生成"之间的跨度。4. 题型开拓新:她配合文中提出的新的操作流程,设计了一些新的练习成段表达的题型。

另外,彭小川在《对外汉语语法课语段教学刍议》一文中提出在语法课中进行语段教学,可采取以下几个阶段:1. 对比辨析,打好衔接基础。2. 阅读语段,体会结构关系。3. 循序渐进,进行综合训练。综合训练的方式有:综合填空、自选关联词语填空、合并句子、修改语段。②

---

① 参见杨翼《培养成段表达能力的对外汉语教材的结构设计》,《汉语学习》2000 年第 4 期。

② 参见彭小川《对外汉语语法课语段教学刍议》,《语言文字应用》1999 年第 3 期。

(二) 写作方面

何立荣在《浅析留学生汉语写作中的篇章失误——兼谈写作课的篇章教学问题》一文中指出:1.要重视语段的写作训练。指出汉语篇章的写作训练从语段开始训练比较合适。2.要重视衔接与连贯的写作训练。3.强调读写结合,以读促写。陈福宝在《对外汉语语段写作训练简论》一文中谈到进行语段写作训练的方式有以下几种:1.给模式,即根据语段内部的结构关系,给定结构模式,让学生写出相应的语段。2.给话题句,让学生写出扩展句,从而写出一个语段。3.给扩展句,让学生写出话题句。4.组句成段。5.填关联词语。6.改病段。① 南勇《留学生的汉语写作教学刍议》中提出写作教材编写应考虑以下几个基本问题:1.突出组句训练。2.突出汉语文章写作的个性(如汉语的文章重视"起承转合")。3.写作教材的内容应紧密与汉语教材的内容相配合,如可从语言片断写作的角度,侧重分析汉语课文的结构、组句规律、衔接手段等表现手法,还可以重新阐释一些词语、句法的篇章功能。② 此外,李清华的《外国留学生中级阶段的写作课教学》,陈福宝《从章法与篇法的同一性看对外汉语写作教学》对这一问题也有所涉及。③

三 结语

总之,目前我国对外汉语教学界对留学生的篇章偏误研究

---

① 参见陈福宝《对外汉语语段写作训练简论》,《汉语学习》1998 年第 6 期。
② 参见南勇《留学生的汉语写作教学刍议》,《汉语学习》1994 年第 6 期。
③ 参见李清华《外国留学生中级阶段的写作课教学》,《语言教学与研究》1986 年第 1 期;陈福宝《从章法与篇法的同一性看对外汉语写作教学》,载《对外汉语教学的理论与实践》,延边大学出版社 1997 年版。

和篇章教学的研究还刚刚起步,对如何科学、系统、有效地利用国内外相关理论分析汉语中介语的篇章偏误及对学生进行篇章教学也还处在探索阶段。相信随着汉语篇章本体理论的日益成熟和汉语中介语篇章理论研究的日益发展,在不久的将来这种局面会有所改变。

第二节　外国学生汉语照应偏误分析[①]

照应是指语言表达中某个语言单位与上下文出现的另一语言单位表示相同的人或事物的一种语言现象。语言中具有照应功能的主要是名词、代词和零形式。所谓零形式是指在口语中没有语音、在书面语中没有语形,但却负载一定语义信息的语言单位。语言表达的总的原则是明确和经济。此外,人们还追求语言的变化,以避免重复。正是明确、经济和变化这三个因素的共同作用,语言单位内的照应系统才名词、代词、零形式交替使用,错落有致。

各语言对照应形式都有自己的选择原则。汉语对照应形式的选择原则是:在保证语言表达明确的前提下,能用零形式的一般不用代词,能用代词的一般不用名词。[②] 据李纳和汤普森报

---

① 本文原标题为"外国学生照应偏误分析——偏误分析丛论之三",作者肖奚强。原载《汉语学习》2001 年第 1 期。

② 以上论述均参考王灿龙《现代汉语照应系统研究》,中国社会科学院研究生博士论文,1999 年。

道,汉语使用零形式照应远比英语多,零形式照应才是汉语的常规。①

汉语语法学界对汉语的照应系统已有相当的研究,取得了令人瞩目的成果。但外国学生的汉语篇章中的照应系统究竟如何,容易出现哪些偏误,其偏误产生的原因是什么,目前尚缺乏系统的研究。本文试图在汉语照应系统现有研究成果的基础上,对外国学生的照应偏误作些初步的分析,权作引玉之砖。

一般而言,外国学生如果没有较好地了解汉语的照应规律,就很容易出现照应偏误。理论上说,照应偏误有以下六种可能:1.名词照应误为代词照应;2.名词照应误为零形式照应;3.代词照应误为名词照应;4.代词照应误为零形式照应;5.零形式照应误为名词照应;6.零形式照应误为代词照应。在实际语料中,这几种偏误虽然都有,但出现的频率有很大的差距,这与人们的认知心理及表义的明确性和经济性有着直接的关系。下面分别加以讨论。

一 名词照应误为代词照应

在语言的明确、经济、变化的三原则中,明确是第一要素。不能为了追求经济和变化而以文害意地牺牲明确性。名词照应误为代词照应,往往就是为了避免重复使用名词,追求变化而产生的偏误。请看例句:

①叔叔陪他去舞场见小金宝小姐,这时小姐在唱歌,他

---

① 进一步的论述可参胡壮麟《语篇的衔接与连贯》,上海外语教育出版社 1994 年版。

们俩坐着看她唱歌,叔叔一边看一边交代水生,因为水生是从农村来的差不多什么都不知道。她唱歌结束后,叔叔带他去跟她见面。

②在过马路的时候我没有注意道路中央有一部汽车正开过来。……我的自行车与那辆汽车撞上了。……那个司机立刻刹车,就这样避免了交通事故。我的心扑通扑通地跳。呆若木鸡似的站在道路中间,什么都看不见了。我的朋友带我到路边,等着汽车的主人。如果我挨打受骂,那怎么办?心里非常难过,非常害怕,想哭也哭不出来,突然想起来我的父母兄弟朋友。他们来我的前边时,才看清楚他们的样子。他们一共是四个人,两个男的,两个女的。

例①中的先行语"小金宝小姐"与"她唱歌结束后"中的照应语"她",不仅距离很远,而且中间已改变了话题,这时再用代词照应,就使人感到有点接不上,应该用名词(小金宝小姐)或部分同形名词(小姐)照应。例②中在"他们来我的前边时"之前,先后提到"司机、朋友、父母兄弟",那么这个"他们"究竟是指谁?从下文我们可以看出"他们"是指"汽车上的人"。这一偏误与一般所说的修辞性的下指不同,修辞性的下指是先行语为代词,下文用名词照应,而此例下文没有照应的名词。再看两个例句:

③现在,虽然世界上科学技术不断发展,并制造出了可以穿越沙漠的汽车,可是撒哈拉人认为新技术比不上骆驼,所以到现在它仍是撒哈拉唯一的运输工具。

④妻子催我抱小爱,她虽然很小,但是抱在手里我觉得很沉重,可能这就是当了父亲的人才感到的责任的重量。

这两例代词照应的可接受性虽然比前两例稍强一点,但仍不如用名词照应来得好。因为先行词如果处于先行小句的定语或宾语的位置,照应语即使离它再近,也以用名词照应为佳。①这和上文有其他名词,用代词照应不明确有关,而且由先行小句的定语或宾语转化为后续句的主语,实际上就是改变了话题,而话题按常规是以名词引导的。

从以上讨论中我们可以看出,在篇章中以重复名词为照应手段不但可以,而且有时是必要的。不能只是为了避免重复而牺牲表述的明确性。

二 名词照应误为零形式

如果说名词照应误用为代词的用例并不很多的话,那么名词照应误用为零形式的用例就少而又少了。下面是我们发现的有限的几例中的两例:

⑤我们俩很吃惊,0怎么知道我们要找宾馆?很多人拿着他们宾馆的照片对我们介绍宾馆的情况,……②

⑥听了他的话人们就纷纷争着买我的药,0一下子就卖光了。

汉语中很少以代词为先行语,零形式先行则有更多的语义、句法的限制。例⑤先行语似应改为名词"人们"。上文我们已谈到先行句中的宾语转换为后续句的主语时,多用名词照应,不用

---

① 有关论述可参王灿龙《现代汉语照应系统研究》,中国社会科学院研究生博士论文,1999年。

② 我们以"0"表示"零形式",下同。

代词照应。在一段话语中,各小句之间存在着连续性,这种连续性有强弱之分。就照应而言,诸小句表述一个话题的连续性最强,小句之间存在话题转换的连续性最弱。连续性最强时,人们总是用零形式照应;连续性较弱时,人们倾向于用代词照应;连续性最弱时,总是用名词照应。这可从认知语法的可及理论得到解释:名词、代词和零形式在表示指称对象的可及程度上存在着较大的差距。当某个指称对象在话语中不明确或无法找回时,一般就用名词来指称,名词是低可及标记;而指称对象在话语中可明白无误地找回时,一般用零形式来指称,零形式是高可及标记;代词则介于二者之间。① 例⑥的后续句转变了话题,连续性很弱,指称对象不明确,因此应该用低可及标记的名词与先行词照应,不宜用代词照应,更不能用零形式照应。

为什么名词照应误为代词照应、零形式照应的用例非常少呢?我们认为表义明确是人类共同的认知心理,是各语言的共性,任何人不管使用什么语言,都得表述明确,方能传情达意。而名词照应误为代词照应、零形式照应的直接后果就是表义不明确,这是有悖于人们的认知心理的。那么同样都是引起表义不明确,为什么误用为零形式比误用为代词的用例更少呢?这也可从认知的角度得到解释:既然代词的可及程度介于名词和零形式之间,它的可及性高于名词而低于零形式,那么它就更容易作为名词的等价物而取而代之。零形式与名词的可及性相差较远,需要名词指称的地方如果改用零形式指称,就会造成严重

---

① 相关论述可参王灿龙《现代汉语照应系统研究》,中国社会科学院研究生博士论文,1999年。

的表义不清,如例⑤、例⑥,这与说写者的认知心理是相悖的,所以语料中名词照应误为零形式照应的用例才非常少。

三 代词照应误为名词照应

如果一个名词在始发句里作为话题,那么不管它在后续句中是否处于话题位置,一般都可以用代词作照应语,而不应总是重复名词。胡壮麟指出,词语重复如使用过多,会给人以词汇贫乏、苍白无力之感。① 请看下面的例句:

⑦金三到了家,看见李四微笑着等着金三。

⑧建平要过去的时候,和尚叫住建平问……

⑨阿二爬上来把苹果摘下。阿二陆陆续续把摘下的苹果扔在地上。阿二下到地上时,0看到满地都是苹果核。阿二说:"怎么没有一个苹果呢!"

⑩在一个炎热的夏天,勤劳农夫阿王在锄地。阿王戴着草帽,0赤着脚,0甚至裤脚都卷起来了。而炽热的阳光使得阿王浑身不断地出汗。阿王用力锄草时,0锄头钩住了很硬的东西。阿王不顾已经很疲累,0怀着好奇心想要把它挖出来。

⑪小姑娘不但是勇于打抱不平,充满正义的人,而且还是一个朴实、纯洁、高尚的人。姑娘的行为对"我"的卑微、小气、歉疚与委琐正是一种打击。我为了表示谢意并给姑娘一点"报酬"就想多买几把扇。"我"意想不到会碰上小姑娘的拒绝。

---

① 参见胡壮麟《语篇的衔接与连贯》,上海外语教育出版社 1994 年版。

例⑦、⑧的加点名词"金三"和"建平",都应改为代词"他"。例⑨、⑩中加点的"阿二"和"阿王"除了一个是处在兼语的位置上,其他的均是主语,与先行词在一个话题链上,照理极易代词化,但都误用了名词。值得注意的是这两例都使用了零形式照应,但没有代词照应,作者如果能将用作照应的名词换成代词,则代词、零形式照应交替使用,文气就贯通了。例⑪后续的三个"(小)姑娘"虽处在定语或宾语的位置上,也都应改为代词"她"照应。

四 代词照应误为零形式照应

代词的可及性比零形式低,如果将该用代词照应的地方改用零形式照应,往往会造成表义不很明确,语句的可接受性降低。这类用例在外国学生的照应偏误用例中所占比例较大。请看例句:

⑫先生说:"……"虽然今天我没有遇到过坏事情,但是先生对我这种劝告让我想起来父亲。先生一点儿架子也没有,平易近人的。0继续说,……

⑬每次去他那儿学习的时候,他爱人都给我做一个菜,0高兴得不得了。

⑭父母亲希望我们三姐妹能认识中文字,使用它,所以十岁时请了家教教0学中文。

⑮我在南京师范大学学习,0美丽的校园有着宽阔的林阴大道,碧绿的草坪,被称为"东方最秀美的学院"。

⑯我们在学习、生活中,人人都会遇见"勤能补拙"的例子。……有的学生来中国之前没学过汉语,刚到中国的时

候赶不上学过汉语的同学。他们每天早晨一起来就练习写汉字,朗读汉语的声母、韵母,练习说话等。到教室来努力听课,主动回答老师的问题。回家后刻苦地做作业;还要复习明日的课。他们这样做不就是"勤"吗! 在一段时间内,0 使他们进步很快,0 不就是补拙吗!

例⑫的先行语和照应语都是主语,照理可以用零形式照应,即"先生说:……0 继续说,……",但因在这两个句子之间加入了较长的评述性的话语,造成接受者理解记忆上的困难,所以这里的零形式照应应改为代词照应或名词照应。例⑬的零形式照应语之前出现了三个人:他、他爱人、我,这个零形式和哪一个同指? 表义不清。根据原文我们知道,零形式与始发句中的宾语"我"同指,所以零形式应改为代词"我"与先行词照应。例⑭请家教教谁中文? 当然是教"我们",零形式与"我们"同指,应改为"我们"。例⑮的始发句是说"我"怎么样,后续句是说"美丽的校园"怎么样,二者的语义联系就在于"南京师范大学",但文中在后续句中用零形式照应始发句状语位置上的名词,致使语义脱节,应改为代词"她"照应。例⑯"使他们进步很快"的是"他们"每天刻苦学习的行为,用以"补拙"的也是"他们"每天刻苦学习的行为,这里需要与上文的诸小句照应,零形式没有这种照应功能,应改为指示代词"这"与上文照应。

五 零形式照应误为名词照应

如果说该用代词照应的地方用名词照应会使人感到语言贫乏的话,那么该用零形式照应的地方用名词照应则会使整个篇章结构显得松散而繁琐。比如:

⑰乌鸦怎么也想不到我这么说会给他带来什么后果,于是乌鸦相信了我的话,它昂起头来,闭上眼睛,张开嘴巴开始唱歌了。

⑱阿陵一下来就问阿敏苹果在哪儿,可是阿敏不回答,阿陵才知道阿敏把苹果都吃了。阿陵很生气,阿陵就对阿敏说:"你怎么能这样做呢?"

⑲老刘是一个小有名气的医生,他一辈子看书连头发都掉光了。他看到许许多多的人发财过好日子,老刘也想发财。

⑳她那天订了咖啡,到杯上的蒸气都消失了她一口也没喝咖啡。

例⑰始发句和后续诸小句是按时间先后顺序对乌鸦的一系列动作进行铺叙。在这样的同一话题的叙述句中,后续小句或都用零形式照应,或代词照应与零形式照应交替使用,一般不用重复名词的照应方式,特别是在第一个后续小句中不能用名词照应,所以例⑰中加点的"乌鸦"应改为零形式。例⑱因第一后续小句的叙述角度有所变化,第二后续小句可以用名词照应,但从第二后续小句一直到最后,叙述的角度都没变,都是说明"阿陵"怎么样,所以不应一再重复名词。似将第三个"阿陵"改为代词照应、第四个"阿陵"改为零形式照应为佳。例⑲、⑳也都应将加点的名词改为零形式照应。

六 零形式照应误为代词照应

该用代词照应的地方误用零形式照应会造成表义不清,而该用零形式照应的地方如果误用代词照应则会产生赘言,让人

感到啰嗦。比如:

㉑我把伞撑开后向她跑去,到了她身边,她望了我一下又望了望那把伞,她眼眶里含着泪水。她一句话也没说推开我跑走了。

㉒从此我就多了一位朋友。他那年是刚从农村来城市上学的。他本来是那院子主人的儿子。他从小跟爷爷在乡下生活。

㉓我的论文范围是跟妇女形象和婚姻家庭观念有关的。我用很长的时间考虑关于论文的题目,我借这个机会,我就选了《小二黑结婚》这篇小说。

㉔很久以前,有几个建筑工人。他们建筑技术很高,他们很有才能,也非常喜欢他们的工作。

这几例都是将该以零形式与代词照应交替使用的地方全都用代词照应因而使篇章结构松散,连贯性不够。将中文加点的代词换为零形式,则可使结构紧凑、文气贯通。

七 小结

通过以上粗略的勾勒,我们大致可以看出,名词、代词、零形式等不同的照应偏误所反映出来的外国学生的表达水平是不一致的。其中将该用零形式照应的地方误为名词、代词照应,是将高可及标记替换为低可及标记,因而造成篇章结构松散,连贯性欠佳,这是初级水平的学生常出现的偏误。将该用名词照应的地方误为代词或零形式照应,则是将低可及标记替换为高可及标记,会造成表义不明确,是学生追求经济、避免重复使然,这是高年级学生易犯的偏误。其中由名词照应误为零形式照应则更因为名词与零形式的可及性相差较大,易产生严重的表义不清,这与人们的认知心理相悖,所以此类偏误极少。代词的可及性介于名词与零形式之间,与二者的联系均较密切,所以代词照应误为名词照应或零形式照应的用例较多。误为前者是降低了可及性,显得语言贫乏,这类偏误多产生于低年级学生;误为后者则提高了可及性,造成表义不畅,这类偏误多产生于中、高年级学生。

第三节 外国学生代词偏误分析与代词在篇章中的使用[①]

代词在对外汉语教学中并没有被当作教学重点或难点,特别是基本的人称代词和指示代词,如"我、你、他、这、那"等,一般认为,它们在学生的母语中基本上都存在,表达的词汇意义也大体相同,因此不成什么问题。诚然,上述这些代词在其他语言中都有基本的对应词,从词汇角度来看,的确比较容易理解;从单句的层面看,学生也很少出错,但是当我们突破句子的范畴,仔细分析学生成段、成篇的语言材料,就会发现有许多"别扭"的地方正是出在代词上。请看下面一个语段:[②]

[①] 本文原标题为"留学生的代词偏误与代词在篇章中的使用原则",作者高宁慧。原载《世界汉语教学》1996年第2期。

[②] 本文例句除特别注明外,皆摘自留学生作文。为了说明问题,我们对某些代词以外的错误作了修改。

① a.我现在在中国，b.所以我非常遗憾不能看见你们孩子的脸，c.我可以想象孩子一定非常可爱。d.我回国的时候，e.我一定到你的家里去看孩子。

单独看该语段的每个小句，①无论在语法上还是语义上，都无可挑剔。但是整个语段显得很零散，上下文不够连贯，更像是一个个句子硬串在一起的。究其原因，显然是过多地使用了代词"我"。

我们对30篇学生作文进行了分析，发现没有一篇不存在代词方面的问题，有的甚至50％以上的代词都使用不当。这些问题主要不是在句子层面，而是在篇章层面。廖秋忠先生指出："代词属于篇章现象。"②这句话道出了代词的实质。篇章语言学的研究表明，代词的基本功能乃是篇章连接功能，"在句际连接手段中，代词用得最多、最广泛"③。

代词既然属于篇章现象，在篇章中起着不可忽视的作用，而学生的代词问题又多表现在篇章层面，因此我们有理由也应该将代词放到篇章中去考察，在篇章中分析学生运用代词的问题。

本节首先从篇章的角度对学生作文和代词填空测试中反映出来的代词偏误进行统计和分类，然后应用代词研究，特别是篇章研究的成果，并结合我们自己考察的一些结论，对这些偏误加以说明和解释，从而总结出代词在篇章中的一些使用原则。

限于篇幅，我们只讨论普通话中基本的人称代词和指示代

---

① 关于小句的界定，请参看"偏误的定性与分析的基本单位"。
② 参见廖秋忠《廖秋忠文集》，北京语言学院出版社1992年版，第200页。
③ 参见王福祥《话语语言学概论》，外语教学与研究出版社1994年版，第255页。

词,其他比较特殊的人称代词和疑问代词本文暂不讨论。代词的活用也不在讨论范围内。另外,这里所说的篇章,是指"一次交际过程中使用的完整的语言体。在一般情况下,篇章大于一个句子的长度"①,最后,由于我们所分析的都是书面语料,结论也只适用于书面语。

一 代词偏误分析的前提

(一) 偏误的定性与分析的基本单位

S. Pit. Corder 将偏误(error)定义为"外语学习者与操本族语者的话语之间的差距"②,但是所谓的"差距"仍然是一个比较模糊的概念,需要人们凭主观去判断,这就容易导致不同的人对"偏误"的理解与判断不一样。Paul Lennon 曾做过一个试验,让非本族语的外语教师、本族语的外语教师和一般的操本族语者对相同的语言材料进行偏误的识别,结果发现非本族语的教师对偏误的态度最宽容,本族语的教师次之,一般的操本族语者最严格。在判断偏误的标准上,外语教师(包括本族语与非本族语)倾向于根据局部的准确性标准来判断偏误,一般的操本族语者更倾向于用总体交际性标准来判断。

那么究竟该如何看待偏误呢?这也是在分析学生作文时首先遇到的问题。

学生作文中的偏误大致可分为两个层面:(1)单句平面及单句平面以下,诸如错别字、用词不当和各种句法方面的问题,都

---

① 参见廖秋忠《廖秋忠文集》,北京语言学院出版社 1992 年版,第 182 页。
② S. Pit. Corder *Introducing Applied Linguistics*,1973,p.26.

属于这个层面。这类问题往往很明显,有公认的标准,也很容易判别和修改;(2)篇章层面,该层面的问题不太明显,必须联系具体上下文甚至整个篇章,才能识别出来,因此也很容易被忽视。但是对于具有中高级汉语水平的学生来说,其偏误更多地表现在篇章中。①

所以我们主张将偏误分为狭义和广义两种,狭义偏误指句法以内的偏误,广义偏误既包括句法以内的偏误,又包括篇章层面的偏误。代词属于篇章,其偏误的本质必须在篇章层面才能得到全面的把握。因此,本节将采用"广义的偏误"概念。在进行篇章分析时,我们以小句作为最小单位。本文把用逗号、句号、分号、问号等隔开的语段都算作小句,并用小写的英文字母标记先后顺序。

(二) 材料

本节考察代词偏误的材料来源有两个:(1)30篇留学生作文;(2)55份代词调查问卷。其中,30篇作文是从北京大学汉语中心和北京语言学院中高级班搜集到的近100篇作文中任意抽取出来的。为了对学生的代词问题有更准确的把握,也为了使问题更集中、更具代表性,我们在作文分析的基础上,又设计了一份代词填空测试问卷。测试所用的文章选自北京大学编写的《汉语中级教程》(2),②全文约500多字,分五个自然段。在对原文略作修改后,删去了原文中的一些代词,并在原文未用代词

---

① 鲁健骥在《外国人学汉语的语法偏误分析》一文中曾指出:"在很多情况下,特别是在中高级教学阶段,偏误不完全表现在形式合不合语法上,而是表现在篇章中。"载于《语言教学与研究》1994年第1期。

② 参见杜荣等编《汉语中级教程》,北京大学出版社1987年版。

而学生往往多用、误用的地方增加了一些空格,让学生作选择填空。此次测试是在北京大学汉语中心部分中高级班进行的,共发出问卷 100 份,收回 60 份,有效答卷 55 份。

我们将考察对象限定在中高级班,是因为中高级阶段的学生已掌握了 2 000—5 000 词汇量,①并学完了基本的语法,具备了相当的汉语基础。这时他们往往"开始产生表达比较复杂的内容的愿望"②,因而更适合接受篇章教学。

(三) 代词偏误的分类

首先,我们按照"广义的偏误"概念,找出学生的代词偏误,并加以修改,使其符合汉语表达的习惯。修改时遵循这样的原则:根据整个篇章的语义内容,在保证语义连贯、上下文衔接贯通的前提下,作尽量小的改动。

然后,将原文与修改后的内容进行对比,找出两者的差别,从而确定偏误的类型。据我们观察,这二者的差别表现为三种情况:1.不该用代词而用了;2.该用代词而没用;3.错用代词。我们将这三种情况分别命名为"I 型偏误"、"II 型偏误"、"III 型偏误",并以这三种偏误为框架,对偏误进行统计与分析。代词填空测试是在作文偏误分类基础上设计的,在类别上与作文基本重合,故放在同一张表上。受测试形式的限制,个别偏误未能涉及。具体情况请参看下表。

---

① 这里主要参照北京大学汉语中心的分班标准,即中级班应掌握 2 000—3 000 词汇,高级班应掌握 3 000—5 000 词汇。

② 参见李扬《中高级对外汉语教学论》,北京大学出版社 1993 年版,第 102 页。

表 4-1

偏误类型			作文		代词填空测试			病例
			偏误数	百分比	总题次	误答	百分比	
I型偏误	1.代词多余	(1)主语多余	27	20.6	220	129	58.6	见例(2)
		(2)定语多余	18	13.7	55	38	67.1	见例(6)
	2.该用名词而用了代词		19	14.5	110	48	43.6	见例(12)
小计			64	48.8	385	215	55.8	
II型偏误	1.代词缺失	(1)主语缺失	21	16.0	110	66	60.0	见例(13)
		(2)定语缺失	13	9.9	110	39	35.5	见例(18)
	2.该用代词而用了名词		14	10.7	110	29	26.5	见例(21)
小计			48	36.6	330	134	46.6	
III型偏误	1.代词位置不当		14	10.7	—		—	见例(23)
	2.违背代词使用的平行性原则		5	3.9	110	63	57.3	见例(25)
小计			19	14.6	110	63	57.3	
总计			131	100	825	412	49.9	

二 I 型偏误及其分析

(一) 代词多余

此类偏误按照代词在小句中的句法位置又可以分为主语多余和定语多余。

1. 主语多余

＊② a. 弘法是一个人的名字,b. 他是九世纪中叶日本的一个僧侣,c. 他到过唐代的中国来学习佛教。d. 他在日本也是很著名的大书法家,e. 他书法写得好极了……

这个语段共有 5 个小句,后面的 4 个小句连续使用代词"他"作主语指称小句 a 中的名词"弘法",尽管从语义上看并没有错,但整个语段给人的感觉很不自然。在汉语篇章中也有连续使用代词作主语指称同一个人或同一件事（物）的现象,不过多见于抒情散文或诗歌中,且往往是为了求得某种特殊的修辞效果。比如:

③a.绿色是多么宝贵啊！b.它是生命,c.它是希望,d.它是安慰,e.它是快乐。……（陆蠡《囚丝记》）

这是一段抒情文字,反复使用代词"它"无疑能增强这种抒情意味。另外,小句 b、c、d、e 采用了排比的手法,结构上也十分整齐。但是在一般的叙述文中,主语省略,即用零形式(zero anaphora)①作主语的现象更为常见,据廖秋忠和陈平的统计数字来看,②汉语书面语中零形式作主语的比率要高于代词作主语。那么何时用零形式、何时用代词作主语呢？很多篇章研究都表明,话题链(topic chain)③是零形式出现的一个主要条件。下面是屈承熹用来调查话语结构与照应成分之间关系的一个语段,我们用它来说明零形式与代词作主语的条件:

④a.李大林今年十七岁,b.(0%)高雄市人,c.(15%)现就读富华中学高中二年级,d.(75%)从八岁起就喜欢游泳,e.(0%)天天吵着服务于台塑公司的父亲带着他(95%)到游泳池泡水,f.(10%)从此就与水结下了不解之缘。

---

① 零形式(zero anaphora),指上文提到过的对象在下文以省略来表示照应,又称零指代、省略式或零形回指。本节有时用"ø"表示。

② 参见廖秋忠《廖秋忠文集》,北京语言学院出版社 1992 年版;陈平《现代语言学研究——理论、方法与事实》,重庆出版社 1991 年版。

③ 话题链(topic chain),由具有共同话题的在语义上密切相关的一个或几个小句组成。

括号里的数字是20个说汉语的人在该位置上填写代词的百分比,我们只需看主语位置,除了小句 d 的百分比较高以外,其余的都很低,也就是说,绝大多数人选择了零形式。从语义上来看,小句 a—c 构成一个话题链,介绍"李大林"的现状,d—f 构成另一个链,叙述李游泳的事,从小句 d 开始引进了一个新的话题链,可见这里的高百分比和其他小句的低百分比的确跟话题链相关:在同一话题链内部,后面的小句主语趋向于用零形式,而当一个新话题链开始时,第一个小句主语趋向于用代词。

这样,例②的问题就很清楚了,我们根据语义可以将例②分成两个话题链:a—c 构成一个链,介绍弘法的背景信息,d—e 构成另一个链,介绍他在书法上的成就。小句 d 引进了新话题链,因此,其主语"他"是必要的,而 b、e 中的"他"则应该去掉,采用零形式:

②'a.弘法是一个人的名字,b.他是九世纪中叶日本的一个僧侣,c.(ø)到过唐代的中国来学习佛教。d.他在日本也是很著名的大书法家,e.(ø)书法写得好极了……

比较例②和②',我们还可以看到,当该用零形式做主语而用了代词时,不仅语言显得啰嗦,而且整个语段的连贯性也受到一定程度的影响。换句话说,适当地使用零形式可以加强话题链内部小句之间的联系。

与零形式相关的条件,除了话题链以外,Li 和 Thompson 以及陈平等的研究都表明,存现动词后的名词性成分在下文中也往往使用零形式。例如:

⑤a.如果有一个女子,b.(ø)真正了解他的,c.(ø)能去

爱他,d.那多么好。(韦君宜《洗礼》)

值得注意的是,主语多余的偏误比率无论是在作文中还是在代词填空测试中都是最高的,测试中共有8个填空项目的答对率低于50%,其中有4个是主语多余。

2.定语多余,主要指人称代词作定语的情况

＊⑥a.在电视里,b.要是孩子有问题,c.他们都问自己的父母,d.可是如果我跟我弟弟有事儿,e.我们都问我姐姐,f.我姐姐变成了妈妈一样。

这个例子摘自一篇题为《我的姐姐》的作文。作者在每个"姐姐"前都用代词"我"来体现领属关系,显得很累赘。代词填空测试中也有类似的现象,学生对待代词定语有一种"能用则用"的倾向。

实际上汉语中代词定语并不是"能用则用",而是常常省略。赵元任先生曾指出汉语有"领属性代名词省略"的特点,他举了两个单句为例:

⑦他戴上帽子走了。(比较:⑦'他戴上他的帽子走了。)

⑧我碰了头了。(比较:⑧'我碰了我的头了。)[1]

一般情况下采用⑦和⑧的形式,⑦'和⑧'往往在表示特别强调或对比时才用。这种省略的现象在篇章中也有,例如:

---

[1] 参见赵元任《汉语口语语法》,商务印书馆1979年版,第283页。括号中的内容为本文作者所加。

⑨a.一些吉普赛女人打扮得更鲜艳,b.(她们的)头顶上高高支起尖顶的绸子披巾;c.(她们的)两鬓插着珠子花,d.(她们的)鼻子的左面挂着环子,e.也有的嵌着一朵小小的金梅花,f.(她们的)脚脖子上戴着几串小铃铛,g.一走路,h.哗啦哗啦响,i.好听得很。(杨朔《印度情思》)

括号中的代词定语都省略了,否则就很累赘。

那么表领属的代词在篇章中究竟何时趋向于省略呢?据我们分析,至少有下面两种:

第一,处于同一话题链内部的几个小句中的名词所表示的人或事物,如果从属于话题①所表示的人或事物,其定语常省略。例⑨是个典型的例子,该语段中的小句构成一个话题链,话题是"一些吉普赛女人的打扮",后面几个小句中的名词"头顶、两鬓、鼻子、脚脖子"都从属于话题人物"吉普赛女人",因而表领属的代词定语"她们的"都省略了。

第二,在记叙一个与"我"有着某种特殊关系的人物时(包括亲属、朋友等),一般只在题目中或文章的开头交待一下这种领属关系,有时甚至表领属的代词全部省略,比如朱自清的《背影》,全篇只用"父亲",而读者完全可以通过内容了解到这是"我的"父亲。例⑥就是属于第二种情况,全文记叙了"我的姐姐",所以省略掉"我姐姐"中的"我",才更符合汉语篇章的要求,其领属关系也不会因此而模糊。

(二) 该用名词性成分而用了代词

这类偏误也分两种情况:第一,代词本身并未用错,但不合

---

① 话题(topic)指由一个或几个小句组成的语言片段所谈论的对象。

篇章的要求；第二，代词指代不明。下面分别举例说明。

　　＊⑩A.我的父亲在国家机关工作，日本的公司经常邀请发展中国家的技术员来日本学习，他的公司是……，我的父亲是给他们当翻译。

　　B.他的工作经历比较曲折，他从一个工业高中毕了业，……我觉得经过这些工作，才有现在的他。每次换工作，他都往上跑一步呢。

　　C.我从小就亲眼看见他努力学习英语……

　　这是一篇学生作文的节选，该文共分A、B、C三个自然段，每段的中心内容都不同。段落A介绍父亲现在的工作，段落B介绍父亲的工作经历，段落C讲父亲如何努力学外语。作者除了在段落A中用了名词性成分"我的父亲"以外，下文全都用代词"他"来指代。从指代的对象来看，用"他"语义上并没有错。但在汉语篇章中，类似例⑩的情况并不是一直使用指代，而往往是隔一段距离，就得用名词重提一下。我们统计了《汉语中级教程》中的18篇文章，这些文章大都围绕一个人或一个事物展开，按说段落与段落之间，用代词照应也不会引起误解。不过在我们统计出的101个段落中，用名词开头的有89个，也就是说，汉语篇章中新段落开始时趋向于用名词而不是用代词照应上下文。所以将例⑩中段落B、C开始时的"他"改成名词"父亲"更好。可见，距离制约着代词的使用。

　　在汉语口语中，常常有不先出现指称对象而使用代词的情况，例如：

⑪a.这个我现在不用,b.你先拿去吧。①

"这个"指称对象虽没出现,但是说话人和听话人在当时的语言环境中都明白"这个"指什么,而在叙述体的书面语中一般要先出现具体的指称对象,然后在下文中才用代词去照应它,否则就容易造成读者理解上的麻烦,例如:

*⑫a.大部分的人有经常就诊的医生,b.到那儿以后,c.医生马上给看病,很方便。

"那儿"在这里指代不明,从上下文中都找不到它的指称对象,应改为"医院"或"医生那儿"才行。

三 II型偏误及其分析

(一) 代词缺失

这种情况可以分成主语缺失和定语缺失。

1. 主语缺失

⑬a.每个国家都有"孟姜女"和"万喜良",b.一千年以前有,c.一百年以前有,d.现在也有,e.他们的名字不一样,f.但他们都很相似,g.因为(∧)②都有相同的性格。

从语义上看,小句e、f、g属于同一话题链,按照前文所说,话题链内部小句用零形式连接,这里小句g中不用主语似乎是对的,但是该话题链比较特殊,小句g中包括一个连词"因为"。Li和Thompson曾做过一个调查,下面是他们调查中的一个部

---

① 该例句为本文作者所造。
② ∧表示缺失。

分:

⑭a.这王冕天性聪明,b.(6%)年纪不满二十岁,c.(12%)就把那天文、地理、经史上的大学问,无一不贯通。d.但(76%)性情不同,e.(2%)既不求官爵,……

括号中是填写"他"的人数的百分比,小句 d 的百分比率最高(76%),Li 和 Thompson 认为很可能是转折连词"但"吸引了大多数人填代词。徐赳赳则进一步考察了汉语中出现频率较高的 6 个连词后小句主语的情况。这 6 个连词是:"但是(但)、可是、然而、于是、不过、因为"。他共统计出上述连词后的小句主语 78 个,其中代词有 50 个,占 64.10%;名词 17 个,占 21.79%;零形式 11 个,占 14.10%。代词的比率远远高于名词和零形式,可见,连词后的小句主语趋向于用代词。

时间词后的小句主语也趋向于用代词。在徐赳赳统计的 373 个时间词或时间短语中,后面的小句主语用代词"他"的共 203 个,占 54.42%;名词 82 个,占 21.98%;零形式 88 个,占 23.5%。这个调查结果对于分析例(15)的偏误是十分有帮助的:

* ⑮a.第三天早上我到自由市场买螃蟹,b.以前(∧)也常常来这里,……

时间词"以前"后面应用代词"我"。要指出的是,Li 和 Thompson 以及徐赳赳的统计是针对代词"他"而言的,我们在分析学生偏误过程中,发现连词、时间词后的主语缺失并不限于"他",还涉及"他们、我、这、那、这儿、那儿"等代词。这些偏误从反面证明,连词和时间词后小句主语趋向于用代词这个结论不仅适用于"他",也适用于其他代词。

以上所分析的都是篇章中只有一个人物的情况,当篇章中出现两个以上的人物而且人物变换频繁时,主语更不能缺少了。例如:

⑯a.他工作很忙,b.一去工作就一个星期不回家,c.所以我从大学的宿舍回家的时候,d.(∧)也差不多不在家。

这里小句 d 的主语不能缺少,这一方面跟它前面的小句 c 是表时间的短语结构有关,更重要的是因为小句 c 插入了一个新的人物"我",这时小句 d 再用零形式作主语就会引起误解了。而当人物超过 3 个,连代词也不足以清楚地表达意思时,就得用具体的名词性成分来区分。比如代词填空测试中有这么一道题:

⑰a.朋友们对老舍先生也十分关心,b.他们……,c.但也有几位,d.忍不住在上午甚至清晨就来看他,e.见了他,f.他们就远远地摆手,g.再指指花草……,h.他们向家里人问问_____的生活和健康情况,然后高高兴兴地回去。

小句 a—g 只涉及两方面的人物,用代词就可以明确指代,而小句 h 中插入了另一个人物"家里人",这时再用代词"他"就容易引起混淆了,所以尽管话题没变,空格上也应该用名词"老舍"才更清楚。可见,人物的多少也直接制约着代词的使用。该空格的答对率只有 29%。

2. 定语缺失

主要指缺少指示代词"这、那"作定语,使得上下文失去衔接。

第三节 外国学生代词偏误分析与代词在篇章中的使用

＊⑱a.有一个人，b.他看见一匹马，c.他给一匹马念"南无阿弥陀佛"，d.但是一匹马没听。

＊⑲a.去年在加州大学，b.我有十个同屋，c.我跟十个最好的朋友一起住一个大房子。

这两个例子的共同点在于，上文出现过的数量词组，下文中仍旧使用。例⑱中小句 c 和 d 由于都用"一匹马"，使得它们之间好像没有联系；例⑲中小句 c 与上文也联系不起来，更像是另一个话题的开始。

廖秋忠先生考察了大量的汉语书面语料，发现汉语"当某个或几个对象由带有数量词'一'或不定量的部分量词'有些''许多'等的短语引进篇章时，它（们）的指同表达式不可能是原形，除非是对词语本身的解释"①。例⑱正好从反面支持了这个理论。这里所说的"不可能是原形"意味着可能用局部同形表达式或异形表达式。② 因此，例⑱可以这样改：

⑱a.有一个人，b.他看见一匹马，c.就给它念"南无阿弥陀佛"，但是那匹马没听。

这里代词"它"属于"一匹马"的异形表达式，"那匹马"属于局部同形表达式。

我们要补充两点：第一，下文如果要保留上文提到的数量词的话，趋向于用"这/那+数量词组"的形式来照应；第二，这里的

---

① 参见廖秋忠《廖秋忠文集》，北京语言学院出版社 1992 年版，第 56 页。
② "局部同形表达式"是指"用上文某一表达式的局部来表达指同"，"异形表达式"按照廖秋忠(1992)，包括同义词、统称词、指代词、零形式或省略形式等指同手段。

数量词并不限于"一",其他的有具体数字的数量词也一样,像例⑲中,要保留数量词"十个",得在前面加上"这"使其与上文照应。

在代词填空测试中答对率最低的一道题就与数量词组相关:

⑳a.著名作家老舍先生每天要写一两千字到两三千字,b.在家的时间,c.他都给了_____一至三千字。

55名学生只有两名填了"这",其余的人填"零形式"的较多。而这里只能填"这"才能使小句c与上文衔接。

(二) 该用代词而用了名词性成分

*㉑a.小明是个胖子,b.当时除了我之外,c.其他同学很少跟他来往,d.因为小明很肥胖,e.我那时候朋友也不少,f.刚认识小明时,g.我也很少跟他出门,h.但我记得每次我约小明出去玩,i.他从未拒绝过我。

这个语段可以分成两个话题链:a—d构成一个链,话题是"小明",小句e—i构成另一个链,介绍"我跟小明的关系"。这两个话题链中"小明"的指同表达式是:

话题链1　　　　　　话题链2
a　b　c　d　　　e　f　g　h　i
小明　—　他　小明　　—　小明　他　小明　他

小句d和h都有点游离于话题链之外的感觉,更像是新话题或新段落的开始。这是因为d和h用名词"小明"不符合汉语的一般规律。汉语中比较典型的指同表达式是:

㉒a.去年春天,b.我从报上看到一个同学的先进事迹,c.这个同学是我的好朋友。d.快毕业时,e.我问她的理想是什么,f.她说……(《汉语中级教程》)

其中的人物指同表达式的变化轨迹是：

一个同学……这个同学……她

↑　　　　↑　　　　↑

原形————→局部同形————→异形

廖秋忠称之为"逐步简化、抽象化的趋势"①。也就是说，在一个段落里，某一指同形式一旦出现后，就不大可能用比它更复杂、更具体的形式。若将例(22)中的代词"她"与"这个同学"调换一下，就很别扭了。所以例㉑中句 d 和 h 中的"小明"应改为异形表达式"他"才能跟上文连贯。

四　III 型偏误及其分析

此类偏误情况比较复杂，这里只能就比较普遍的两个问题谈一谈。

(一) 代词位置不当

*㉓a.因为她没有别的妹妹，b.我姐姐总是把她的旧衣服给我。

作者在这里采用了前指的形式(cataphoric reference)，即先出现代词后出现名词。用小句 a 中的"她"指代后面小句中的"我姐姐"。我们知道，英语常有前指的现象，例如：

When he was thirty years old, a very sad thing occured. Bethoven slowly became deaf.②

---

① 参见廖秋忠《廖秋忠文集》，北京语言学院出版社 1992 年版，第 54 页。
② 参见苑锡群《汉英代词比较》，载王还主编《汉英对比论文集》，北京语言学院出版社 1993 年版，第 134 页。

而汉语中前指的情况很少见,一旦出现,后面往往用"这就是×××"或"他叫×××"之类的话语来照应。例如:

㉔他,不是孩子了,已经20岁了;他不稚嫩了,身高1米87,体重达110公斤。尽管这样,他毕竟还是个孩子,总喜欢做梦,总是想看那71米08的纪录,总是盼着超过这个纪录。怨谁呢?谁叫他爱上了链球?一个优秀运动员谁不想破纪录、拿金牌?这是很自然的事。这就是毕忠。这就是他的链球的梦。(《中国青年报》1988年12月4日)

例㉓不属于上述的情况,所以应该改成后指的形式,即将代词"她"和"我姐姐"调换位置。

(二) 代词的平行性问题

㉕a.我很久没见到他了。b.我最不能忘记的是父亲的背影、他的笑声……

这个例子包含一个并列式,其形式是:NP①的 A、他的 B,即并列项的定语不一致。而从我们搜集的语料来看,汉语中并列项的定语往往要求一致。例如:

㉖a.这是你的损失、我的损失、他的损失、世界的损失……,b.但这孩子却也有可敬的地方:他的从容、他的沉默、他的独断独行、他的一去不回头,c.都是力的表现,d.都是强者适者的表现。(朱自清《白种人——上帝的骄傲》)

这里,并列项的形式是:他的 A、他的 B、他的 C,即都用代

---

① NP 表示名词性成分。

词作定语,名词则在整个并列式之前出现。例㉕的情况与㉖类似,所以应该将小句 b 中的"父亲"与小句 a 中的"他"互换,才更符合汉语习惯。我们认为㉕和㉖表现了汉语句中的平行性。

在篇章中平行性问题也很突出。我们以代词填空测试中的一段话为例:

㉗a.……他静静地吸烟,b.然后(ø)写,c.静静地喝茶,d._____又写,e.静静地擦桌子,f._____还写,写,写……思想变成了文字。

这两个空格的答对率都低于50%,大多数人选择"他"而不是零形式,这显然不合篇章要求。汉语篇章中处于平行结构的相同句法位置的成分,也往往要求具有平行性或对称性。例㉗中 d、f 和 b 处于相同的位置,因而也应该用零形式。可见平行性原则也是制约代词使用的一个重要因素。

五 汉语篇章中代词的使用原则

本节将以代词与外部关系(即与名词性成分、零形式之间的关系)和代词本身为线索,总结代词使用的原则,并进行讨论。需要说明的是,本文所总结的主要是代词在篇章中的使用原则,这里的原则仅仅表现为一种倾向,而不是只有少数例外的规则,这是由篇章现象的特点决定的,"大多数篇章现象通常只呈现出一种倾向性的规律"[①]。

[①] 参见廖秋忠《廖秋忠文集》,北京语言学院出版社1992年版,第201页。

(一) 宏观原则——有关代词与名词性成分、零形式

1. 如果将汉语的篇章分为小句、话题链和段落三级单位,①那么,第一,段落与段落之间趋向于用名词性成分接应;话题链与话题链之间趋向于用代词接应;同一话题链内部的小句之间趋向于用零形式接应。第二,同一段落内部的接应手段有逐步简化、抽象化的趋势,即沿着名词性成分→代词→零形式的方向变换。② 可用下表表示:

宏观原则

篇 章					
段落1	名词性成分	段落2	名词性成分	段落3	
话题链1	代词	话题链2	代词	话题链3	
小句1	零形式	小句2	零形式	小句3	

上述原则要受到指称距离和指称对象的影响。

(1)指称距离。指指称表达式与所指对象之间的距离。指称距离主要是语义上的,同时又是绝对长度上的。从语义上看,关系越紧密,其指称距离越近,也就越可能用零形式,越不可能用名词性成分。这大概跟它们(指代词、名词性成分和零形式)本身在概念内涵上所表达的明确程度相对应。同一话题链内部小句之间所以趋向于用零形式照应,我们认为跟语义距离有关,因为只有语义关系十分密切的小句才能构成一个话题链,那么

---

① 据屈承熹介绍,Li, Cherry Ing. 认为,现代汉语的话语是有三个层次的层级结构组成的:小句、话题链和段落。见屈承熹《现代汉语中语法、语义和语用的相互作用》,此文载于戴浩一、薛凤生主编《功能主义与汉语语法》,北京语言学院出版社 1994 年版。

② 名词性成分包括原形、同义词、指示代词+名词(原形的中心词或统称词)。

这些小句间的语义距离当然就很近,只需用在概念上十分空泛抽象的零形式照应即可。而话题链与话题链之间往往在意义上有一定的转换或变化,其语义距离较远,因而常用比零形式具体的代词来照应。段落与段落都有各自的话题,在语义上有显著变化,其语义距离更远,因而常用比代词明确具体的名词性成分来照应。也就是说,在指称距离上,名词＞代词＞零形式。反过来看,如果语义关系十分密切而用代词或名词照应,就会破坏小句间的连贯性,造成 I 型偏误;如果语义变化很大,却用零形式照应,就会造成 II 型偏误。

另一方面,如果指称词与指称对象之间在绝对长度上相隔太远,尽管语义上十分密切,没有什么大的变化,也不宜一直使用零形式或代词。这很可能跟人脑短时记忆容量有关,为了避免由于相隔太远而造成的记忆衰减,往往需用更明确具体的形式重提一下指称对象。①

(2)指称对象,包括人物和事物。如果篇章中出现的人物或事物是单一的,比较趋向于用零形式或代词;如果出现两个以上的人物或事物,且变换频繁,则比较趋向于用名词性成分,也就是说,指称对象越多越趋向于用名词性成分,以免造成混淆。II型偏误中有一部分就是属于该用名词性成分而用零形式或代词,致使指代不明确。

2.平行结构中处于相同句法位置上的成分,也应具有平行

---

① 廖秋忠在《现代汉语篇章中指同的表达》一文中提到了这一点,他的原话是这么说的:"指代词由于语义相当空泛而又有指示对象所在地的要求,为了避免读者/听者由于记忆的衰减而忘了作者/说者所指为何,一般避免连续使用次数太多造成与所指的对象的距离太远。"

性。平行性既指篇章中的平行结构,也指单句以内的并列项。在篇章中表现为,平行结构的相同句法位置上的成分,要么都用代词或名词,要么都用零形式,从而达到音节上的和谐。顺便提一下,一般认为平行性只存在于句式之间。据我们观察,句内的并列项之间也同样存在着平行性,在汉语书面语料中,我们几乎找不到并列项的定语不一致的例子。

3. 连词和时间词后面的小句主语趋向于用代词。我们认为,这跟语义的变化有关。连词,特别是转折连词的出现,事实上标志着语义将要发生变化;时间词也一样,它后面一般是引入与时间相关的新信息,语义也就会发生变化。就是说,连词和时间词后面往往意味着新话题链的开始,所以趋向于用代词而不用零形式。

4. 存现句中的名词性成分作后面的小句主语时,趋向于用零形式。这也可以从语义上解释。在篇章中,存现句的功能是引入话题,后面的小句对这个话题加以说明,它们常常处于同一话题链中,所以趋向于用零形式。

(二) 微观原则——有关代词本身

1. 汉语中的代词一般是后指,即先出现名词,然后再用代词指代。这条原则涉及代词在篇章中的位置,学生在使用代词时,一般不会发生句法位置的错误,问题主要在篇章层面。有的学生不恰当地使用前指的形式,可能是受了母语的影响。汉语中前指的现象很少见,且往往是在很特殊的情况下。

2. 当领属关系可以通过上下文确定时,除了要特别强调领属关系或是进行对比,表领属的人称代词趋向于省略。值得注意的是,作定语的代词也能起到篇章连接的作用,这时,代词定语的省略与否可能还要受更多因素的制约。

3. 数量词组在下文中常常用"这/那＋数量词组"来指同。数量词组(包括定量和不定量)在下文中不能用原形来指同,否则就会使上下文失去衔接。若要在下文中保留该数量词,一般要在前面加上指示代词"这"或"那"。

第四节 英语国家初级学生汉语语篇照应偏误分析[①]

近年来,在汉语照应系统研究成果的基础上,人们开始重视外国留学生汉语语篇层面照应情况的研究,尤其是中、高级阶段的照应偏误的研究。而初级汉语语篇中出现的此类偏误,却没有引起对外汉语教学界的普遍关注。本节拟通过对英语国家学生初级汉语语篇中照应偏误的考察,并比较中、高级阶段语篇照应的偏误情况,提出对这一问题的看法:在考虑学习者母语的负迁移和学习者主观因素的同时,还应注意到初级汉语教材、教学中的"语篇"意识。

一 被试和语料

本节的被试限定为英语国家留学生,主要是为了排除因异质的母语对汉语语篇习得的影响。根据《对外汉语教学初级阶

[①] 本文原标题为"英语国家学生初级汉语语篇照应偏误考察",作者杨春。原载《汉语学习》2004年第3期。

段教学大纲》中词汇和语法项目的范围,将采用的语料难度确定为初级。本节考察的语料为北京语言大学中介语语料库的 44 篇作文、北京师范大学两个英国伦敦班的 87 篇作文,共计 6.5 万字。由于汉语语篇中不同语体的写作有相应的区别性要求,所以本节考察的语体只在叙事体范围。

二 考察前提

照应(reference)指在语言表达中某个语言单位与上下文出现的另一语言单位表示的人或事物相同的一种语言现象。它多用代词等语法手段来表示语义关系,从而使单句连缀成篇。照应是语篇衔接的一种重要手段。汉语语篇中具有照应功能的主要是名词、代词(指示代词和人称代词)和零形式[1]。在保证语言表达明确的前提下,汉语照应形式的选择原则是:能用零形式的一般不用代词,能用代词的一般不用名词。

三 偏误类型

(一) 照应类型

黄国文总结了韩礼德和哈桑的观点,把照应分为:人称照应、指示照应和比较照应三种类型。[2] 按照上述这种划分方法,除"比较照应"外,其他两种类型的偏误在我们所考察的语料中均有表现。另外,上述未曾提及的"名词性成分照应"和"零形式照应"方面的偏误也存在于留学生的语篇当中。

---

[1] 零形式:指上文中的指称对象在下文中不再以名词或代词形式出现,以省略来表示照应。

[2] 参见黄国文《语篇分析概要》,湖南教育出版社 1988 年版。

1. 人称照应方面的偏误

汉语语篇中,人称照应是通过人称代词、所属限定词和所属代词来实现的。我们考察的语料中,出现了第一人称代词在"数"方面的不一致和照应多余两种类型的偏误。

(1) 在"数"的方面不一致

这类偏误是指学生在运用人称代词进行语篇前后照应时,代词和指称对象在单复数上不一致而造成指称混乱的偏误。例如:

①可是中文课现在不太好,因为这几个月我忘了太多汉字。每次我得用一本字典。我跟中国朋友复习我的汉语,因为<u>我们</u>可以谈天儿跟他们。

②我是九月一号来北京语言学院的,过了两个星期<u>我们</u>参加了一次考试。

上面例①和②中的"我们"与上文的"我"在数方面照应不一致。

(2) 代词照应多余

在语篇中,"段落与段落之间趋向于用名词性成分照应;话题链与话题链之间趋向于用代词照应;同一话题链内部小句之间用零形式照应。如果语义关系十分紧密却不用零形式照应,就会破坏小句间的连贯性"①。这一偏误类型在考察的语篇中主要表现为人称代词作主语和定语时代词照应多余的两种情况。

a. 作主语时,照应多余。例如:

---

① 参见高宁慧《留学生的代词偏误与代词在篇章中的使用原则》,《世界汉语教学》1996 年第 2 期。

③大家祝我们快乐,还送我们很多礼物。<u>我们</u>吃生日蛋糕。<u>我们</u>唱生日快乐歌。……<u>我们</u>喝啤酒的时候,<u>我们</u>唱得非常难听。

b. 作定语时,照应多余。例如:

④有时候,在商店里售货员听不懂我的话。所以,我得用我的手告诉他们我要的东西。真不好意思。

上面例④中各小句构成一个话题链,话题是"售货员听不懂我的话",后面小句中名词"手"从属于话题人物"我",因而其表领属关系的代词定语"我的"为多余。

2. 零形式照应对象不清

在一段话语中,各小句之间存在着关联性,这种关联性有强弱之分。就照应而言,诸小句表述一个话题的关联性最强,小句之间存在话题转换的关联性最弱。关联性最强时,人们习惯于用零形式照应;关联性次弱时,人们倾向于用代词照应;关联性最弱时,用名词照应。语料观察表明,留学生在运用零形式照应时,往往将其范围扩大到小句之间,造成语意指向模糊。但此类偏误在考察的初级汉语语篇中出现比较少,仅有3例,这与学生要求语义表达完整的认知心理有关。下边是其中的一例:

⑤我们现在在北京生活,离她太远。ô已经成家,独立生活。

显然,例⑤中ô处就误用了零形式照应。

3. 指示照应方面的偏误

汉语语篇中的指示照应关系比较复杂,具体表现是指示代

词多。陈安定将汉语的指示代词作了以下划分：①

这(些)、那(些)——指代人或事物

这(儿)、那(儿)、这里、那里——指代处所

这时、那时——指代时间

这么、那么、这样、那样——指代性质、状态和程度

根据指示代词与所指对象的位置关系，指称可分为远指、近指、上指、下指。具体表现为"这(NP)"近指，"那(NP)"远指。这种位置关系是以发话人所在的时间和空间作为参照点。学生在运用"这、那"进行照应时，主要受母语的表达习惯影响，同时出现了两种类型的偏误：把近指误用为远指；把远指误用为近指。

(1)近指误用为远指

吕叔湘在《现代汉语八百词》中最早指出，复指前文时用"那"和"这"意思差不多，但是用"这"比用"那"多。这类偏误反映在学生运用指示词指称前文出现过的事物、方式和程度时，把该用"这"的地方误用了"那"。请看下面例句的加线部分：

⑥我没来北京的时候，有很多人跟我说北京的事。他们都说北京坏的方面，我想他们都是为了我好，因为在他们心里，我总是小孩子，所以我来之前，已经有<u>那个</u>心理准备。

⑦在北京，除了上课以外，我处处练习中文。所以一年以后，我的汉语水平一定提高很多。我在中国，还没去过的地方很多。我还不知道的事情很多。一年是很短的时间。

---

① 转引自朱永生等《英汉语篇衔接手段对比研究》，上海外语教育出版社2001年版。

可是我想学很多事情。那样我越来越了解中国和中国人。

⑧我特别喜欢看中国人吃饭的东西。我从来没看到那么瘦的人能吃这么多菜,还不胖,这真有意思。

以上三例的加线部分均采用指示词照应前文提到的事物、方式和程度,应用近指词"这"。

(2)远指误用为近指

汉语语篇中,"那"或"那+NP"一般用于指称发生在过去的事件或人物。这类偏误表现在指示词指称人、时间、处所、方式时,把该用"那"的地方误用了"这"。例如:

⑨a. 那时候还不知道宿舍在哪儿,b. 所以我就问一个男人,c. 今晚我可以在哪里睡觉。d. 这个人叫李老师。e. 他是一个非常好的人。f. 他带我去宿舍。

⑩北京的街上有世界上最多的自行车。我说得可能不对。可是在这个时候我是这样想。

⑪a. 我国庆节去了华宁玩儿。b. 我住在一个英语系学生的家。c. 她的家很有意思。d. 因为她的父母是农民。e. 房子是农村民的。f. 我没看过这样房子。g. 在那儿不可以洗澡。h. 厕所在外边。i. 在房子里有小鸡。

⑫去年我在伦敦大学。在这里我有问题,我知道生活一定不是顺利的。十月份有一次事故,结果我不会用手练习写汉字。

例⑨中,根据上下文场景提供的语义信息,该语段是描述过去的事件。从时间或空间来看,说话人都不在事件发生的现场,距离说话人远。使用"这"指称 d 句中的"一个男人"是不恰当的,违反了指称原则,应改为"那个人"。例⑩的语义背景让我们推知说话人现在不在北京的大街上,说话人是对过去某一时间内的经历作描述,而加线部分"这个时候"指称时间应是"现在",显然两者是矛盾的,改为"那个时候"文意才顺畅。同样的道理,例⑪中的"这样"应改为"那样",⑫中的"这里"应改为"那里"。

(二) 初级与中、高级语篇照应偏误比较

本文采用量化统计的方法考察了以上三种语言单位——人称代词、指示代词、零形式在留学生语篇中的延续值。延续值的强弱体现了三者在语篇中控制范围的大小。统计时,以小句为单位。通过考察我们发现,初级语篇的照应方式单一,基本不出现三种照应形式在同一个语段使用的情况。在运用人称照应作为语篇衔接手段时,初级与中、高级的偏误有重合之处:零形式照应误用为代词照应;照应对象在"数"方面的不一致;误用零形式致使照应对象不清。以下是对英语国家留学生初级语篇中出现的五种照应偏误的统计结果(表4-2),并与陈晨所做的中、高级语篇照应偏误的研究加以比较(表4-3)。

表4-2 初级汉语语篇中照应偏误情况

偏误类型		偏误数量	所占比例
人称照应	照应对象在数方面的不一致	10	6.49%
	代词照应多余	114	74.03%
零形式照应	照应对象不清	3	1.3%
指示照应	远指误用为近指	6	3.9%
	近指误用为远指	21	13.64%

从表4-2可以看出,在运用汉语初期表达时,学生为力求语意完整而忽视了经济性原则,往往不采用零形式照应(见"代词照应多余"一栏)。虽然也偶有用零形式进行照应的情况(1.3%),但都因为没掌握其使用范围而出现了照应对象不清楚的偏误。其中,误用名词照应和代词照应替代零形式照应的偏误情况与陈晨统计的英语国家中、高级语篇零形式误用为代词照应的强态势对应,见表4-3。

表4-3 留学生汉语语篇照应偏误情况

考察阶段	偏误类型	初级	中、高级
人称照应	名词照应误用为代词照应	-	21
	零形式误用为代词照应	114	293
	代词照应误用为零形式	-	285
	照应对象在"数"方面的不一致	10	9
指示照应	远指→近指	6	-
	近指→远指	21	-
	其他	-	29

注:"-"处表示语料中未出现此类情况。其他项包括指示照应不当和指示照应存在"数"不一致问题。

从表4-3的统计可以看出,名词、代词、零形式三种照应偏误在学习的不同阶段有着不同的反映。其中零形式照应误为代词照应是初级水平的学生常出现的偏误,致使语义不连贯,整体性差。这说明学生容易掌握汉语有标记的照应形式,而掌握无标记的照应形式有困难。值得注意的是,把该用代词照应的地方误用了零形式照应,即把有标记形式替换为无标记形式,造成语义指向不清,这在初级语篇中没有发现的偏误却大量存在于中、高级语篇中。另一方面,被考察的语料中没有发现因名词照应误用为零形式而造成的偏误。这与学习者的母语情况和学习者的认知心理有关。在指示照应方面,初级语篇出现"这"、"那"指示不清的偏误现象,虽然比重不大,但仍需要注意。中、高级语篇中出现该用却没用指示照应造成的偏误,照应了却又照应不当和指示照应存在"数"不一致的问题(含在其他项中),而初级语篇没有上述偏误。

表4-3列出的数据表明,初级阶段已经出现因照应形式不当而造成语篇衔接和连贯上的偏误。而且这些问题还在中、高级阶段语篇中延续。究其原因,除考虑学习者母语的负迁移和学习者的主观因素外,作为对外汉语教学者,我们的教学是否从开始就对汉语丰富的语篇手段给予了足够的重视呢?

四 教学启示

对外汉语教学的目的在于培养学生运用汉语进行交际的能力。因此,初级汉语教学应该是为培养学生遣词造句、连贯表达能力服务的教学阶段。但在传统的教学模式中,初级阶段的教学以单个的句子训练为主,缺少成段表达的环节。初级汉语教材也多以会话体为主,叙述体少。到了中高级阶段才强调成段表达的训练,并把这作为初级和中、高级教学的一个区分点。但是,人们在用语言进行交际时,不可能每次只说一句话。初级阶段学习的学生也不可能只用单句进行交际。他们在叙述一件事时,就需要把句子组成语段。在教学实践中,我们常常听到学生这样表达:"我叫玛丽,我是英国人,我二十岁,我在北京学习汉语。"这里单句都没有问题,但串在一起就觉得别扭。这说明学生缺乏"语篇"意识。因此,教师不能只满足于初级阶段的学生说对单句就行,而应该把通过学习单个句子使学生在实际的汉语运用中恰当、得体地进行交流的能力作为教学目标,为中、高级阶段顺利通过"语篇"关做好前期工作。因此,连贯表达的"语篇"能力训练在初级阶段同样不能忽视。

近二十年来,国内一些学者借鉴国外篇章语言学方法,分析汉语超单句句法层面上的语言现象,提出了汉语语篇语言学理论,为汉语研究和教学提供了新的思路。对于这些研究成果,我们不妨采取"拿来主义"以改进我们的教学。本文的调查数据表明:初级汉语也需要"语篇"教学。这里的"语篇"教学指的是中、高级成段成篇表达训练的前奏——组段训练。初级汉语教学以语段为背景进行训练为好,不应把连贯的语段拆成单句来教。作为一个在长度上小于段落,在结构和意义上相对独立的语言单位——语段,它为学生跨越从单句到完整的篇章提供了一个恰当的台阶。初级阶段的语段教学是在学生掌握一定词汇、语法规则的基础上,按照汉语连贯表达的规律,适当进行"组句成段"的训练。

由于连贯表达在语言交际能力的不同层次上有不同的表现形式,因此"语篇"教学在初、中、高级这三个不同的学习阶段有各自相应的要求。我们认为,初级阶段"语篇"教学要建立在实际、实用的基础上。首先,教师应有"语篇"意识,从初级阶段教师就可以利用教授的课文,带动学生采用省略、变换语序、添加关联成分等方式重新组合原文的单句,使其成为连贯的语段,培养学生对汉语语篇的三种照应形式的语感。对于一些注解简单却又涉及其他语用规则的词语、词组,教师的讲解应补充相应的语用规则。比如:教师在讲解"我,代词,可作主语"时,就可以加上这样的描述:在一个连贯的语段中,如果动作的主语不发生改变,"我"不需要重复出现。针对"我叫玛丽,我是英国人,我二十岁,我在北京学习汉语"这样的表达,教师可以帮助学生采用省略主语的方式将其改写为"我叫玛丽,是英国人,今年二十岁,在北京学习汉语"。同时,教师应让学生体会改写后的语段与原文的区别:清楚原文中每一小句都用主语,就使得各个小句像是一个独立的句子,使得本该紧密相连的句子好像没有什么关系;改写后的语句就避免了这些问题。教师可经常挑出存在此类偏误的语段让学生学着进行修改,逐渐掌握这一规则。当然,针对学生语篇中出现的"独立的单句",教师要适时地进行修改。我们并不提倡一见偏误就纠正的做法,尤其是在初级阶段,教师要注意培养学生汉语表达的信心,同时控制住学生的这一问题,不要留到中高级阶段才来解决。

另外,对外汉语教学是对成人的教学。成人具有较强的认知能力和语言生成能力,他们能"感知"汉语表达的规律。这种"感知"可能是来自课内,也可能是来自课外,但是课本这一"最具有权威性"的学习材料对他们"吸收"汉语的影响往往最大。初级汉语课文语料的选取、语法点注释和课后练习的设计也可以涉及一些语篇照应形式的内容。比如:(1)初级汉语课文可逐步增加叙述体形式,将语言运用融入语言交际环境,并有意识地把几种照应形式放到课文中,从有标记的名词照应、代词照应到无标记的零形式照应,这样便于教师在授课过程中讲解。(2)课文中的语法注释可适当兼顾一些简单的语用规则,让学生较早地认识到单句和语篇中一些不同的表达形式,如省略、替代等。学生可以借助母语的思维方式去理解汉语的表达习惯,并在对比中培养汉语语感。(3)课后练习在训练学生熟练掌握语法规则的基础上,考虑一些形式丰富的练习,如:连单句成复句、用人称代词改写句子等。这样做会令学生在实践中增强理性认识。

五 小结

英语国家初级汉语语篇照应的偏误现象折射出对外汉语语篇教学的现状。在描写偏误类型、分析偏误原因的基础上,我们提出改进初级阶段语篇教学的建议:(1)初级汉语教学者应有语篇意识,并将其贯穿到教学的各个环节中。(2)教材的设计应有语篇的"痕迹",建立一个"语篇项目达标体系"。按难易程度,分阶段地对学生实施训练,逐个达标。如何将汉语语篇照应系统的研究成果为对外汉语初级教学所用,让学生的连贯表达能力在科学、实际的基础上提高,还需要教师和教材编写者的共同探索和努力。

第五节　英语国家中高级学生汉语语篇偏误分析[①]

偏误分析是中介语理论的重要组成部分,也是对中介语系统进行观察、描写和解释的有效手段之一。近年来,我国对外汉语教学界运用这一手段对汉语中介语的研究已从语音、词汇、语法层面延伸到了篇章层面。

但就现有的研究成果来看,我们对这一领域的研究还不够充分:比如大部分研究文章未对不同母语背景的学习者(即研究对象)加以区分;研究结果基本上未基于大规模的语料调查;未对篇章偏误的类型各自所占的比例进行归纳和量化统计,因而未能找出外国学生篇章偏误的主要症结等等。本文所进行的研究试图在以上几个方面能够有所突破。

一　本文篇章偏误考察的前提

(一) 相关术语的界定

1. "篇章"的定义

本文采用了廖秋忠在《篇章与语用和句法研究》中对篇章的定义,即指"一次交际过程中使用的完整的语言体。在一般情况下,篇章大于一个句子的长度,涉及说话人/作者和(潜在的)听

[①] 本文原标题为"英语国家中高级汉语水平学生篇章偏误考察",作者陈晨。原载《中国对外汉语教学学会第七次学术讨论会论文选》,北京大学出版社2002年版。

话人/读者。篇章既包括对话,也包括独白;既包括书面语,也包括口语"①。不过,需要说明的是,本文进行篇章分析时的语料全部来自书面语,因此,本文的研究结论也只适用于书面语。

2. 篇章的基本结构单位

本文对篇章进行分析时,为了方便起见,"篇章的基本结构单位"采用的是句子(sentence)。

(二) 语料及几点说明

本文所依据的语料主要来自于1999—2000年在中国人民大学对外语言文化学院已经过至少一年的基础汉语阶段学习的英语国家中高级汉语水平的语言进修生和1993—1994年在英国杜伦大学东亚系学习的中文专业三、四年级的学生的作文,共500篇,约25万字。

为了突出讨论的主题,本文在引用语料时,对其中的篇章以外的偏误问题进行了修改。此外,为了行文的方便,对某些例子篇章中的小句还按a、b、c等记号来标明顺序。

(三) 研究方法和手段

本文主要借鉴了篇章语言学和功能语法的理论,运用偏误分析法和汉英对比的方法对英语国家中高级汉语水平学生的篇章偏误进行了考察。具体的工作手段有量化统计和列表法等等。

二 英语国家中高级汉语水平学生篇章偏误考察

(一) 英语国家中高级汉语水平学生篇章偏误的类型分析

廖秋忠在《篇章与语用和句法研究》一文中曾指出篇章现象

---

① 参见廖秋忠《篇章与语用和句法研究》,《语言教学与研究》1991年第4期。

的研究大致可分为篇章连贯和篇章结构的研究两大类。其中篇章连贯现象的研究又可以分为两个方面:形式连贯手段与意义/功能连贯的研究。因为外国学生在篇章方面的偏误现象主要表现在篇章连贯方面,所以我们的研究范围也主要集中于此,对于其在篇章结构方面的偏误问题暂且不予以讨论。

根据我们对于语料考察的结果,学生在篇章连贯方面的偏误现象亦可以分为形式连贯手段方面的偏误和语义连贯方面的偏误两大类。

1. 形式连贯手段方面的偏误分析

形式连贯手段(又称衔接手段)是构成篇章的有形网络,参照黄国文在《语篇分析概要》一书中的介绍,①我们把汉语篇章中形式连贯的手段分为语法手段、词汇衔接、连接成分等几种主要手段。其中,语法手段中又主要包括省略、照应、替代、句序、句式等手段;词汇衔接手段中又分为词汇的复现、词汇的同现等手段;连接成分主要是指表承接、递进、转折、解释、因果、总结、顺序、时空等语义关系的关联词语的使用。外国学生由于对汉语的篇章形式连贯手段不了解或掌握得不好,在篇章的衔接与连贯上就会出现各种各样的偏误。

下面,我们就英语国家中高级水平学生在篇章的形式连贯手段方面出现的主要偏误根据以上分类进行分析。

(1) 语法手段方面的篇章偏误问题

第一,省略

省略是汉语篇章形式连贯所采用的最主要的语法手段之

---

① 参见黄国文《语篇分析概要》,湖南教育出版社1988年版。

一,它是句际连接的重要纽带。省略的使用可避免重复,突出主要信息,衔接上下文。我们在分析语料时发现,学生在使用省略手段时出现的偏误可分为以下三种情况:

A. 与主语有关的省略方面的篇章偏误

a. 该省略主语的地方没有省略

英语篇章中,主语省略的情况并不常见;而在汉语中,主语省略却是篇章连接的重要手段。英语国家的学生由于对这一差别不了解,往往在篇章中该省略主语的地方没有省略,结果造成了篇章中语句衔接的不连贯或衔接生硬等问题。见下例:

①我要坐两班飞机才能到我的男朋友居住的城市。坐飞机的时候,我特别紧张,[我]吃不下饭,[我]睡不着觉,[我]看不了书,[我]只能跟别的旅客谈话。

例①中,有些小句中的主语"我"该省略的(用[　]表示,下同)没有省略,破坏了篇章中句与句间的自然衔接关系。所以,改正时应该将其去掉。

b. 不该省略主语的地方却省略了

在汉语篇章中,即使前后相连的两个话题链的主语相同,其中的任何一个主语也是不能省略的。有时,学生由于不了解汉语篇章中主语省略的前提是在同一话题链中,或由于其他原因,在不该省略主语的地方却省略了。

②a. 有一天,b. 老张决定带孙女去公园玩。c. 在路上,d. 他突然看到了他的老朋友——e. 老王!f. 老张很高兴,g.(　　)跟老王已经两年多没见面了。

例②中,f句和g句是前后相连的两个不同的话题链,g句

(　　)中应加由人称代词"他"充当的主语,g 句话题链才能完整,并与 f 句相连贯。

B. 与定语有关的省略方面的篇章偏误

这一类偏误问题包括两种情况:该省略定语的地方没有省略,不该省略定语的地方省略了。

a. 该省略定语的地方没省略

③我十五岁时,(我)父母带我们回到了英国。然后,我爸爸来中国工作,所以我也有机会去中国看一看。(我)姐姐和我都爱旅行。这可能和我们小时候的经历有关。

改正时,例③中(　　)中的定语"我"应该省去。

b. 不该省略定语的地方省略了

④三个星期以前,我跟一个朋友去了山海关。我们在那儿住了三天。虽然那三天很冷,但是我们玩得很高兴。(　　)天很蓝,很晴朗,风景也特别漂亮。

例④要在"天很蓝"小句前的(　　)中加入定语"那儿的"来修饰"天",才能和前面的语句组成连贯的语篇。

(3) 与其他成分有关的省略方面的篇章偏误

⑤a. 住在北京跟住在英国确实不同。b. 刚到(　　)的时候,c. 我觉得很孤单,d. 常常想念亲人和朋友。e. 但是,f. 现在我已适应了。

例⑤中 b 小句里的(　　)中应加上"北京",这样,充当定语的动宾结构的宾语的所指才清楚。

第二,句序

汉语句子间某些逻辑排列顺序和英语的不尽相同。比如汉语中的表偏正关系的复句,句子间的逻辑排列顺序趋向于先偏后正:如习惯于先说原因,后交待结果;先说出假设,后作出推论等等。此外,汉语句子间的逻辑排列顺序还常按时间的先后顺序排列:先发生的先说,后发生的后说。这和英语中相应句子间的逻辑排列顺序的规律刚好相反或不同。所以,英语国家学生在汉语篇章表达中,因句序排列不当引起的篇章偏误问题也较突出。下面,我们对这类偏误分两类作进一步的分析和说明。

A. 由表偏正关系的复句中句子间逻辑顺序排列不当引起的篇章偏误

a. 由表因果关系的偏正复句中的句序排列不当引起的篇章偏误

⑥a. 10月13号我跟朋友出去买衣服,b. 因为天气突然变冷了。c. 于是我们那天去秀水市场,d. 因为听说在那里可以买到很便宜的东西。

在例⑥篇章中,由于表因果关系的句序排列不当,结果造成了b句和c句也产生了句际组合关系,从而导致了例⑥整个篇章中语义层次关系的混乱。所以,应改为:"最近天气突然变冷了,听说秀水市场的东西很便宜,所以,我跟朋友10月13号去那儿买衣服。"

b. 由表示让步关系的偏正复句中的句序排列不当引起的篇章偏误

⑦a. 可是,b. 我觉得买彩票的人更多。c. 这些人也希望能中奖,d. 即使这并不意味着能过上无忧无虑的生

活。

例⑦中表假设的让步的偏句 d 句和表结果的正句 c 句的句序颠倒了,造成了整个篇章的语义不连贯。应改为:"即使中奖后并不一定能过上无忧无虑的生活,这些人也还是抱有这种希望。"

c. 由表示目的关系的偏正复句中的句序排列不当引起的篇章偏误

⑧a. 上个星期,b. 一位《北京日报》的记者采访了中国人民大学的一个留学生,c. 为了了解在北京的外国留学生的生活。

例⑧句序应为:"a,c,b。"

B. 由于未按时间先后顺序排列句序而造成的篇章偏误

⑨a. 在人民大学西门的对面,b. 有一个非常大的超级市场。c. 我第一次进去时,d. 感到很吃惊,e. 看到市场里有那么多东西。

例⑨句序应为:"a,b。c,e,d。"

第三,照应

照应是篇章形式连贯手段中一种重要的语法手段,它是用代词等语法手段来表示语义关系,从而使单句连缀成篇章。汉语中照应的手段主要运用人称照应、指示照应这两种方式。在我们搜集到的语料中,因照应手段的使用问题而造成的篇章偏误可分为以下三种情况。

a. 该照应的没照应

这类偏误其实与前文"省略"中提到的篇章中不该省略而省略的几种情况是相重合的。具体情况见上文,此处不再赘述。

b. 不该照应的照应了

这类偏误其实与前文"省略"中提到的篇章中该省略而没有省略的几种情况是相重合的。具体情况见上文。

c. 该照应的照应了、但照应的使用不当

这类偏误在语料中,主要是照应所指称的对象不清楚这种情况居多。请见下例。

⑩a. 我们先去法兰克福,b. 然后坐火车到科隆。c. 因为要游览的地方很多,d. 我们要在那个城市停留五天。

例⑩d 小句中,"那个城市"所照应的对象并不清楚。因此,d 小句中的"那个城市"应改为"科隆"或"法兰克福"。

第四,句式

句式运用得当也是篇章衔接顺畅的一个重要因素。汉语的句式是多种多样的,有主动句、被动句、连动句、兼语句、存在句等,也有简单句和复杂句之分。由于句式的选择在篇章中所受到的制约因素要比单句中多得多,所以,在学生的作文中因句式选择不当而产生的篇章偏误也占有一定的比例。例子见下:

⑪a. 9月1日8点,b. 我和同学们乘坐的飞机到达了首都机场。c. 本来我没想到会有机会来中国学习,d. 所以感觉幸福极了。e. 下飞机以后,f. 我们的护照被机场的警察检查了,g. 然后去取了行李。

例⑪表达出了"我"来中国学习时高兴的心情。可是,f 句却选用了常用来表遭遇不幸之事的被动句式,和前面句子的语义衔接不上。所以,f 句应改成:"机场的警察检查了我们的护照,"并在 g 句的"然后"后面加上"我们"。

⑫a. 今天是星期天,b. 我没有像平常一样睡到下午一点。c. 早上九点,d. 我起了床,e. 拉开窗帘向外望去。f. 呀! g. 大雪把世界装扮成了白色。

例⑫中,"大雪把世界装扮成了白色"一句,放在篇章中,无法和前面一段叙述性的文字衔接在一起。这是因为一般来讲,当人们只要叙述一种客观情况,并不需要强调动作行为的目的、结果或手段等意思时,是不需要采用"把"字句这种句型的。① 所以例⑫中的最后一个小句可改成:"外面已是一片银色的世界。"

⑬我叫大卫。我是英国人。我是新堡大学的学生。我的专业是中文。

例⑬篇章采用的都是自足性很强的主谓谓语单句,这就削弱了每个句子对篇章的依赖性,使篇章的连接很生硬。所以,最好改成复句形式:"我叫大卫,英国人,新堡大学学生,专业是中文。"

第五,替代

是指用替代形式去替代上下文出现的词语。替代的使用是为了避免重复和衔接上下文。汉语篇章中替代的使用虽不像其在英语篇章中那么常见,但有时作为篇章衔接的语法手段之一

---

① 参见张旺熹《汉语特殊句法的语义研究》,北京语言文化出版社 1999 年版。

也会发挥作用。请看例子:

⑭a. 三年前,b. 我来中国旅行的时候去过哈尔滨。c. 今年暑假,d. 我打算带我的女朋友再去哈尔滨。

例⑭在改正时,可以把 d 句中的"哈尔滨"改为"那儿"。

(2) 词汇衔接手段方面的篇章偏误问题

词汇衔接是篇章形式衔接采用的另一种重要的手段。词汇衔接可分为两大类:第一是复现关系;第二是同现关系。在搜集到的语料中,我们发现学生在词汇衔接手段方面出现的篇章偏误主要表现在词汇复现方面。因此,我们在分析中,对于通过词汇的同现关系来实现篇章衔接过程中出现的问题,暂且不予以讨论。

因运用词汇的复现关系来实现篇章的衔接时出现的问题,主要可分为以下三种情况:

第一,因未使用原词复现手段而产生的篇章偏误

这类偏误其实与我们在前文"语法手段方面的篇章偏误"中的"照应"部分提到的照应所指不清而产生的篇章偏误是重合的,如例⑩。

第二,因过分使用原词重复(未使用同义词或近义词)而产生的篇章偏误

⑮窗外三个小孩正在堆雪人,这使我想起了我的童年。我抽着烟,品着奶茶,心里感觉很舒服。下午,我和同学一起去颐和园看风景。我们把那里美丽的风景画了下来。那时候,我们都没说话,但心里很舒服。

例⑮篇章中两处使用了"舒服"一词,由于用词重复,使篇章

的整体性和完整性都受到了影响。因此,我们可以将文中的第二个"舒服"改为"舒畅"。

第三,因误用上、下义词而产生的篇章偏误

⑯我最喜欢旅游。今年暑假,我和朋友一起去了北京、西安、厦门、上海和青岛。这些地方风景很漂亮,也有很多名胜古迹。我对<u>外国</u>的风景名胜很感兴趣。

例⑯用"外国"来作为"北京、西安、厦门、上海和青岛"的上义词是不恰当的,这直接影响到了篇章中上下语句的衔接和语义连贯。因此,我们可以把文中的"外国"一词改成"中国"。

(3) 连接成分方面的篇章偏误问题

连接成分是介于语法手段与词汇衔接手段之间的一种篇章衔接手段。我们把篇章中的关联词语按其所表示的意义关系分为以下几种类型:并列、承接、递进、总结、假设、条件、选择、因果、转折、次序、转换话题等等。

第一,表并列关系的关联词语使用上的篇章偏误

⑰a."五一"的时候,b.我想轻松一点儿,c.(　　)不想东奔西跑地去看各地的名胜古迹,d.也不想和朋友们一起去泡酒吧……

例⑰应在c句前加入"既",这样和后面的句子就能很好地衔接在一起了。

第二,表承接关系的关联词语使用上的篇章偏误

⑱裁缝给中平量了一下尺寸,(　　)卖给他一套很好

看,但也很贵的衣服。

例⑱应在(　)中加入表承接关系的关联副词"就",这样,篇章中的句子才能衔接在一起。

第三,表递进关系的关联词语使用上的篇章偏误

⑲老王着急地说:"唉,老李错把我的孙子带走了,我没有他的地址;他<u>还</u>没有我的,怎么办?"

例⑲篇章中的"还"应当换成"也"。

第四,表总结关系的关联词语使用上的篇章偏误

⑳挪威风景秀丽,北部常年有雪。另外,人们也吃很特别的东西,比如说大鱼头;还喝自己酿造的口味独特的白酒。(　)这是一个很值得看看的地方。

例⑳篇章中的(　)中应加入"总之,"。

第五,表假设关系的关联词语使用上的篇章偏误

㉑我认为要保持公共场所的卫生最重要的是要对公民进行教育。(　)公民没接受这种教育,他们怎么可能知道要这样做呢?

例㉑篇章中的(　)中应加入"如果"。

第六,表条件关系的关联词语使用上的篇章偏误

㉒麦奇告诉我她特别容易迷路,一条路无论她认识或不认识,(　)会搞错方向。

例㉒篇章中的(　)里应加入"都"。

第七,表解释关系的关联词语使用上的篇章偏误

第五节 英语国家中高级学生汉语语篇偏误分析

㉓现在,在伦敦或一些大城市里的饭馆、剧场等公共场所,手提电话已经被禁止使用了。(　)不可以在这些地方打手提电话。

例㉓篇章中的(　)里应加入"也就是说,"。

第八,表让步关系的关联词语使用上的篇章偏误

㉔我不喜欢这儿商店里的服务员,他们的服务态度很不好。(　)我说汉语,(　)没有什么用。

例㉔篇章中的两个(　)里,可分别加上"哪怕""也"。

第九,表取舍关系的关联词语使用上的篇章偏误

㉕英国小孩儿越来越胖,这种情况真的跟他们看电视太多有关系。有时,他们宁肯看电视,(　)不跟小朋友一起玩。

例㉕篇章中的(　)中应加入"也"。

第十,表转换话题意的关联词语使用上的篇章偏误

㉖随着中国农民的生活水平的提高,大部分农民都有钱买自行车了。在农村,自行车市场很有发展前途。(　)中国大城市的自行车市场的发展前景,专家认为不太乐观。

例㉖篇章中的(　)中应加入"至于"来表示话题的转换。

第十一,表因果关系的关联词语使用上的篇章偏误

㉗今年的10月1号,我住在中国,那么,有机会跟中国人一起参加国庆节的庆祝活动。

例㉗中的"那么",应该换成"所以"。

第十二,表转折关系的关联词语使用上的篇章偏误

㉘大部分过圣诞节的人在12月的第一个星期去买圣诞节装饰品和礼物。上班的人和学生节日期间都有假期,况且时间很短。

例㉘篇章中的"况且"应该改成"不过"。

第十三,表顺序关系的关联词语使用上的篇章偏误

a. 表时间顺序关系的关联词语使用上的篇章偏误

㉙第二天早上7点,我们搭公共汽车去五台山。一路上我们看到的风景都很美丽。我们在五台山住了三天,(　　)又去参观了悬空寺。

例㉙篇章中的(　　)中应加入"后来,"一词,以表示上下文时间的推移。

b. 表事件顺序关系的关联词语使用上的篇章偏误

㉚人类是地球的主人,保护地球是我们的责任。要做好这个工作,我认为要解决两个问题:(　　)污染,这是各个国家都面临的大问题。(　　)家庭垃圾,这是个人要面对的小问题。

例㉚篇章中的两个(　　)中应分别加入"第一个问题:"和"第二个问题:",这样,文章的语义才能连贯。

第十四,表时空关系的关联词语使用上的篇章偏误

㉛我觉得中国的大学生与英国的大学生不太一样。(　　)很多大学生会说两三种外语,他们很有主见;为了多

学一些知识和技能,愿意吃苦受累。

例㉛篇章中的(　　)中应加入表地点的短语"在中国",才能使篇章的语义连贯起来。

2. 语义连贯方面的篇章偏误分析

篇章的形式衔接与语义连贯是篇章的重要特征。形式衔接存在于篇章的表层,是一个有形的网络。语义连贯存在于篇章的底层,是一个无形的网络。形式衔接不当的篇章,势必在语义上也是不连贯的。我们在"形式连贯手段方面的偏误分析"中所讨论的形式衔接方面的篇章偏误已经很好地证明了这一点。而形式衔接无误的篇章,其篇章中的各成分如果语义不连贯,也会导致篇章偏误的产生。我们在本小节中所要讨论的正是这方面的问题。请看例子:

㉜我们进了景山公园。公园里面安静极了,到处花香鸟语的。有人在唱歌,有人在下棋。看到这一切,我觉得心里轻松了许多。

例㉜篇章中的各个成分在形式衔接上是没有什么问题的。可是,从语义上看,却是前后矛盾、难以连贯的。因此,可以把"公园里面安静极了"改成"公园里面景色迷人"。

(二) 英语国家中高级汉语水平学生篇章偏误统计表

我们在上文中已对英语国家中高级汉语水平学生的篇章偏误的类型进行了考察和分析。下面,我们就把考察和分析中得到的量化统计结果用列表的方法展示出来。

表4-4 英语国家中高级汉语水平学生篇章偏误统计总表

偏误类型			偏误数量	所占比例		
				更小类系列	小类系列	大类系列
形式衔接	语法手段	省略	583	49%	—	—
		句序	485	40.7%	—	—
		*照应	84	7%	—	—
		句式	32	2.7%	—	—
		替代	7	0.6%	—	—
		合计	1191	100%	68%	
	词汇衔接手段	*词汇复现	37	100%	—	—
		词汇同现	略			
		合计	37	100%	2%	
	连接成分	关联词语使用方面	534	100%	30%	—
		共计	1762	—	100%	98%
语义连贯			31			2%
总计			1793			100%

注：大类系列：指形式衔接与语义连贯两方面组成的系列。
　　小类系列：指形式衔接下分的三个小类（语法手段、词汇衔接手段及连接成分）组成的系列。
　　更小类系列：指上述三个小类中，每一个小类下划分的各个更小的类所组成的系列。
　　另外，照应这一类的偏误数量的统计只包括"该照应的照应了，但照应的使用不当"的情况。

三　结论

本文通过对在英国杜伦大学和中国人民大学学习的英语国家中高级汉语水平学生的500篇、近25万字的作文中的篇章偏误的分析和考察,归纳出了母语为英语的学生在学习汉语时,在篇章形式衔接方面所出现的主要偏误类型。笔者在文中把这类学生在篇章形式方面的偏误首先分为两大类:形式衔接方面和语义连贯方面。然后,又在形式衔接方面的偏误下分小类:即语法衔接手段、词汇衔接手段和连接成分方面的偏误三类。而语法衔接手段方面的偏误下又可分成省略、句序、照应、句式、替代方面的偏误;词汇衔接手段方面的偏误下又可分成词汇复现和词汇同现方面的偏误;连接成分方面的偏误主要指关联词语使用方面的偏误。并对每个小类下所包括的具体情况进行了描写、分析和归纳。在对以上类型的篇章偏误进行分析和量化统计的基础上,列出了偏误分析统计一览表(见上)。

通过对偏误类型的考察、分析和统计,我们找到了这类学生在篇章形式衔接与连贯方面的偏误的主要症结,那就是:这类学生的篇章偏误主要是由篇章中的省略手段(主要是与主语有关的省略手段)、关联词语和句序的使用不当造成的。这三类偏误在学生出现的篇章偏误总数(1 793例)中,共占了约90%(见下表):

表4-5

偏误类型	偏误数量	占偏误总数百分比
省　　略	583	33%
关联词语	534	30%
句　　序	485	27%
共　　计	1 602	90%

由此,我们也得出了这样一条结论:要解决母语为英语的中

高级汉语水平学生的篇章形式衔接与连贯方面的偏误问题,教会他们如何在篇章中正确运用省略手段和关联词语,以及如何保证篇章中句子顺序的正确性是对这类学生进行汉语篇章教学的关键所在。

第六节　韩国学生汉语语篇指称偏误分析[①]

语言学习理论认为,第二语言习得者的中介语是一个逐渐离开本族语而向目的语靠拢的动态过程,因此随着学习程度的加深,学习者中介语语法上的错误会逐渐减少。而将这些正确的句子连贯成篇后却总给人一种缺乏连贯性的感觉,这说明语篇教学是必要的。本文拟通过对留学生汉语语篇中的指称类型、指称方式、指称偏误的考察,分析留学生汉语语篇的指称现状及其成因。

一　被试和语料

本文中的被试是延边大学汉语中心的韩国留学生。根据学习程度分高级和中级两个阶段(初级阶段一般没有写作课)。前者在中国学习汉语 2—5 年,后者在中国学习汉语 1 年左右,学习方式皆为集中式(intensive)。本文的被试限制为韩国留学生,主要是为了排除因异质的母语带给汉语语篇习得的影响。

[①] 本文原标题为"韩国留学生汉语语篇指称现象考察",作者曹秀玲。原载《世界汉语教学》2000 年第 4 期。

本文采用的语料是上述被试的书面表达,包括命题作文和留学生的自发表达(如日记)共 36 篇,计 35 900 字。前者写作过程中,易受范文的影响,后者则容易反映出学生表达的真实情况。选用这两种类型的语料,是为了两相对照,避免偏颇。另外,为使讨论的问题比较集中,我们将文体限制在记叙文范围内。

二 考察结果

(一) 指称类型

胡壮麟把各种指称成分区分为人称指称、社会指称、地点指称、时间指称和语篇指称。① 按照这种划分方法,除"社会指称"外,其他四种指称类型在留学生的实际语料中均有表现,而且上面未曾提及的"事物指称",也大量出现在留学生的汉语语篇当中。

1. 语篇指称 以"这/那、这样/那样、这些"等复称前文,这在汉语中是十分常见的。因其所指不是人、事或物,也不是地点或时间,而是指向语篇中的某一陈述,相当于夸克等的句和小句指称,所以胡壮麟称之为语篇指称。这种指称类型都出现在高级阶段的留学生的语料当中。根据其指称范围的不同又可以分成前文(含前一句和多句两种情况)和前段指称两种情况。前者如:

①奶奶那苍老的脸上印着深深的皱纹。这足以说明她是一位饱经沧桑的老妪。(8B,前面数字表篇序,后面字母

---

① 参见胡壮麟《语篇的衔接与连贯》,上海外语教育出版社 1994 年版。

表段序,下同)

②张志师是我高中时的几何老师。他是四十岁左右的中年人。细高个头,走起路来有些慢,稳当,好像每走一步都是事先设计的"规定动作"。一张脸平淡无奇,稀疏的花白头发也理着最普通的发式,只有一双眼睛闪着奕奕的光。这些都足以说明他的特点——淡。(30B)

①中的"这"仅指向前一句,而②中的"这些"则指向前面多个句子。复指前段的例子如:

③……他怎么能给陌生的人买东西呢?/回家后,我细想了一会儿,这就是人与人之间的奉献。(31C,"/"表示段落间隔,下同)

以"这/那"的变体作为连接手段的例子如:

④他们能够这样生活的原因有两种。其中最重要的就是中国非常尊重各个民族的生活习惯的缘故。这一点我在中国的生活中也能感觉到。(17)

与"这/那"不同,"这样/那样"作为指称成分出现的位置要多得多:(1)作插入语,连接顺承、假设句段,前者如例⑤,后者如例⑥;(2)充当宾语,如⑦;(3)充当定语,如⑧;(4)充当状语,如⑨。

⑤有时我坐在床上学习,如果不理它,它就觉得自己玩没意思。这样它就跳到床上,用脚轻轻地碰我一下……(7C)

⑥回来的路上,我想,我们应该到中国的各个地方,多看看中国的名胜古迹和多了解中国各民族的风俗习惯。只

有这样,才不枉来中国一次。(25F)

⑦过去,我听说过,香山的红叶是北京最浓的秋色。现在我亲眼看见了是这样。(29E)

⑧永善回来以后,跟我说了一遍,我俩捧着肚子大笑一场。/这样的笑话太多了。(30D)

⑨"不用带,从今以后我每天捡回一只兔子,就不用锄地了。"这样说着,张二头也不回地走了。(35C)

2. 时间指称　　用具有时间意义的词语指称前文提及的时间,采用的指称词语主要是"这时"、"那时"、"当时"、"以前"、"以后"以及由"这/那"义词加时间性成分构成的时间短语,比如表时段的"其间"、"从此"、"从此以后"、"从那以后"、"从那时起",表时点的"这下"、"这天晚上"、"那天"等。在这些时间指称词语中,用"这时"、"那时"、"当时"的共 19 例,占此类指称的三分之二以上。例如:

⑩随着中国的对外开放政策的实施,许多韩国人都来中国投资、办学校、开饭店、建工厂,在很多方面和中国人进行友好的合作。我父亲也来到中国教学。那时,常常听到父亲说起中国。(18A)

⑪有一天,空庙里的老鼠做怪,把桌子上的烛台碰倒了,桌边的窗帘被大火烧着了。三个和尚跑来一看喊道:"不得了了,起大火了。"这时,三个和尚都忘记了以前的争吵。(26B)

⑫有一次,她对我说:"每天过这样的生活,不如索性到养老院住。"当时我以为那是开玩笑,可昨天表妹来电话说

奶奶真的去了养老院。(8A)

经考察,高级阶段学生的错误表现在"这时"、"那时"、"当时"的误用上。例如:

⑬回到宿舍后,当我把这件事告诉朋友的时候,他们气愤地说:"他多收你一块钱了。他要的是一块钱,不是两块。"当时,我才恍然大悟……(30B)

⑬中的"当时"应改为"这时"。

中级阶段留学生的时间指称错误则要多一些。例如:

⑭1996年早春我从韩国到了北京,到了延吉。这时候,天已经黑了,不知道哪儿是哪儿。取行李的地方人很多,噪音很大。这时,从远处走来了我的朋友。(23A)

⑮有一天,在我上学坐车的时候碰到了一个小学二年级的小女孩给我让座。我很感动。这个小女孩的心像天空一样纯净,像海洋一样宽广。以后,我再也没遇到那个小女孩。(24D)

上面⑭中的"这时候"应改为"那时候",因为后面还有一个"这时";⑮中的"以后"应改为"从那以后",这二者计算时间的起点不同。

3. 地点指称　用来指称地点的主要是"这里/那里"以及它们的变体"这儿/那儿"、"这个地方/那个地方"。例如:

⑯吃饭后,我一个人坐在树荫下看了周围的景色。这儿的山主要是由岩石组成的。(1B)

⑰我们最先去的地方是溥仪曾经住过的地方。那里人

山人海,我们好不容易才挤出那个观光区。(25E)

上面⑯中的"这儿"应该换成"那儿",因为作者是在回顾一次旅游经历。

4. 事物指称 事物指称词语由"这/那+N(P)"构成。先看例句:

⑱有一次,偶然的机会,有位中国朋友介绍给我一本书——《论语》。这本书我虽然只读了一部分,但都是至理名言。(6A)

⑲我们又去了佛教山。那座山从山脚到山顶修了一条台阶。(1C)

学生的错误主要表现在"这/那"的选择上面,"这"的使用频率远远高于"那",甚至在应该用"那"的地方用上了"这"。例如:

⑳现在我看看在香山拍的照片,又想起了这次愉快的旅行。(29E)

以上留学生采用的4种指称类型从指称关系上看是直示(deixis),与人物指称有所不同。我们将前面的考察列表如下:

表4-6

项目\指称类型	语篇	时间	地点	事物
这(X)	18	11	3	9
那(X)	1	7	3	2
其他	0	9	0	0
正确率	89.5%	81.5%	83.3%	90.9%

从表中可以看到,留学生语篇中的语篇指称和事物指称的正确率大体相当,地点指称和时间指称的正确率比较低。前者是因为,语篇指称只出现在高级阶段,而事物指称相对容易些,所以正确率较高。对留学生来讲,指称汉语的时间和地点时,"这/那"的选择较难把握,又由于时间指称的表现形式多于地点指称,所以出错更多些。

5. 人物指称　人物指称时,一般篇章中先用名词引进一个人物,随着情节人物的发展,再用人称代词、零形式或名词进行追踪,也就是指同(也称照应),从而形成一个话题参与者延续性的序列。语言中有三个人称,但记叙文中以第三人称和第一人称的使用比较多,这里分别加以考察。

(1) 第三人称指称　Givón 认为认知的可及性与人们话语里所需的信息处理的努力成反比,他把人物指称的形式排成了一个可及性程度阶列:零形式＞非重读代词＞重读代词＞名词＞被修饰的名词。在这个人物指称序列中,零形式、代词和名词是三个非常重要的环节,留学生在指称人物时恰恰只选取这三种形式。

我们这里的考察忽略人称代词在句法分布上的差异,采用 Givón 提出的"回数法"统计以上三类成分在留学生语篇中的延续性值。延续性值的强弱体现了名词、代词和零形式等在篇章中的控制范围的大小。统计时以小句为单位,"用小句而不用句子作基本单位,较能适应汉语的情况,因为汉语口语里特多流水句,一个小句接一个小句,很多地方可断可连。试比较一种旧小说的几个不同的标点本,常常有这个本子用句号那个本子用逗号或者这个本子用逗号那个本子用句号的情形。"①

下面是我们对留学生语料中的零形式、代词和名词性成分的延续性值的统计结果,并与徐赳赳的两次统计加以对照:②

表 4-7

统计来源＼指代形式	名词	代词	零形式
留学生语篇	3.76	3.083	2.893
徐 1	Φ	5.87	1.14
徐 2	9.43	2.98	1.29

注:徐1、徐2分别指徐(1990)和后来对刘绍棠的《京门脸子》的统计,"Φ"指的是统计的缺省项。

我们看到,尽管这两次统计的具体数值相差悬殊,但三种指称延续性值的强弱态势是一致的。与此相对照,留学生汉语语篇中人物指称的三种形式的平均延续性值具有以下几个特点:第一,总体上符合汉语人物指称延续性值的强弱趋势;第二,零形式的延续性值比本族人语篇的延续性值高一倍,说明留学生语篇中零形式总体上表现为用量不足;第三,名词性成分的延续性值远远低于徐的统计,说明留学生语篇中名词性成分的用量远远高于本族人;第四,代词的使用与本族人大体相同。

上面的统计是两个阶段留学生语篇中人物指称的平均值。事实上,各种指称形式的运用在各个阶段的留学生那里是不平衡的。看下面两例:

---

① 参见吕叔湘《现代汉语语法分析问题》,商务印书馆 1979 年版,第 27 页。
② 参见徐赳赳《叙述文中"他"的话语分析》,《中国语文》1990 年第 5 期。

㉑但恩京(a)的家庭环境跟我家不一样,恩京(b)的家庭很富有。恩京(c)以前告诉我,她的父母结婚八年才得女儿,所以恩京(d)没有兄弟姐妹。恩京(e)家的财产大约有十几亿左右。(16B)

㉒我来到中国以后最吃惊的是他们(a)每个民族都很好地保留着他们(b)的风俗习惯。到延边以后,我本想他们(c)虽然是朝鲜族,但他们(d)肯定保留不了朝鲜族的精神。因为他们(e)已经离开家乡很多年了。还有他们(f)大多已是第二代、第三代人。(17A)

这两例出自中级阶段留学生的习作之中。㉑中同一人物出现6次,其中名词"恩京"出现5次,代词"她"出现1次,零形式指称出现0次;㉒中的"他们"连续出现6次,其他两种人称指称形式一次也没有出现,而且他们(a、b)和他们(c、d、e、f)并非同指。

到了高级阶段,人物指称的形式就相对丰富得多,语篇也连贯了许多。例如:

㉓春天的一天,天气格外晴朗,有一个叫张二的农民正在自己家的地里锄草。他已经干了大半天了,Φ还没干完,他觉得又饿又累,Φ多想到田边的大树底下歇一歇啊!这样想着他抬头望去,Φ只见一只野兔从远处飞奔而来一头撞在大树上叫了几声倒下了。张二连忙跑过去一看:鲜红的血泊里躺着一只大白兔。(25A,Φ表示零形式,下同)

㉓开篇以名词性成分点明人物,接下来用代词和零形式回指。此后,再一次回跳到名词性成分"张二",避免了因话题链过

长造成的人们理解上的困难。

(2) 第一人称指称 相对第三人称指称而言,第一人称指称似乎要简单些。因为这种指称类型主要关涉第一人称代词和零形式两个因素。像对第三人称的考察一样,我们选取了留学生习作中由"我"作为话题形成的话题链不中断的语篇进行统计分析。下面是留学生的语篇与熊学亮的研究的对照:①

表4-8

统计来源 \ 指代形式	代词(我)	零形式
留学生语料	4.848	4.164
熊学亮(1999)	1	7.32

从表中我们看到,留学生语篇中的名词与零形式的辖域相差无多,其中代词"我"的使用率高于本族人,零形式的使用率则低于本族人。而这两种指称形式的组合运用又呈现多种情况。例如:

㉔我很久以前就很向往中国。Φ仅仅看到"中国"这个词还有中国的电影或中国人,我的心情就马上激动起来,我喜欢中国。好像过了七年了,我读了外语高中,她同普通高中不一样,因为直接有外国人教书。/从那时开始,我喜欢中国和中国文化。没有晚间课的时候,我总是到"汉城明洞中国大使馆"去。(22A)

---

① 参见熊学亮《英汉前指现象对比》,上海复旦大学出版社1999年版,第92页,146页。

㉕Φ没来中国以前,也就是在韩国的时候,Φ仅仅知道中国的国土非常广大,人口也多。Φ来到中国一看,确实不假。只是Φ在学校的时候没有意识到这一点罢了。可Φ后来逛街的时候,Φ看到挤挤闹闹的人群,好像全中国的人都出来逛街似的。(19A)

以上两例代表两个极端:前一例出自中级阶段留学生之手,几乎每句必言"我";后一例出自高级阶段留学生之手,整段话未出现一个人物,让人摸不清楚人物到底是谁。

再看一个两种指称形式组合得比较合理的用例:

㉖我听到这个消息不觉有点心痛,Φ便决定去看奶奶。Φ一进养老院,Φ就看见几位老人在门口坐着晒太阳。Φ看他们一动不动地坐着,真像雕像似的。我这心不知是怎么了,Φ有一种说不出的滋味在心头。(8B)

这一例先点出人物"我",再用零形式回指,然后再循环一次,整个语篇既保持了话题的连贯,又表达得简洁凝练。

Givón认为:"到目前为止,连续性最强的最为可及的识别主题的手段,通常是零前指词语和非重读的代词,当然,前者在汉语里用得多,后者在英语里用得多。"[①]通过考察我们发现,留学生语篇中人物指称的一个突出的表现是零形式运用不足。

(3)人物交替指称 以上对人物指称的考察限定在一个话题链不中断的情况中。而语篇中更多的情况是,出现两个或更

---

① 参见 Givón Topic Continuity in discourse: a quantitative cross-language study, Amsterdam: John Benjamins, 1983. 引自熊学亮《英汉前指现象对比》,上海复旦大学出版社 1999 年版。

多的人物,而且角色(话题)交换频繁,此时趋向于用名词来指同。总体趋势是,人物越多,变换越多,越倾向于用名词,但在语篇局部也会形成一个个小的"名—代—零"指称的"局域网"。这种人物指称的直接切换,比较适合留学生的表达。但这种人物交替指称形成的语篇在小的区域上仍然暴露出一些问题。例如:

㉗跑完步后,有的队员(t1)开始抱怨了:"教练,什么时候让我们到大海里游泳啊?"教练(t2)说:"不能性急,要做游泳前的热身运动。"我(t3)在暗想:"反正我会游泳,我可不想浪费时间。"教练(t2)已经组织运动员围成一圈打排球了。教练(t2)看见我站在一旁一动不动,跑过来硬拽我去了。正当我闷闷不乐的时候,我的下辈(t4)(低年级学生)悄悄地走过来对我说:"贤珠姐姐,咱俩去游泳吧。"于是,我俩(t5)背着教练,拿着救生圈跑进了大海。(32C)

这段话中共出现5个话题,按照时间顺序依次展开,其中有一个由"教练"形成的较短的话题链,作者两次启用名词"教练",使语篇缺少连贯性,如果第二个"教练"用"他"来指称,情况就好多了。从这个例子我们可以看出大的语篇和小的语篇的内在联系。

(二) 指称方式

胡壮麟将语言中的指称方式分为人称指称、指示指称、比较指称、词语指称四种形式,并指出其中最重要的是人称指称和指示指称。[①] 廖秋忠总结汉语指同表达的具体形式有:A.同形表

---

① 参见胡壮麟《语篇的衔接与连贯》,上海外语教育出版社1994年版。

达式;B.局部同形表达式;C.异形表达式(1.同义词;2.统称词;3.指代词;4.零形式或省略式)。①

通过考察我们发现,留学生的语料中只出现了胡壮麟提到的两种最主要的指称方式:人称指称和指示指称以及词语指称中的专有名词指称方式;从具体的指同形式上看,留学生只采用廖秋忠概括的 A 式以及 C 式中的指代词和零形式(可参看前面指称类型中的用例)。比较复杂的指称形式,如比较指称和词语指称中的隐性指称以及专有名词前再加指示词"这"或"那"等指称形式,留学生的语料中一例也没有出现。可见,指称方式在留学生那里是简化了的。

(三) 指称偏误

1. 缺少必要的指称

指代和重复是两个非常重要的语篇连接手段。但是过多的重复使行文显得啰嗦,除非这种重复是为了表达某种特殊的感情,否则名词性成分第二次往往以代词或零形式的形式出现。我们通过考察发现,高级阶段的留学生运用的指称形式相对比较丰富,而中级阶段的大多数留学生仍停留在句与句的线性排列上,整个语篇缺少必要的宏观整合。例如:

㉘他们只有一间房子,没有墙,一间房子里有卧室、厨房和客厅。(24B)

㉙渐渐地,金永焕更变本加厉了,开始逃课了。我们班的班长是一位很负责的干部。班长找到金永焕说:"永焕,你怎么了?学生最重要的任务是学习……"(34B)

---

① 参见廖秋忠《廖秋忠文集》,北京语言学院出版社 1992 年版。

㉘中的第二个"一间房子"若改成直示指称"这间房子"、㉙中的第二个"班长"改为"他",整个语篇就显得连贯多了。

2. 缺少先行成分

先行成分是指称语词存在的依据,也是话题链得以形成的前提。但中、高级阶段的留学生的语料中都有缺少先行词语的用例。例如:

㉚他们能够这样生活的原因有两种。其中最主要的就是中国非常尊重各个民族的风俗习惯的缘故。这一点我在中国的生活中也能感觉到。在这里,汉族和朝鲜族是那么友好,像一家人似的。(17B)

㉛有一次,我去修理部修自行车,修完后问他多少钱,那个人说:"一块。"(30B)

上面㉚中的"这里",根据前文只能指中国,而这却与作者的本意(延边地区朝汉两个民族和谐相处)不符,其原因就是没有与"这里"同指的先行成分;㉛中的"他"和"那个人"倒是同指,但由于缺少先行成分,读者始终无法弄明白"他"和"那个人"是谁。

三 指称现象分析

我们从指称类型、指称方式和指称偏误三个方面对留学生语篇中的指称现象进行了考察。总的来看,留学生汉语语篇在指称类型和指称方式上都呈现简化的态势。历时地看,中级阶段的留学生的语篇仍带有句子线性排列的痕迹,到了高级阶段,这种痕迹渐渐淡化,出现了许多连贯而流畅的语篇,甚至能自如地运用回指、下指两种手法。例如:

㉜……其中给我印象最深的一句是"巧言令色,鲜矣仁"。(←)这句话用现代的语言来说明是这样(→)的:"花言巧语,装出和颜悦色的样子,这种人的仁心就很少了。"(6B)

他们还能较好地将直示(deixis)和照应(anaphora)两种指称关系结合起来,例子从略。

留学生语篇中的指称仍存在一些问题。首先,在指称类型上,社会指称没有出现,而且在运用直示手法时,对汉语"这"和"那"的使用缺乏了解,出现大量误用;在人物指称时,三种主要指称形式的延续性值与本族人有较大的差距。其次,在指称方式上,留学生采用的形式非常有限,因此写就的语篇比较单纯,缺少变化。再次,留学生语篇中存在指称偏误,这表现在缺少必要的指称,同时也表现在指称时缺少先行成分(它们是运用指称手法时必要的因素)。这种指称偏误说明留学生对指称现象本身缺乏理性的认识。

我国的语篇研究起步较晚,语篇知识尚未写入对外汉语教科书。那么留学生是如何写出比较合乎汉语规律的语篇的呢?福克斯认为,语言使用者对不同语域内的不同前指模式的知识,是与有关的语域和有关的其他限制一起习得的,各种前指模式是从更为抽象的普遍模式(即普通语法内容)那里派生出来的,或者说是普通前指模式参数化的结果。① 我们的考察证实了福克斯的假设,也说明留学生汉语语篇的习得基本上是自发的。模仿是他们习得汉语语篇的一个最重要的方法。他们的语篇中

---

① 参见熊学亮《英汉前指现象对比》,上海复旦大学出版社1999年版。

有许多范文的"摹本"。例如：

㉝来到中国也有两年多了，这段时间里发生过不少大事儿小事儿，也或多或少地得到了生活经验。但有一件小事，常常浮现在我眼前，也时刻激励着我。(31A)

我们从这段话可以依稀看见鲁迅《一件小事》的影子。

留学生语篇的指称现象从一个侧面折射出对外汉语语篇教学的现状。我们认为，要让留学生尽快习得"汉语化"的语篇模式，必须加强语篇教学。当然，语篇教学必须建立在充分研究对形成汉语特色的语篇的参数基础上。

第五章

汉字偏误分析

第一节　外国学生汉字书写中部件偏误分析[①]

在众多的对外汉语教学的论文中,有关汉字的文章所占的比例不大。这些有限的文章中又以探讨教学方法的文章居多,分析汉字偏误的文章偏少,且分析汉字偏误的文章多为列举零散的现象,分类与分析缺乏系统性。本文尝试对时贤文章中所涉及的汉字偏误及笔者在实际语料中所收集到的用例作进一步的分析,权作引玉之砖。

张旺熹、崔永华、万业馨等都曾指出,须重视汉字部件的教学,这是非常有见地的。[②] 部件作为笔画和整字的中介,在汉字的构成方面起着十分重要的承上启下的作用,对部件结构掌握的好坏直接影响到对汉字的掌握。据我们考察,外国学生的汉字书写偏误,除了极少数由处于朦胧阶段的初学者所产生的不成系统的增减笔画的失误以外,成系统的汉字偏误大多与部件

[①] 本文原标题为"外国学生汉字偏误分析",作者肖奚强。原载《世界汉语教学》2002年第2期。

[②] 参见张旺熹《从汉字部件到汉字结构——谈对外汉字教学》,《世界汉语教学》1990年第2期;崔永华《汉字部件和对外汉字教学》,《语言文字应用》1997年第3期;万业馨《汉字字符分工与部件教学》,《语言教学与研究》1999年第4期。

有关。① 因此,本文拟从部件的改换、部件的增损和部件的变形与变位三个方面来讨论成系统的汉字偏误。在分析外国学生汉字书写偏误的同时,我们将简要对比古今汉人汉字书写中的类似情况,以便探讨人类所共有的认知心理。

一 部件的改换

外国学生改换部件的汉字偏误一般都是改换意符。这又可分为三种情况:形近改换、意近改换、类化改换。下面分述。

(一) 形近改换

一些常用意符之间虽然在意义上没有什么联系,但是由于形体相近、相似,学习者在书写中往往换用。比如,因笔画增减而形近形似的有:冫、氵、厂、广、土、王、大、犬、囗、日、曰、目、尸、户、衤、礻、弋、戈、木、本、朩、禾、扌、牛、冖、宀、穴,等等;因笔画长短、曲折与否而形近形似的有:土、士、贝、见、目、月,等等。这类偏误的实例颇多,毋庸赘举。现有文献一般将之归纳为笔画增减或笔画变形。施正宇从部件的角度着眼,将其分析为"形似形符的替代",是很正确的。② 因为这类偏误不是简单的一笔一画的增减或变形,表面的笔画增减实质上反映的是书写者对

---

① 有关中介语的失误和偏误、成系统和不成系统的联系与区别可参鲁健骥、盛炎和肖奚强的相关论述。不成系统的汉字失误例证,陈阿宝、杜同惠多有列举,可参考。鲁健骥《中介语理论与外国人学习汉语的语音偏误分析》,《语言教学与研究》1984 年第 3 期;盛炎《语言教学原理》,重庆出版社 1990 年版;肖奚强《略论偏误分析的基本原则》,《语言文字应用》2001 年第 1 期;陈阿宝《汉字现状与汉字教学》,载《第一届国际汉语教学讨论会论文选》,北京语言学院出版社 1986 年版;杜同惠《留学生书写差错规律试析》,《世界汉语教学》1993 年第 1 期。

② 参见施正宇《外国学生形符书写偏误分析》,载《第六届国际汉语教学讨论会论文选》,北京大学出版社 2000 年版。

这些意符的表义功能或者说对它们表示什么类义还不是很清楚。因而此类偏误多产生于初级水平的学习者,中高级水平的学生则较少出现此类偏误。

这类偏误以汉语为第一语言的人也常出现,特别是启蒙阶段的小学生极易出现。李保江所编《错别字词鉴析》就收有类似的错字。① 另据张涌泉《汉语俗字研究》,意符形近换用是汉语史上俗字所由产生的一条途径。② 由此可见,在汉字的书写过程中形近改换并不只是第二语言学习者才发生,古今汉人也都时有发生。这说明人类有着共同的认知心理。

(二) 意近改换

汉字的意符所表示的只是概括的类义,许多意符所表示的类义往往是相近的,也就是说,相同或相近的类义,往往可以用不同的意符来表示。这是异体字或俗字及外国学生改换意近意符的客观原因。在这类偏误中常被外国学生互相替换的意符有:走、辶、𧾷、艹、竹、口、氵、忄、米,等等。限于对汉字的认知水平,外国学生所改换的都是常用且类义比较显豁的意符。而在异体字或俗字中经常换用的一些意符,如:"彳"与"走、辶、𧾷","月"与"页、骨","木"与"缶","木"与"禾","火"与"金","金"与"刀","目"与"见",等等,由于表义不很显豁或相互之间似乎没有什么明显的联系,则一般不被换用。不过即使如此,产生此类偏误者的汉字认知水平也比产生形近改换偏误者的汉字认知水平要高一些,这些偏误大都出自中级水平的学习者,是对汉字的

---

① 参见李保江《错别字词鉴析》,新华出版社 1991 年版。
② 参见张涌泉《汉语俗字研究》,岳麓书社 1995 年版。

意符有所掌握并有了一定的类推能力的结果。

(三) 类化改换

这类偏误主要是由于上下文的影响而改换某个字的意符。比如:膀(傍)晚,根椐(据),语(据)说,讹(批)评,批抨(评),奶烙(酪),女姓(性),告听(诉),沌(纯)洁,惊(凉)快,草苹(坪),眼睆(镜),叮(顶)峰,欢(饮)料,狡狯(诈),坏(环)境,保玲(龄)球,牛奶(奶)等。① 这类偏误主要表现在受词内前后字的影响,如上举各例。也有受短语内其他字的影响的,如:枾(种)树,迌(跑)过来,虫蛟(咬),一饨(顿)午饭,我倍(陪)他们去逛逛,我们傍(旁)边,让他们但(担)心,他吃惊地偈(愣)住了。这类偏误受上下文的影响是非常明显的。从将"根据"的"据"写成"椐"、将"据说"的"据"写成"语",就可窥其一斑。脱离了上下文,学习者一般不会产生此类更换意符的偏误;脱离了上下文,教学和研究人员也很难分析其成因,比如"椐"、"语"等假字现象,或者根本就无从知道其是偏误,比如更换意符后恰与另一汉字同形的现象。

由上下文的影响而改换某个字的意符这种现象古已有之,这在文字学中称为类化,即因类推而产生的同化。这种现象也是汉语文字史上大量异体字和俗字所由产生的重要途径。李保江《错别字词鉴析》列举的错别字中也有许多类化造成的偏误,而且这些偏误与外国学生的偏误如出一辙。比如将"花簇"写成"花蔟"、"扳机"写成"板机"、"惊讶"写成"谅讶"、"牛虻"写成"牛牤"。这些都说明外国学生根据意符特征类推的认知心理与汉

---

① 施正宇《外国学生形符书写偏误分析》将"欢(饮)料"的"欢"和下文的"枾(种)树"的"枾"、"迌(跑)过来"的"迌"分析为形似形符的替代,将"牛奶(奶)"的"奶"分析为相关形符的替代;叶步青将"告听(诉)"的"听"分析为形近相混。似不确。

人是一致的。

由上下文而产生的更换意符的类化是常见的类化现象,但有时这种类化偏误并不依靠上下文而是产生于已经内化的语言知识。比如,将"借机"写成"措机"、"偷东西"写成"揄东西"、"梳头"写成"抗头"、"爬山"写成"跁山"。这些偏误都是书写者根据提手旁表示手的动作、足字旁与行走有关类推出来的。特别有趣的是,将"爬山"的"爬"写成"跁"或"跊",书写者没有注意到"爪"是意符,"巴"是声符;而将"𧾷"作为意符,将"爪"、"瓜"作为声符。这说明书写者对汉字的意符和声符已经有了非常强的类推能力。

我们同样将由上下文的影响而产生的换用意符的现象称为显性易旁类化,将那些不依靠上下文而只是依靠某些原型特征换用意符的现象称为隐性易旁类化。

(四)声符改换

从理论上说,书写中被改换的汉字部件,既可能是意符也可能是声符;但通过对大量的语料的调查,我们发现被改换的部件绝大多数都是意符,改换声符的偏误极其罕见。[①] 我们仅发现有限的几例,即:将"牺牲品"的"牺"写成"犐",将"电影"的"影"写成"彰",将"开玩笑"的"玩"写成"琮",将"树叶"的"树"写成"椒"。这与汉字在历史长河中的使用情况很不相同——换用音近音同的声符在汉语史上是一种常见现象,这也是异体字和俗字产生的一条重要途径;不过外国学生这方面的偏误现象倒与

[①] 这里指的是有理据的音近音同换用现象,因笔画增减而恰与另一不同音的声符字形相同的情况不在此列。

现今的汉族人的汉字偏误状况基本一致。李保江《错别字词鉴析》所收1 000例汉字偏误中,也仅有几例是音近音同换用声符的,它们是:将"炫耀"的"炫"写成"煊",将"遭遇"的"遇"写成"迂",将"来源"的"源"写成"沅",将"攀缘"的"缘"写成"缓"。

意符和声符的换用之所以存在如此巨大的差异,也许与以下两点有直接的关系:其一,万业馨指出,形声字意符的数量远低于音符的数量,说明意符的构字能力比音符强。① 换个角度说,意符的类推性和能产性远远高于声符。汉字的这一特点必然为学习者所重视并内化,所以国内外学习者才经常出现改换意符的偏误。其二,汉语中存在大量的音同音近的汉字,这为汉字的同音替代提供了方便。外国学生和汉人的偏误中存在的大量的别字,正是书写者由音及形而不得其形的体现。这也为书写者提笔忘字的困境找到了适当的出路。

二 部件的增损

部件的增损主要指在书写过程中增加某个字的意符或减损某个字的意符。下面分述。

(一) 增加意符

这类偏误主要是由于上下文的影响而给某个字增加意符。比如:日皌(夜)、棹(桌)椅、极(及)格、悙(事)情、惊倚(奇)、憘(喜)悦、悲悡(哀)、歖(喜)欢、嘭(影)响、如婐(果)、病(内)疚、粮糧(食)、诰(告)诉、认讻(为)、诤(争)论、攒(赞)扬、撑(掌)握、提

---
① 参见万业馨《汉字字符分工与部件教学》,《语言教学与研究》1999年第4期。

搞(高)、技(支)持、洼(生)活、太泙(平)洋、浪溃(费)、漂浣(亮)、演湊(奏)、漩(旅)游、达(大)连、遼(旁)边。这类偏误和类化改换一样,主要表现在受词内的前后字的影响,但也有受短语内其他字影响的,如:"搬挠(完)了"、"这遐(是)什么"中的"挠"、"遐"。这类偏误受上下文的影响也是非常明显的。这就是书写者将"喜悦"和"喜欢"的"喜"分别写成"憘"、"歖"的原因。不仅一个字可能因上下文的不同而产生不同的偏误,有时一个词内的两个字也会因书写者的着眼点不同而产生不同的类化偏误。比如将"告诉"写成"诰诉"或"告哳",前者因"诉"使"告"增加了意符,后者因"告"使"诉"改换了意符。上文所举的将"批评"分别写成"批评"和"批抨"也是同样的道理。与类化改换一样,脱离了上下文,此种现象是难以产生也难以分析其成因的,特别是增加意符以后与另一个汉字同形的情况。

因上下文的影响而增加意符与改换意符一样,也是文字学中的类化的一种表现形式。汉语史上曾因此而产生了不少的异体字和俗字。李保江《错别字词鉴析》列举的汉人的错别字中也有不少增加意符的类化所造成的偏误,比如:葫(胡)萝卜、芥茉(末)、黄莲(连)、伧(仓)促、渲(宣)泄、支唔(吾)、麻疯(风)病等。

增加意符的类化也可能不依靠上下文,而是产生于已经内化的语言知识。比如将"大丈夫"、"忘记"、"喜乐"、"中山陵"、"声母"、"韵母"的"丈"、"忘"、"喜"、"陵"、"母"分别写成"仗"、"忕"、"憘"、"墜"、"姆",这都是书写者根据单人旁与人有关、竖心旁与心理活动有关、土字底与陵墓有关、女字旁与女性有关而类推产生的。这也说明书写者对汉字的意符已经有了很强的类推能力。

我们同样将由上下文的影响而产生的增加意符的现象称为显性增旁类化,将那些不依靠上下文而只是依靠某些原型特征增加意符的现象称为隐性增旁类化。

(二)减损意符

如果说增加/改换意符主要是受上下文的影响,那么在书写过程中减损意符则与上下文没有什么关系而主要是由知其音难记其形所致。我们收集到的外国学生的此类偏误的实例有:城保(堡)、成(城)市、比(毕)业、比交(较)、总(聪)明、导至(致)、方(放)心、根原(源)、古(故)事、几(机)会、京居(剧)、力(历)史、其(期)末考试、气(汽)车、习贯(惯)、小且(姐)、友宜(谊)等。这类偏误无论是汉人还是外国学生都经常发生。相关的研究一般均将其分析为别字,但它们与字形完全不同的同音替代的别字现象有所不同。如果将"正字—减损意符的别字—字形全异的别字"看作一个连续统的话,那么减损意符的别字的认知水平显然高于字形全异的别字的认知水平。

此类偏误最易发生在听写练习中,这也说明它们是书写者由音及形的认知过程的偏误。

三 部件的变形与变位

外国学生的汉字部件的变形、变位主要表现为母语迁移变形和部件镜像变位两种情况。另因笔画镜像变形与部件镜像变位有相通之处,本节也顺带讨论。

(一)母语迁移变形

母语迁移变形是由母语字体的笔画或字母为原型所产生的类推同化现象。常见的由母语字体的笔画或字母为原型所产生的类推现象有:将竹字头写成两个拉丁字母K,比如将"笑"、"笔"、"笨"写成"㚒"、"乇"、"夲";将口字写成拉丁字母O,比如将"哭"、"可"、"句"写成"㕞"、"叮"、"叼";将皿字底写成放倒的拉丁字母B,比如将"蓝"、"盒"、"盆"写成"茝"、"仺"、"岔";将耳朵旁写成希腊字母β或拉丁字母P,比如将"邻"、"邮"、"队"分别写成"邻β"、"邮β"、"Bβ"或"邻P"、"邮P"、"PЛ"。

这种源于母语迁移的偏误多产生于初学者,但也可能化石化而出自中高级水平的学习者。不过后者的出现频率要低得多。

(二)部件镜像变位

这类偏误是将左右结构的汉字的部件镜像变位。比如:陠(邮)、郶(院)、胆(明)、䏎(期)、咊(和)、呋(知)、顶(顶)、彡彡(须)、颔(领)、欧(欧)、欢(欢)、较(较)、站(站)等。部件的镜像变位与部件在构字时所占据的位置密切相关。部件通常所占据的位置常常成为镜像变位的原型,部件往往从不常占据的位置移至部件通常所占据的位置,形成镜像变位。比如"阝"(阜、邑)用于左边构字与用于右边构字的频率相差无几,所以类似陠(邮)、郶(院)这样的忽左忽右的镜像变位就时有发生。而"月"、"口"用在左右结构的汉字中,绝大多数都占据左边的位置(分别有218个和411个),各仅有3例占据右边的位置,它们分别是"胡、朝、期","加、知、和";①受系统压力的影响,这几个字中的"月"、"口"常被置于左边,产生镜像变位;其他相同意符的字产生镜像

---

① 此处及下文对部件在各位置的出现数量和频率的统计均依据中国社科院语言研究所编纂的《现代汉语词典》。

变位的频率则非常小。"页"作为构字部件,在左右结构的汉字中总是位于右边,从不位于左边;那么为什么会出现"页(顶)、彡(须)、龄(领)"这样的镜像变位呢?我们统计了这三个字的另一构字部件"丁、彡、令"在左右结构中的出现频率,三者分别是1∶14,1∶13,5∶12;即对于"丁、彡"这两个部件来说,分别只在一个字(顶、须)中位于左边,"令"虽然在五个字中位于左边,但仍然只是位于右边的40%;所以可以说,"页(顶)、彡(须)、龄(领)"的镜像变位分别是以"丁、彡、令"在左右结构中所占据的常规位置为原型进行类推而造成的。当然,对认知心理的分析,从有充分的理据到完全找不到理据是一个渐变的连续统。镜像变位的偏误也是这种情况。如果说将"邮、期、和、顶"等写成"䧹、朝、呼、页"很有理据,将"叫、欧、欢"写成"叩、妪、奴"有一些理据(虽然"丩、欠"从不用于左边,但"口、区"特别是"又"却可用于右边)的话,那么将"较、站"写成"輇、岾"就几乎找不出什么理据;因为"车、立"在左右结构中从不位于右边,"交、占"也基本不用于左边(只有"效"字中的"交"在左边)。可以看出,有理据的镜像变位多产生于较高水平的学习者,无理据的镜像变位则多产生于初学者。

　　此类偏误多产生于左右结构的双部件组合的汉字中,但偶尔也出现于三部件组合的汉字中,比如:湖(湖)、聚(趣)、谁(谁),这些汉字的三个部件之间并不是一次组合而成的,而是有层次的,其中两个部件先组合成一个整体然后再与另一个部件组合。但书写者往往并不了解其组合关系,在产生镜像变位时多打破了原有的层次关系。

　　叶步青认为所谓镜像式效应对本族语是汉语的人来说,几乎是不可思议的。① 这种论断并不合乎汉人使用汉字的事实。其实部件的镜像变位,对本族语是汉语的人来说并不陌生。古代汉语中因部件相同但配置方式不同而产生的异体字或俗字并不少见,《第一批异体字整理表》中就收有此类异体字 20 多个,其中属于部件镜像变位的有"鹅"、"够"、"和"、"秋"、"邻"、"绵"、"飘"等。所以,部件的镜像变位并不是外国学习者所特有的认知现象。

值得一提的是,有一种与部件镜像变位相似的笔画偏误现象,这类现象多与带"钩"的笔画有关。具体表现是将该向左的"钩"向右钩起,该向右的"钩"向左钩起,造成镜像变形。比如,将"毛、风"分别写作"手、冈",将"绍、铅"分别写作"绐、铝",将"架、染"分别写作"架、染"。

四 余论

我们将外国学生的汉字偏误分为成系统的偏误和不成系统的失误,二者之间不是非此即彼、截然分开的。因此在进行偏误分析之前,我们必须对分析对象进行精心的甄别和筛选,将那些彼此孤立的、不具有语言习得的系统性和规律性的失误排除出去,而分析那些成系统的、有规律地联系着的偏误。这样的分析从理论上说,可以发现语言的习得规律并深化我们的认识;从实践上说,可以帮助我们预测和避免偏误,指导教学。

以上所论及的汉字偏误除了形近改换和减损意符以外,大多与人类所共有的类推能力有关。特别是改换意符、增加意符及镜像变位更是系统地显示了类推同化的力量。由此我们也可

---

① 参见叶步青《汉语书面语的中介形式》,《世界汉语教学》1997 年第 1 期。

以看出学生对意符的判断推导有很强的系统性。对这种能力如何正确引导并使之不过于泛化是值得进一步研究的课题。我们似乎应该在对学生的汉字偏误进行深入研究的基础上,根据不同的偏误设计相应的教学内容。举例来说,对易于产生镜像变位的部件的构字分布应进行定量分析,对其常规位置和非常规位置要有具体的说明;这样才能有效地提高我们的教学质量。比如我们对"月"、"口"的调查统计表明,它们的常规位置都是位于一个字的左边,而非常规位置(右边)各仅有3例。教学中我们可以先将其常规位置教给学生,再将非常规位置的特例一个一个地教给学生,这样也许可以避免系统压力所引起的泛化。

上下文对我们分析研究汉字书写偏误有着十分重要的作用。脱离了上下文有些偏误很难分析是哪类偏误。比如我们在上文的两处分别谈到"彭",如果没有上下文,我们就不可能知道两个同形的"彭"实际上是由两种不同的认知心理所产生的:将"电影"的"影"写作"彭",是声符音近替换的结果;而将"必须"的"须"写作"彭",则是部件镜像变位的结果。所以,上下文不仅对语音、词汇、语法等层面的研究有重要的作用,而且对汉字偏误的研究也具有同样重要的作用。

前文谈到,类化现象主要是由上下文的影响而产生的。这里隐含着一个未被言明的假设,即类化是受字形的影响而产生的。然而陈绂在对伦敦大学12名学生诵读报刊文章时所犯错误的调查中,记录到如下偏误:将"责任"读作"债任"、"偏远"读作"遍远"。[①] 如果这是书写偏误,我们可能会很自然地将前者

---

① 参见陈绂《谈对欧美留学生的字词教学》,《语言教学与研究》1996年第4期。

分析为增旁类化、将后者分析为易旁类化。问题是这是诵读时的偏误,学生明明看到的是"责"、"偏",为什么会读成增旁易旁的"债"、"遍"?是怎样的认知心理在起作用?学生诵读时的偏误竟与书写时的偏误如此类似,这迫使我们不得不思考:汉字的输入和输出的认知心理有何区别和联系,相互之间又是怎样影响的?这一点我们还不是很清楚,须作进一步的研究。

第二节　外国学生汉字形符书写偏误分析①

据义构形是汉字造字的主要方法,其中形符是表达字义的主体。汉字从古发展至今,它所记录的词语随着社会生活的演进而产生了较大的变化,但汉字的形符仍然顽强地坚持着自身的表义性能。据统计,现代形声字的形符有效表义率达83%。② 如果将现代汉字中会意字的形符及充作形符的独体字、指事字和会意字也纳入形符系统,则其有效表义率可能会更高。③ 如何理解形符的表义性能成为学生汉字书写正误的一个重要关键。本文试以五大洲约 30 个国家和地区母语使用拼音文字的学生两千余例汉字书写错误为材料,将偏误分析的方法引入外国留学生汉字习得过程中形符书写错误的分析,以期能更深入地探讨产生错误的原因。

---

① 本文原标题为"外国留学生形符书写偏误分析",作者施正宇。原载《第六届国际汉语教学讨论会论文选》,北京大学出版社 2001 年版。
② 参见施正宇《现代形声字形符表义功能分析》,《语言文字应用》1992 年第 4 期。
③ 参见李国英《小篆构形系统》,北京师范大学出版社 1996 年版。

形符书写偏误,大致可分为如下几个方面。

一 形似形符的替代

以造字理据为标准,从对现代形声字的分析中,我们归纳出了167个形符,①其中包括许多组彼此形似的形符,它们的区别往往在一笔两笔之间,如"冫"与"氵"、"口""日"与"目"、"日"与"曰"、"目"与"月"、"大""木"与"本"、"冖"与"宀"、"宀"与"穴"、"扌"与"牛(牛字旁)"、"小"与"⺌"、"贝"与"见"、"乌"与"鸟"、"土"与"士"、"忄"与"十(十字旁)"、"口"与"囗"、"厂"与"广"、"广"与"疒"等等,这种形体上的相似度越大,所提供的分辨率就越小,模糊度就越大。就表义性能而言,167个形符所表示的是字的意义类属或范围,且分工明确,这也是形符作为汉字的组成部分的生命力之所在。学生的书写错误在于他们不能明了形符的表义性能,因而也就无法在头脑中建立起有效的形义联结,对他们来说形符存在的意义也因此而大打折扣;而仅仅从结构上将形符看作是汉字的笔画集合,又会因形体上的相似导致以形似形符替代原本可以表义的形符。见表5-1。

表5-1

序号	正字	语境	书写错误	表现形式	错误类型	国籍	程度
1	明	明天	目+月	形符形近	假字	加蓬	初级
2	昨	昨天	目+乍	形符形近	假字	美国	初级
3	春	春暖花开	日作目	形符形近	假字	美国	初级

---

① 参见施正宇《现代形声字形符意义的分析》,《语言教学与研究》1994年第4期。

(续表)

序号	正字	语境	书写错误	表现形式	错误类型	国籍	程度
4	眼	眼睛	目作日	形符形近	假字	印度尼西亚	初级
5	休	休息	体	形近字	别字	古巴	初级
						肯尼亚	中级
6	体	身体	休	形近字	别字	马达加斯加	初级
						美国	中级
7	床	起床	庆	形近字	别字	吉尔吉斯	初级
8	鸭	烤鸭	甲+乌	形符形近	假字	美国	初级
9	慕	羡慕	莫+小	形符形近	假字	喀麦隆	初级
10	冰	滑冰	氵+水	形符形近	假字	吉尔吉斯	初级
				形符类推		加蓬	初级
11	冷	冷	氵+令	形符形近	别字	乌克兰	中级
12	被	被	衤+皮	形符形近	假字	美国	中级
13	瘦	瘦	广+叟	形符形近	假字	法国	中级
14	瘫	瘫痪	广+难	形符形近	假字	菲律宾	中级
15	痪	瘫痪	广+奂	形符形近	假字	菲律宾	中级
16	痊	痊愈	广+全	形符形近	假字	美国	中级
17	活	生活	话	形近字	别字	纳米比亚	初级
18	特	特别	持	形近字	别字	美国	初级
19	究	究竟	宀+九	形符形近	假字	法国	初级
20	馆	图书馆	钅+官	形符形近	假字	美国	初级
21	建	建筑物	廴作辶	形符形近	假字	美国	中级

形义不能建立有效联结的原因大约有以下几种:(1)学生未能明了汉字据义构形的造字意图以及形符的意义类属,如表5-1第1—3例中"日"表示与时间、季节有关,学生不明了此义,而用表示眼睛的形近的"目"代替;第4例则反之以"日"代"目";第5例中"木"与"亻"合体会意,而学生以形近的"本"代之;又如第6、7例中简化字"体"和"床"中的"本"和"木"均可表义,而学生

以"木"和"大"代之;第8—16例中"鸭"字从"鸟",以其本属鸟类;"慕"字从"小"表示心理活动;"冰""冷"的"冫"表示温度低;"被"中的"衤"表示衣物;"瘦""瘫痪""痊"的"疒"表示与疾病有关,而学生却以形近的"乌""小""氵""礻""广"代之,等等。(2)形符所表义类本已虚化或不能表义,如第17—21例中的"氵""牛""穴""亻"和"夊"等。

二 义近形符的替代

义近形符的替代有时是由于形符意义的相近,如表5-2中第22、23例中的"走"与"辶",第24、25例中的"米"与"亻",更多的是由于学生以整个字(词)的意义覆盖参构形符的意义,并进而以和词义义类相符的形符改写原有形符。概括是形符表义的主要方式,它决定了近义(或同义)形符之间,由于无须严格的逻辑界定而在构字时可互换通用。这一点已为历史上出现过的众多异体字、俗字所证明,也正是这一特点造成学生错误地用与词义义类相近的形符改写原有形符的原因。如表5-2中第26例"呼"指的是生物体从口腔排出体内气体的动作,所以从"口";"打招呼"指的是表示问候的言语行为,此例错在学生误将表示言语行为的形符"讠"取代表示口腔动作的形符"口",改"呼"从"讠"。从现代汉字平面上看,"讠+乎"是一个假字,但其实"讠+乎"正是"呼"的古字,可见形符"口"与"讠"在表示言语行为这一点上是相通的:

《说文·言部》:"评,召也。"段注:"《口部》曰:'召,评也。'后人以呼代之,呼行而评废矣。"形符"口"表示言语行为之义,也可以从"叫""吵""唱"等字以及"叮咛""唠叨""吩咐"等联绵词中得到证明。如果我们告诉学生"口"能说话、唱歌,所以这些字从"口"就可以避免此类错误的发生。又比如表 5-2 第 27 例中"推辞"是以言语来表示拒绝,"讠"表示言语行为,故学生以此来代替"辞"中的"舌";第 28 例因"食品"是吃的东西,故以"饣"代"口";第 29、30 例"米"与食品义类相通,故易与"饣"相混淆;第 31、32 例"辶"和"足"都可以表示腿部动作,故常常相混;手舞足蹈,可见跳舞时手的动作不可或缺,于是以"扌"代"足"(例 33);"树"与"木"密切相关,所以写"种树"时以"木"代"禾"似理所当然(例 34)。第 35—45 例中的"广"与"厂"、"户"与"尸"、"宀"与"冖"互用更是曾在历史上的大量俗字中出现过。第 46—49 例中"姐姐"和"孩子"既可归入"女性"和"儿女"一类,也可归入更大的类别——"人",于是以"亻"改写"女"和"子";"惊讶"表示人的心理状态,"奶"是女性的乳汁,因而也都可能同样误用表示人类的"亻"旁,等等。

表 5-2

序号	正字	形符	形符义类	语境	语境义类	书写错误	表现形式	错误类型	国籍	程度
22	趣	走	腿部行为	兴趣	--	辶+取	形符义近	假字	西班牙	初级
23	越	走	腿部行为	越来越	--	走作辶	形符义近	假字	美国	中级
									德国	初级
24	糟	米	食品	糟糕	--	饣+曹	形符义近	假字	美国	中级
25	糕	米	食品	糟糕	--	饣+羔	形符义近	假字	美国	中级
26	呼	口	口部动作	招呼	言语行为	讠+乎	形符错	假字	朝鲜	中级
27	辞	舌	口腔部位	推辞	言语行为	讠+辛	形符错	假字	美国	中级
28	吃	口	口部动作	吃	口部动作	饣+乞	形符错	假字	英国	高级
29	饼	饣	食品	饼干	食品	米+并	形符错	假字	巴巴多斯	初级
30	饮	饣	食品	饮料	食品	米+欠	形符错	假字	加拿大	初级

(续表)

序号	正字	形符	形符义类	语境	语境义类	书写错误	表现形式	错误类型	国籍	程度
31	跑	足	腿部动作	跑过去	腿部动作	辶+包	形符错	假字	英国	中级
32	通	辶	腿部动作	交通	腿部动作	踊	形符错	别字	印度尼西亚	初级
33	跳	足	腿部动作	跳舞	全身动作	挑	形符错	别字	美国	初级
34	种	禾	作物	种树	与植物有关的行为	木+中	形符错；形符类推	假字	马达加斯加	初级
35	原	厂	--	原因		厂作广	形符错	假字	吉尔吉斯	初级
36	康	广	--	小康		广作厂	形符错	假字	墨西哥	中级
37	店	广	--	书店		广作厂	形符错	假字	美国	中级
38	座	广	--	座位		广作厂	形符错	假字	美国	中级
39	府	广	--	政府		广作厂	形符错	假字	澳大利亚	中级
40	应	广	--	应该		广作厂	形符错	假字	美国	中级
41	房	户	--	房间		户作尸	形符错	假字	美国	中级
42	肩	户	--	并肩		户作尸	形符错	假字	美国	中级
43	宫	宀	--	故宫		宀作宀	形符错	假字	美国	中级
44	实	宀	--	事实		宀作宀	形符错	假字	美国	中级
45	写	冖	--	写	--	冖作宀	形符错	假字	美国	中级
46	姐	女	女性	姐姐	女性/人	亻+且	形符错	假字	刚果	初级
47	孩	子	儿女	孩子	儿女/人	亻+亥	形符错	假字	波兰	初级
48	惊	忄	心理	惊讶	人的心理	亻+京	形符错	假字	美国	中级
49	奶	女	女性乳汁	牛奶	牛的乳汁	仍	形符错	别字	美国	初级

三 相关形符的替代

（一）参与构字的形符表义明确，但由该字组成的词的义类经过引申、假借已经发生转移，学生误将词义义类等同于形符义类，并进而以词义为根据改写与之不符的形符。如表5-3第50例中，"挚"字从手，《说文》释"握持也"，表示手的动作；此字另有"诚恳"义,可构成双音词"真挚",表示待人接物的心理状态,学生因此改"挚"的形符为"心"。又比如第 51 例中英语 milk 表示牛的乳汁,而汉语中的奶从本意上讲表示女性的乳汁,学生只想到"牛奶",把"奶"写作"牛+乃",第 52 例"块"中的"土"作"钅",第 53 例"样"中的"木"作"亻",则明显地受到它称量的"钱"和修饰词的"姐姐"的干扰。第 54、55 例的形符都是"讠",但因词义不同,误用的偏旁"亻"和"忄"也就不同。第 56 例中的形符"礻"表示与祭祀、祈祷有关的事物,而学生从"用言语表示祝贺"的角度出发,改"礻"为"讠"。第 57 例中"破涕为笑"由"哭"为"笑",形符也就从"氵"改作"口"。第 58—60 例中学生从"节衣缩食"、"应该"、"惊讶"的主体考虑,将"缩"的形符"纟"、"该"的形符"讠"、"惊"的形符"忄"均改作"亻",等等。在第 61、62 例中,学生因"漂亮"常用来形容女子,于是改"漂"右下部的"示"而为"女";"杂志"的量词是"本",名词的使用往往离不开量词,于是改"志"之"士"为"本"。可见,不仅汉字的形符而且声符或组成声符的部件也会受到来自语词意义的干扰。这说明学生经过一段时间的学习,已经开始有了形符表义的观念,但他们忽视了形符所表的字义与由该字组成的词的意义之间的区别,并进而将形符的表义性能作泛化推演,把作为构字元素的形符随着字使用范围的扩大而作了不恰当的改变,组成的词不同,改写的形符也就不同,这是此类书写错误产生的原因所在。

表 5-3

序号	正字	形符	形符义类	语境	语境义类	书写错误	表现形式	错误类型	国籍	程度
50	挚	手	手部动作	真挚	心理状态	执+心	词义干扰	假字	朝鲜	中级
51	奶	女	女性	牛奶	牛的乳汁	牛+乃	词义干扰	假字	美国	初级
52	块	土	土壤状况	花了四五百块	量词	土作钅	中心词干扰	假字	美国	初级
53	样	木		姐姐的样子	人的形象	佯	修饰词干扰	别字	纳米比亚	初级
54	谁	讠	言语	谁	人	亻+隹	词义干扰	假字	美国	中级
55	该	讠	言语	应该	心理状态	忄+亥	词义干扰	假字	希腊	高级
56	祝	礻	祈祷	祝贺	言语行为	讠+兄	词义干扰	假字	美国	中级
57	涕	氵	眼泪	破涕为笑	哭	啼	词义干扰	别字	澳大利亚	高级
58	缩	纟	丝织品	节衣缩食	人的行为	亻+宿	词义干扰	假字	美国	中级
59	该	讠	言语	应该	心理	忄+亥	词义干扰	假字	美国	初级
60	惊	忄	心理	惊讶	心理	亻+京	词义干扰	假字	美国	中级
61	漂	票	(声符)	漂亮	--	示作女	句义干扰	假字	瑞典	中级
62	志	士	(声符)	杂志	--	本+心	量词干扰	假字	纳米比亚	初级

(二)追根溯源,参与构字的形符在古代汉语、汉字的平面上,表义明确,但在现代汉语、汉字的平面上,表示的意义类属相当一部分已经虚化,而学生从该字组成的词的意义中直接寻找线索,有时会造成这样的现象:同一个字,组成的词不同,意义不同,形符的书写也各不相同。表 5-4 第 63A、63B 例的"故",《说文》释为"使为之也"。古人构意时,从"攵"之字多与驱使、役使有关。外国学生接触"故",是因为课文中出现了"故宫"、"故事"。故宫是古代帝王为政的场所,从古从攵,形义皆明。学生只把它当做一座古代建筑,既不明从"攵"的道理所在,又嫌多余,所以就写成了"古"。"故事(gùshì)"指古人制订的典章制度,我们所讲的"故事(gùshi)"是前者的引申。学生从"故事可

以讲述"的理解写作"诂",从"讠"从"古"似乎既能概括"故事"的意义类属又可示音。有趣的是他写的正是训诂之"诂",不过,对于一个初级阶段的美国学生来说这实属巧合。

表 5-4

序号	正字	形符	形符义类	语境	语境义类	书写错误	表现形式	错误类型	国籍	程度
63A	故	攵	驱使、役使	故宫	古代建筑	古	音近字;缺形符	别字	朝鲜	中级
									菲律宾	中级
									加拿大	中级
63B	故	攵	驱使、役使	故事	可供讲述	诂	加形符;词义干扰	别字	美国	初级

四 形符的类推

表 5-5

序号	正字	语境	语境义类	书写错误	表现形式	错误原因	错误类型	国籍	程度
64	拿	拿起笔来	--	合+毛	形符错	形符形近	假字	英国	初级
						形符类推		美国	初级
65	讲	讲述	--	进	形符错	形符类推	别字	法国	中级
66	名	名字	--	宀+名	加形符	形符类推	假字	美国	中级
67	喀	喀麦隆	--	阝+客	形符错	形符类推	假字	喀麦隆	初级
68	麦	喀麦隆	--	口+麦	加形符	形符类推	假字	喀麦隆	初级
69	麦	喀麦隆	--	阝+麦	加形符	形符类推	假字	喀麦隆	初级
70	始	始终	--	纟+台	形符错	形符类推	假字	美国	中级
71	冰	滑冰	--	氵+水	形符错	形符形近;形符类推	假字	吉尔吉斯	初级
72	分	缘分	--	纷	加形符	形符类推	别字	美国	高级
73	高	提高	--	搞	加形符	形符类推	别字	朝鲜	中级
74	发	发泄	--	泼	加形符	形符类推	别字	印度尼西亚	中级
75	忧	忧伤	心理状态	优	形符错	词义干扰	别字	俄罗斯	中级

(续表)

序号	正字	语境	语境义类	书写错误	表现形式	错误原因	错误类型	国籍	程度
76	批	批评	言语行为	讠+比	形符错	形符类推 词义干扰 形符类推	假字	美国	中级
77	据	据说	言语行为	讠+居	形符错	词义干扰	假字 美国	美国 初级	初级
78	争	争论	言语行为	浄	形符类推 加形符 形符类推	词义干扰	别字	美国	中级
79	缘	人缘	人际关系	纟作亻	形符错 形符类推	词义干扰	假字	泰国	中级
80	墓	陵墓	土木建筑	阝+墓	加形符 形符类推	词义干扰	假字	吉尔吉斯	初级
81	环	环境	地域	坏	形符错 形符类推	词义干扰	别字	美国	中级
82	食	粮食	食品	米+食	加形符 形符类推	词义干扰	假字	美国	中级
83	告	告诉	言语行为	诰	加形符 形符类推	词义干扰	别字	波兰 波西米亚	中级 初级
84	啤	啤酒	液体饮料	氵+卑	形符错 形符类推	词义干扰	假字	德国	初级
85	旗	旗袍	服装	衤+其 自造形声字	形符错 形符类推	词义干扰	假字	菲律宾	中级
86	塘	池塘	蓄水坑	氵+唐	形符错 形符类推	词义干扰	假字	美国	中级
87	度	态度	心理状态	又作心	形符错 形符类推	词义干扰	假字	泰国	中级

所谓形符的类推,指的是比照组成复合词中某一汉字的形符改写另一字的形符,这种类推有时只是一种下意识的承前或承后的习惯作用,也就是说当某一汉字与另一字组成复合词时,

学生会在这种习惯作用下,改写与邻字相同的形符,如第64—74例,其中以第67—69例最为典型,一位喀麦隆学生满怀热情地向农村孩子介绍自己的国家,但却怎么也写不清楚"喀"和"隆",这令他感到十分沮丧,原因就在于他把组成"喀"和"隆"的形符"口"和"阝"类推至不恰当的位置上,造成错误的书写。可以说,邻字形符是造成形符类推的前提,学生不会把"头发"、"出发"的"发"写成"泼",把"有名"、"名胜古迹"的"名"写成"宀+名",把"开始"的"始"写成"纟+台",此类错误只会发生在"发泄"、"名字"、"始终"等复合词中,脱离了特定的环境,上述类推形符的书写错误便不会产生。形符类推还与词义密切相关,这类错误大多是邻字形符比照与词义干扰双重作用的结果,在类推过程中起决定性作用的是复合词的词义,如第75—87例。脱离了特定复合词的词义,此类形符书写错误也很难孳生。应该说明的是组成某些双音复合词的两个语素的确常常在意义上有共同之处,在书写形式上有着共同的形符,如"词语"、"树林"、"意思"等;纠正上述错误时要注意区分正误,肯定正确的联想记忆方法,纠正错误的类推,在进行词语教学的同时,加强汉字教学。

五 形符的累加

表 5-6

序号	正字	语境	语境义类	书写错误	表现形式	错误类型	国籍	程度
88	哭	哭	因流泪而发出声音	氵+哭	加形符	假字	加蓬	中级
89	水	水	液体	氵+水	加形符	假字	美国	中级
90	交	交通	人的活动	亻+交	加形符	假字	纳米比亚	初级
91	主	主动	心理状态	住	加形符	别字	吉尔吉斯	中级
92	相	相信	心理状态	想	加形符	别字	加拿大	中级

此类书写错误值得注意的地方有两点:一是字义或词义提供了某种心理暗示。现代汉字是一种成熟的文字符号体系,人们从形体上已经很难看出它曾经经历过的图画－象形阶段的痕迹,尽管许多汉字所记录的基本意义并未发生变化,如第88、89例中的"哭"和"水"。学生从这两个汉字所提供的"流泪"和"液体"的义项中得到了与水有关的心理暗示,于是加上具有形象意味的"氵",似可弥补符号化后字形失落的某些表义功能。第90—92例中,"主动"、"交通"和"相信"的词义暗示着这种行为或状态均以人为主体,加"亻"或"心"似理所当然。二是这些错误多发生在独体结构、上下结构或左右结构的汉字上。而且众多改写形符的错误多发生在字的左边,这或许可以表明他们头脑中已经形成了汉字左右结构或上下结构的概念,更进一步地说是形成了"左形"和"下形"的概念。由此我们有理由认为,形符的累加证明学生对汉字的理性把握在形和义两方面都有所提高。

六 结语

(一)总体说来,产生形符书写错误的原因有两个。一是学生不能准确把握形符字形表义的内涵,以致造成错误的形符改写,这其中形似形符的替代更能说明学生此时头脑中对字形的似与不似处于含混状态。二是混淆了汉语的字词关系。在此,学生一方面已经具备了一定的汉语能力,对汉字的形义关系也有了一个粗浅而模糊的认识,面对所记录的汉语词,他们可以由词义而词形、由词形而字形地推导演绎,显示出某种合乎逻辑的推理能力。但从另一方面讲,他们又混淆了作为语言单位的词与作为语言书写单位的汉字的界限,误将字所记录的词义甚至句义等同于形符的意义,并据以改写形符,将表示字义的形符当作汉语的表意单位。在现代汉语、汉字的平面上,由于学生对字、词关系理解上的偏差而产生的构字形符与由该字组成的词在意义类属上的混淆是导致形符合乎理性的书写错误的重要原因。我们称这种由汉语的词义或短语、句子的语义环境对形符(包括声符)的书写产生的干扰作用为语词干扰。语词干扰作用下产生的错误书写是形符表义功能过度泛化的结果。

(二)在讨论对外汉字教学时,笔者曾提出以正字法为依据,在区别错字和别字的基础上,进一步将错字划分为非字和假字的主张。① 从上述分析看,形符的书写错误多处于假字和别字之间,属于某些语言学家所说的系统阶段的错误,②且多发生在中等程度的学生的笔下。这一方面说明了学生对形符结构方式与表义性能有了一定程度的理性认识,其书写正朝着正字法的方向逐步迈进;另一方面也说明中等程度的学生对形符的把握还处于从非理性到理性过渡的中介状态。对这种中介状态的描述与研究应成为今后教学与科研的重要课题。

(三)有关非字、假字与别字的界定,从现代汉字平面上说,应以国家汉办颁布的《汉语水平词汇与汉字等级大纲》或国家语委颁布的《3500 常用字表》为标准;而从学生的书写错误分析,

---

① 所谓非字、假字和别字,指的是以正字法为依据,对学生的书写错误进行划分后得到的不同类别。详见施正宇《外国留学生字形书写偏误分析》,《汉语学习》2000 年第 2 期。

② 英国应用语言学家科德将学生的错误分为系统前阶段、系统阶段和系统后阶段。见 S.P.科德《应用语言学导论》,上海外语教育出版社 1983 年版。

则应更多地考虑到汉字构意与用字的历史。表5-2中第29、30例中将饼干的"饼"写作"米+并"、饮食的"饮"写作"米+欠",以及表5-5中将态度的"度"改"又"为"心",三者虽同为假字,但从历史上出现过的两个异体字"麦+并"和"忄+度"中,①却不难看出这三个假字于正字法之外的合理因素。表5-2中第26例"评"的写法更是应了《说文》的正体。此外,各种文字材料中"广"与"厂"、"宀"与"冖"、"尸"与"户"互用的实例更是屡见不鲜。在此,学生的错误书写与汉字用字构字历史的一致性不仅表现在单个汉字字形的完全吻合上,更重要的是它还体现在对形符概括表义内涵的理解上。我们不应将这种一致性仅仅看作是一种巧合而忽视过去,笔者认为学生的书写错误是富于启发性的,将这些错误与俗字产生的历史进行对比,必当有助于理清汉字认知过程中的某些规律性的东西。

(四)尽管笔者的考察对象都是以拼音文字记录母语的学生,但不同国家所处的地理位置和文化氛围可能会对学生理解形符表义的内涵产生影响,如单就个别实例而言,朝鲜、菲律宾、印度尼西亚、泰国、越南等国学生形符书写错误的理性含量较高。较之其他国家,这些国家在地理上处于中国的周边地区,文化上也与中国有着更多的可以相通的地方,如宗教、历史、风俗等等,有些国家历史上还曾经使用过汉字。他们对汉字的理解和把握虽不能与一直使用汉字的日本、韩国学生相比,但将他们的书写状况等同于中亚、西亚、非洲、欧洲、拉美国家的学生也是不可取的。虽然同是以拼音文字记录母语,但不同母语文化对

---

① 见《汉语大字典·异体字表》。

汉字书写的影响也应是我们考察的重点。具体地说，如果我们把记录母语的拼音文字和记录汉语（目的语）的表意汉字看作学生习得过程的起点和终点的话，这些周边国家学生（包括华裔）的书写状况应为汉字习得过程中中介状态的研究提供更为丰富的内容。

第三节 外国学生汉语形声字识别错误分析[①]

一 问题的提出

在汉字中，形声字的比例占 80% 以上，形声字是汉字学习的重点。

形声字由形旁和声旁组成，以声旁表示字的读音，以形旁表示字的义类。形声字声旁的读音与整字读音的关系有三种情况：(1)完全相同：如"蝗"的读音与其声旁"皇"的读音完全相同，一般来说，只要声韵相同就可以认为二者的读音相同；(2)不完全相同：如"溃"与其声旁"贵"的读音部分相同；(3)完全不同：如"贻"与其声旁"台"的读音完全不同。[②] 声旁的总体表音度为 66.04%，[③]形声字的声旁只能在一定程度上表音。

儿童学习形声字时，他们对形声字声旁的表音作用及其局

[①] 本文原标题为"外国学生识别形声字错误类型小析"，作者陈慧。原载《语言教学与研究》2001 年第 2 期。
[②] 参见周有光《现代汉字中声旁的表音功能问题》，《中国语文》1978 年第 3 期。
[③] 参见陈原《现代汉语定量分析》，上海教育出版社 1989 年版。

限性的认识是怎样发展的呢?对此心理学家进行了一系列的研究,Yang & Peng 研究了小学不同年级学生在命名形声字时的特点,实验选取针对小学儿童而言的不同频率的形声字为实验材料,以命名为任务,结果表明小学三年级的学生遇到不认识的形声字时,大多按其声旁进行认读;而六年级学生很少犯此类错误。① 这说明,在形声字习得的过程中,三年级的小学生认识到形声字的声旁具有一定的表音作用,六年级的小学生认识到形声字声旁表音的局限性。

舒华、曾红梅研究了二、四、六年级儿童对形声字的识别。② 他们给儿童呈现熟悉的和不熟悉的两种形声字,每种熟悉度中有三种形声字:(1)规则字:声旁是独立字,且声旁的读音与整字的读音相同;(2)不规则字:声旁是独立字,但声旁的读音与整字的读音不相同;(3)声旁是不独立字:声旁不是一个独立字,其读音很少有人知道。让儿童命名这些形声字,然后分别计算三个年级儿童读音中的错误,发现二年级儿童犯的错误是相对任意的,随着年级的增高,儿童读音中犯更多的声旁错误(phonetic error)和类比错误(analogy error),即儿童明显按声旁或一个熟悉的、与声旁结构相似的字的读音而产生错误。

对小学生识别形声字产生错误的分析表明:不同年级的小学生识别形声字从相对任意到有规律地犯一些错误,这些错误

---

① 参见 Yang, H., & Peng, D. L. The learning and naming of Chinese characters of elementary school children. The paper presented to the 7th International Conference on the cognition processing of Chinese and other Asian Languages, Hong Kong, 1996.

② 参见舒华、曾红梅《儿童对汉字结构中语音线索的意识及其发展》,《心理学报》1996 年第 2 期。

代表了小学生学习形声字的发展过程:从意识到形声字声旁具有表音作用到逐渐意识到形声字声旁表音的局限性。

那么外国学生学习形声字时,有没有与中国小学生类似的发展过程呢?他们识别形声字时会犯哪些错误呢?

在一次教学中,我请一位阿富汗学生读课文,他把"吻"读成了"勿",按照这个字的声旁进行了认读,接下来,他把"淡"读成了"谈",那么他为什么不按照这个字的声旁进行认读,即他为什么不把它读成"炎"呢?这说明学生在认读不同的形声字时也采取了不同的策略。

我们要研究的问题是:外国学生识别形声字时,有没有意识到形声字声旁的表音作用及其局限性;他们在识别形声字时会产生哪些错误。

二　实验研究

(一) 实验材料

实验材料选自《汉语水平词汇与汉字等级大纲》,在甲、乙、丙、丁四个等级中分别选取10个形声字,共40个形声字(见表5-7),它们满足三个条件:双部件、左右结构、声旁独立成字。这些形声字分为三类:(1)声旁表音的字:即声旁的读音与整字相同;(2)声旁部分表音的字:即声旁的声母或韵母与整字相同,如:"识"的韵母与其声旁"只"的韵母相同;(3)声旁不表音的字:即声旁的读音与整字不相同。把这些形声字随机排列,以考察学生对形声字的识别以及他们识别形声字时产生的错误。

表 5-7 实验材料例字

	甲级	乙级	丙级	丁级
表音	础	糕	讽	汰
部分表音	识	沙	钥	谤
不表音	动	敬	奴	抽

（二）被测试学生的来源

被测试的外国学生是在北京邮电大学、北京师范大学、北京语言文化大学学习汉语的留学生，共 52 人。为了了解学生学习形声字的阶段性，我们分别测试了不同汉语水平的学生：在中国学习了半年左右的学生 26 名，我们称之为初级水平；在中国学习了一年及以上的学生 26 名，我们称之为中级水平。他们分别来自日本(21 人)、韩国(12 人)、英国(6 人)、越南(1 人)、俄罗斯(1 人)、乌克兰(1 人)、爱尔兰(1 人)、印度尼西亚(6 人)、法国(1 人)、澳大利亚(1 人)、加拿大(2 人)。其中日本及韩国学生的人数在两个水平中基本均匀分布。

（三）实验方法

实验在最自然的状态下进行，利用上课的时间把写有这 40 个形声字的纸张发给学生，要求他们用 10 分钟的时间给这些汉字写出拼音，实验的指导语是：这次测验的目的是为了了解同学们的汉字水平，以便于在今后的教学中更好地帮助大家。这样就消除了学生对测验的紧张情绪，使他们在自然的状态下作答。

三 实验结果及讨论

（一）实验结果

在研究中发现，学生所犯的错误，有些有规律可循，有些没

有什么规律,我们把学生产生的错误分为以下几个类型:

1. 规则性错误:学生按照形声字的声旁对汉字进行识别,如把"拙"读为"出",把"钥"读为"月"。

2. 一致性错误:有些形声字由于具有相同的声旁,形成一个形声字家族,如:"陪、赔、培、锫、酷"等形声字,就是同一家族的形声字,有些形声字家族所有形声字的读音都相同,如上述例子,有些形声字家族中各个形声字的读音不完全相同,如"还、怀、杯"等字。当学生识别某一个形声字时,按照这个形声字家族中的其他字来读这个汉字,我们就称之为一致性错误,如把"怀"读成"杯",把"淡"读成"谈"。

3. 词语连贯性错误:拼读形声字时,由于受所学双音节词的影响,把此字读为彼字,如把"糕"读为"蛋",把"鸭"读成"烤",就是受"蛋糕"、"烤鸭"等词的影响。

4. 拼音错误:由于对拼音掌握得不够好,把送气音与不送气音、鼻韵尾"n"与"ng"等难以辨别的音搞混,如把"讨(tao)"写成"岛(dao)",把"谤(bang)"写作"半(ban)"。

5. 随意性错误:找不到任何规律的错误。

因为这是对学生错误的分析,所以以错误率为指标进行统计分析,错误率定义为每个汉语水平的学生产生的每类错误占错误总数的百分比,如:初级水平的学生所犯错误的总数为360个,规则性错误数为155个,这样初级水平学生规则性错误的错误率为43.1%。在本实验中所有错误的总数为596个,初级学生所犯的错误为360个,占所有错误的60.4%,中级学生所犯的错误为236个,占所有错误的39.6%,初级水平学生的错误显然比中级水平学生要多。

为具体了解初级和中级水平学生犯错误的情况,使用 SPSS 中独立样本 T 检验的方法对其进行了对比分析(结果见表 5-8):在规则性错误上,初级和中级水平学生的错误率差异显著,在后四类错误上,二者差异均不显著。

表5-8　初、中级学生形声字错误类型的比较

	初级(错误率)	中级(错误率)	差异显著性(P)
规则性错误	43.1	35	0.03
一致性错误	6.6	4	0.957
词语连贯性错误	6.3	9	0.114
拼音错误	17.5	22	0.715
随意性错误	27	31	0.144

(二) 讨论

1. 规则性错误

初级水平学生犯规则性错误的比例相当高,这说明初级水平的学生已经意识到形声字的声旁具有表音作用,因此遇到那些还不认识的形声字时,会按照这个形声字的声旁进行识别。中级水平学生犯规则性错误的比例比初级水平的学生低,这说明随着汉语水平的提高,学生逐渐认识到了形声字声旁表音的局限性,声旁能表音,但不是每一个汉字的声旁都绝对表音,因此中级水平的学生犯规则性错误较少。从这个角度来看,外国学生对形声字的习得与中国小学生有共同之处,即学生在学习的过程中首先意识到形声字的声旁具有表音作用,随着学习时间的延长,又意识到形声字声旁表音的局限性。

中国的小学生大概要到小学二、三年级,才逐渐认识到形声字的声旁具有表音作用,对形声字声旁表音局限性的认识要到

小学高年级才能形成。而学习半年汉语的成人外国学生,就具备了形声字声旁表音的概念,这说明以拼音文字为母语文字的学生已经习惯于文字具有直接表音的能力,即看到字形能读出字音,当他们学习汉字时,就会下意识地把母语文字加工的模式迁移到汉字加工中,寻找汉字中能表音的部分,总结汉字的表音规律,因此他们能较快地意识到形声字声旁的表音作用。学习一年左右的外国学生,就意识到了形声字声旁表音的局限性,这在另一方面说明成年人的逻辑思维能力比较强,善于总结归纳,所以经过一段时间的学习后,又意识到形声字声旁表音的局限性。

目前在我国对外汉语教学界占主流地位的教学模式是"语文一体、语文同步"①,汉字教学附属于词汇教学,学校一般很少开设专门的汉字课,即使有,也是针对那些没有汉字基础的学生,教他们如何写汉字,教师很少给学生讲解汉字构造的理论。因此,外国学生在学习汉字时间较短、也没有专门学过汉字造字规律的情况下,很快地认识到了形声字声旁的表音作用及其局限性,充分说明学生母语文字和学生自身特点对形声字识别产生的影响。

这一点在访谈中也得到了证实,接受访谈的学生基本上都没有听说过形声字,不知道形声字声旁具有表音作用,也没有看过关于汉字构造的书。我们给一名在中国学了一年多汉语、HSK考了7级的学生出示了一些他不认识的形声字,让他猜一猜这些字的读音,结果他都按声旁进行了认读,但他并

---

① 参见吕必松《汉字教学与汉语教学》,载《汉字与汉字教学研究论文集》,北京大学出版社1999年版。

不知道什么是形声字,也没听说过形声字有声旁,声旁能表音。

2. 一致性错误

一致性错误的产生,是由于在同一形声字家族中,声旁相同的字读音不同,因而此字对彼字产生影响,如外国学生把"怀"拼写成"hai"就是受其形声字家族中"还"的影响。学生遇到不认识的形声字,有时按照这个形声字的声旁认读,有时按照这个形声字家族中的某一个字认读,这是由字频决定的,如果这个形声字的声旁是一个使用频率很高的字,学生就按照这个形声字的声旁认读;如果这个形声字家族中某一个字的使用频率很高,学生就按照这个家族中的高频字认读,如把"吻"读成"勿",把"淡"读成"谈",就是由于"勿"和"谈"在对外汉语教学中都是使用频率相对较高的汉字。学生把"怀"读成同一家族中的"还"也是同样的道理,作为副词的"还"在对外汉语教学的课本中出现早,使用频率高,因此大部分读错"怀"的学生把这个字读成"还",只有很少一部分的学生把"怀"读成"杯"。

从表5-8中可以看出,无论是初级水平的学生还是中级水平的学生,犯一致性错误的比例都比较小,而且初、中级水平学生一致性错误的差异不显著。这可能是由于外国学生学习汉字时,还没有充分意识到在形声字家族中存在着声旁相同、读音不同的字。

3. 词语连贯性错误

在研究中发现有些学生把"糕"字拼写成"蛋",这是一个很奇怪的现象,因为"蛋"与"糕"的字形相去甚远,这并非个别学生所犯的错误,而且在其他的相关文献中没有看到有关的报告,考虑到也许是外国学生识别形声字的一个特色,所以把它单列为一种错误类型。这种错误我们在教学中也会看到:给学生一个汉字"装",会有学生把它读成"衣",原因在于"装"可以与"服"组成"服装"一词,"服"又可以与"衣"组成"衣服"一词,"衣服"比"服装"更常用,因此学生会在看到"装"时马上反应为"衣"。产生这种错误的原因有两个:一是在教学中,一般以词为基本单位进行教学,如学习"教师"一词,在教材中并不对"教"和"师"这两个词素进行解释,学生对这个词进行整体识记和学习,所以对"教师"一词,学生记忆得比"教"和"师"这两个词素更加清楚;二是学生自身的特点,中国小学生在学习读写之前,听和说的能力已经基本具备,在学习常用的汉字之前,已经知道这些汉字的意义和它能组成的常用词,如在学习"糕"字时,知道它不仅可以构成"蛋糕",也可以构成"糟糕"、"糕点"等词,因此遇到"糕"这样的字不大会拼写为"蛋";而外国学生学习汉字时,不具备中国小学生的条件,在学习了"蛋糕"一词后,学生不知道"糕"作为一个词素还有其他的意义,还能组成其他的词,他们只是牢牢地记住"蛋糕"一词,因此在拼写时,会把此字写成彼字。

4. 拼音错误

也可以说是只有外国学生才有的错误,在汉语语音系统中,有些音对外国人来说比较困难,如声母的送气音和不送气音,即使反复对比,那些母语中没有此发音背景的学生仍然难以辨别;再如鼻韵尾"n"和"ng"的区分,学生也觉得十分困难。有些学生把"谤"(bang)写成"半"(ban)就是由于对汉语语音掌握得不够好。学生产生这类错误的数量不小,而且初、中级水平学生的差异不显著,可见对于这些难于辨别的语音,学生并不会随着学习时间的延长而改变,这也在一定程度上说明母语语音对汉语语音和汉字学习的强大影响。

5.随意性错误

初级水平的学生与中级水平的学生在犯随意性错误上的差异不显著,这说明学生的随意性错误没有随着时间的延长而减少,这和舒华等的研究结果不太相同。舒华、曾红梅认为,二年级儿童认读形声字所犯的错误相对任意,随着年级的增高,儿童读音中犯更多的声旁错误和类比错误,高年级儿童在汉字读音中使用更多的类比策略。[①] 从表5-8中可以看出,随着学习时间的延长,学生所犯的随意性错误反而有增加的趋势,这说明,虽然学生在学习中注意到形声字声旁表音的局限作用,但对形声字识别的其他技巧和能力还没有形成,学生对形声字的精细加工能力还没有进一步发展起来,还需要假以时日。

第四节　外国学生汉语规则字偏误分析[②]

一　与字词加工相关的研究

在对字词进行阅读、命名或者语义判断等认知加工时,需要通达该字词在心理词典中的词条表征。在由外界刺激模式激活心理词典相应词条的过程中,有两种信息可以被利用:词

[①] 参见舒华、曾红梅《儿童对汉字结构中语音线索的意识及其发展》,《心理学报》1996年第2期。

[②] 本文原标题为"外国留学生规则字偏误分析——基于中介语语料库的研究",作者高立群。原载《语言教学与研究》2001年第5期。

形和语音信息。那么,哪一种信息才是对词汇通达起决定作用的呢?

(一) 拼音文字方面的研究

在拼音文字方面的研究中,对此问题主要存在三种理论观点。

第一种被称为语音中介理论,它认为在词汇加工过程中,形态信息并不能直接激活心理词典中的词汇信息,而必须经过由形—音这一加工阶段,然后再由语音信息通达心理词典中的词条。[1]

其次是直通模型(Direct Access Model),该理论认为在阅读中通达心理词典中的词条主要是通过词的形态特征实现的,因为依据形—义的通路要比形—音—义的通路环节更少,加工也更为直接、快速和有效。[2] 虽然也有研究表明在词汇加工的过程中存在语音的自动激活,[3]但它对形—义通路没有影响,而只是一个词汇加工的伴随现象。

Coltheart 等提出的双通道模型可以说是对前两种理论的

---

[1] 参见 Van Orden, G. C., Johnston, J. C., & Hale, B. L. Word identification in reading proceeds from spelling to sound to meaning. *Journal of Experimental Psychology: Learning, Memory and Cognition*, 21, 24—33, 1988.

[2] 参见 McCuster, L. X., Hillinger, M. L., & Bias, R. G. *Phonological recoding and reading*. Psychological Bulletin, 89, 217—706. 1981. Fleming, K. K. Phonologically mediated priming in spoken and printed word recognition. *Journal of Experimental Psychology: Learning, Memory and Cognition*, 19, 272 - 284, 1993.

[3] 参见 Grainger, J., & Ferrand, L. Phonology and orthography in visual word recognition: Effects of masked homophone primes, *Journal of Memory and Language*, 33, 218—233, 1994.

结合,它认为在词汇加工中存在两条不同的加工路径:词汇通路和非词汇通路。① 在词汇通路的加工中,词汇的形态特征会直接激活心理词典中的相应词条,并获得词汇的语义和语音信息。非词汇通路的加工则是由外界字母串的形态特征经过一个形音转换规则(Grapheme-to-Phoneme Conversion Rule,GPC)获得该字母串的语音,然后这些语音信息再激活心理词典中相应的词条和语义信息。在实际的词汇认知加工中,这两条加工路径是被平行启动并相互竞争的,哪一条路径加工得快,哪条路径就决定词汇加工的结果。

(二) 汉语方面的有关研究

现在国际语言学界把文字分成浅层文字(如塞尔维亚—克罗地亚文、西班牙文)和深层文字(希伯来文、英文)两种。浅层文字容易见形知音,而深层文字见形知音较困难。汉字是一种表意文字,和这些文字相比,字形和字音的关系不大,因此一些研究者认为在汉字的加工中,形态信息在汉字语义通达中起着决定性的作用,而语音信息是不发挥作用的。②

但也有人不同意这种看法。他们认为汉字虽然是表意文字,但也有标音功能。王凤阳系统探讨了形声字在汉字发展中的重要作用后认为,大量发展形声字是汉字独特的表音道路。③还有许多学者利用汉字材料对汉字语音的作用进行了深入的实

---

① 参见 Coltheart, M., Curtis, B., Atkins, P., & Haller, M. Models of reading aloud: Dual-route and paralleldistributed-processing approaches. *Psychological Review*. 100, 589—608, 1993.

② 参见周晓林《语义激活中语音的有限作用》,载彭聃龄等主编《汉语认知研究》,山东教育出版社 1997 年版,第 159—194 页。

③ 参见王凤阳《汉字学》,吉林文史出版社 1989 年版。

验研究。张厚粲等和 Cheng 等以及 Perfetti 等在启动实验、词汇判断和同义判断等多种认知作业中,均发现了汉字语音的早期自动激活现象。① Perfetti 和 Zhang 和 Tan 等的研究更是在时间进程上证实了汉字的语音激活发生在语义通达之前。②

另外,有关汉字规则性效应的发现也有力地支持了汉字加工中语音具有重要作用的观点。形声字是由形符和声符构成的,声符和整字读音相同的字我们通常称之为规则字,声符和整字读音不同的字则是不规则字。大量的以汉语母语者为被试的实验研究表明,规则字在命名作业中的加工速度要快于不规则字,这就是规则性效应。③ 另外,有研究还发现在形声字的语义

---

① 参见张厚粲、舒华等《汉字读音中的音似和形似启动效应》,《心理学报》1989 年第 3 期,第 284—289 页;Cheng, C. M. & Shih, S. L. The nature of lexical access in Chinese: Evidence from experiments on visual and phonological priming in lexical judgment. In. I. M. Liu, H. C. Chen & M. J. Chen(Eds.), *Cognitive aspects of the Chinese Language*. Asian Research Service, 1988. Perfetti, C. A., Zhang, S. & Berent, I. Reading English and Chinese: Evidence for a universal phonological principle. In R. Frost & L. Katz (Eds.) *Orthography, Phonology, Morphology, and Meaning*. Amsterdam: Elsevier, 1992. Perfetti, C. A., & Zhang, S. Very early phonological activation in Chinese reading. *Journal of Experimental Psychology: Learning, Memory and Cognition*, 21, 24—33, 1995.

② 参见 Perfetti, C. A., & Zhang, S. Phonological processes in readning Chinese characters. *Journal of Experimental Psychology: Learning, Memory and Cognition*, 17, 633—643, 1991.

③ 参见 Hue, G. W. Recognition processing in character naming. In H. C. Chen & O. J. L. Tzeng(Eds.). *Language Processing in Chinese*. Elsevier Science Publishers, B. V. 1992. Peng, D., Yang, H. & Chen, Y. Consistency and phonetic-independency effects in naming tasks of Chinese phonograms. In Jing, Q, Zhang, H. & Peng, D(Eds.), Information processing of the Chinese language, Beijing: Beijing Normal University Press, 26—41, 1994. Zhou, X. & Marslen-Wilson, W. *Sublexical processing in reading Chinese script: A cognitive analysis*. Mahwah, NJ: Lawrence Erlbaum, 37—63, 1999.

范畴作业中,低频规则字的判断时间也比低频不规则字的判断时间要短。①

(三) 汉语作为第二语言的研究

外国留学生在将汉语作为第二语言学习时,对汉语字词的加工主要依赖的是形态信息呢,还是语音信息呢?笔者在对外国留学生汉字校对作业的研究中发现,在汉语校对阅读过程中,无论是初级、中级还是高级汉语水平的外国留学生,同形错别字的检出率要明显地低于同音错别字,这表明形态信息在外国留学生的汉字识别过程中始终起着主导作用。②

我们还发现,日韩留学生汉语形声字的错误率和非形声字的错误率并没有差异,由此我们推测日韩留学生对汉语形声字的加工和非形声字一样,为整字加工。另外,还发现欧美留学生在甲乙级非形声字和形声字的错误率上没有差异,但在丙级字方面,形声字错误率要明显高于非形声字。由此我们推测欧美留学生在低频形声字的加工方面不同于非形声字,可能使用了部件策略。③ 形声字的部件不仅在读音上有可能和整字相同和相近,而且在字形方面也和整字部分相同。那么欧美留学生在汉字形声字的加工中所使用的部件策略是依赖于部件形的信息还是利用了部件的表音性信息呢?为此,我们对外国留学生读

---

① 参见高立群《语音在汉语语义通达中作用的实验研究》,《语言教学与研究》2000 年第 2 期。

② 参见高立群《音、形信息对外国留学生汉语阅读中汉字辨认的影响》,《世界汉语教学》2000 年第 4 期。

③ 参见高立群《外国留学生形声字偏误分析》,待刊,2000 年。

音规则的形声字和读音不规则的形声字的错误率进行了分析,以进一步探讨形态和语音信息在外国留学生形声字认知加工中所起的作用。

二 规则字和不规则字的比较分析

(一) 语料的选择

我们从北京语言文化大学开发的中介语语料库中分别选取日本留学生使用过的 4 265 个汉字、韩国留学生使用过的 2 551 个汉字和欧美留学生使用过的 2 550 个汉字,在此基础上进一步筛选了日、韩、欧美学生共同使用的形声字 1 891 个作为分析之用。

在筛选的 1 891 个汉字中,按 HSK 等级划分共有甲级字 547 个,乙级字 630 个,丙级字 379 个,丁级字 271 个,超纲字 64 个;按结构类型划分共有上下结构 401 个,左右结构 1 255 个,半包围结构 221 个,嵌入结构 14 个;按部件数划分共有 2 部件字 577 个,3 部件字 793 个,4 部件字 371 个,5 部件字 124 个,6 部件字 22 个,7 部件字 4 个。

(二) 1 891 个规则形声字和不规则形声字的错误分析

1. 欧美、日、韩学生 1 891 个形声字的错误分析

我们预测外国留学生对规则字和不规则字的掌握会表现出不同,并且不同母语的学生可能在规则字和不规则字的学习方面也会表现出不同。因此,对 1 891 个规则字和不规则字的错误率分布进行了对比分析,表 5-9 列出欧美和日韩留学生 1 891 个规则字和不规则字的平均错误率。

表 5-9 1 891 个规则字和不规则字的平均错误率(%)分布

	HSK 等级	欧美留学生	日本留学生	韩国留学生
不规则字	甲	5.0	3.3	4.2
	乙	7.2	4.2	5.2
	丙	6.1	5.0	5.0
	丁	5.1	5.5	7.2
	超纲	4.4	5.8	5.9
规则字	甲	5.7	4.0	4.9
	乙	6.4	4.9	7.1
	丙	8.4	4.8	4.6
	丁	3.3	4.8	5.6
	超纲	8.1	5.3	10.2

对此进行 ANOVA 分析,结果显示,HSK 等级($F_{(1,1881)} = 4.35, p = 0.002$)和国籍(母语)因素($F_{(2,3762)} = 4.83, p = 0.008$)的主效应均达到了显著水平,规则性因素($F_{(1,1881)} = 2.43, p = 0.12$)的主效应没有达到显著水平;规则性因素和 HSK 等级的交互作用($F_{(4,1881)} = 1.74, p = 0.14$)规则性和国籍因素的交互作用($F_{(2,3762)} = 0.74, p = 0.48$)以及规则性、HSK 等级和国籍因素三者的交互作用($F_{(8,3762)} = 1.59, p = 0.12$)均未达到显著水平;但是 HSK 等级和国籍因素之间的交互作用($F_{(8,3762)} = 2.95, p = 0.003$)达到了显著水平。进一步的简单效应分析显示,韩国留学生对乙级和丁级字的错误率显著地高于甲级字($F_{(4,1886)} = 4.08, p = 0.003$);欧美留学生对乙级和丙级字的错误率显著高于甲级字($F_{(4,1886)} = 3.54, p = 0.007$);日本留学生对乙级、丙级和丁级字的错误率显著高于甲级字($F_{(4,1886)} = 3.12, p = 0.014$)。

从分析的结果可以看出,国籍(母语)和 HSK 等级都影响汉字掌握,但是我们所关注的规则性对各国留学生的汉字错误率没有影响,这是否表明外国留学生对规则字和不规则字的认知和学习机制是相同的呢? 对此,我们尚不能断言,因为在上述语料中,规则字和不规则字在字频、HSK 等级、笔画数、部件数和结构类型等诸多影响汉字认知的因素方面可能不平衡,这有可能对规则性因素作用的表现产生影响,因此还需要进一步的深入分析。

2.1 891 个规则字和不规则字的频率、部件数、笔画数及结构分布

为了验证字频、HSK 等级、笔画数等因素可能掩盖了规则性因素作用的假设,我们对 1 891 个规则字和不规则字在字频、部件数、笔画数、结构类型和 HSK 等级等方面的分布进行了分析和检验。另外,为方便计算,我们在结构类型上分别用 1、2、3、4、5 来表示独体、上下、左右、半包围和内嵌结构的汉字。

表 5-10 列出了 1 891 个规则字和不规则汉字在字频、部件数、笔画数、结构类型和 HSK 等级等方面的数据分布。对这些数据采用 One-Way-ANOVA 分析,结果显示,规则字和不规则字在字频($F_{(1,1889)} = 6.96, p = 0.008$)、部件数($F_{(1,1889)} = 20.59, p = 0.000$)、笔画数($F_{(1,1889)} = 18.74, p = 0.000$)和结构类型($\chi^2(3) = 21.97, p < 0.001$)等方面的差异均达到了非常显著的水平,HSK 等级($F_{(1,1889)} = 2.80, p = 0.094$)也接近显著水平。这一结果表明,规则字和不规则字在字频、部件数、笔画数、结构类型和 HSK 等级等影响汉字认知的主要因素上都存在差异。与规则字相比,不规则字的 HSK 等级、字频更高,部件数和笔画数更少,上下结构和左右结构的汉字所占的比例更高。

表 5-10 1 891 个规则字和不规则字的字频、部件数、笔画数及 HSK 等级的分布

	笔画数	部件数	字频	HSK 等级
不规则	9.60	2.99	0.3018	2.27
规则	10.20	3.19	0.2283	2.35

彭瑞祥和喻柏林等在研究中发现,汉字的字形结构对汉字的认知加工具有显著的影响;[①]Zhu 等、张武田等和彭聃龄等在实验中均发现汉字的笔画数和部件数对汉字的认知加工具有显著的影响,[②]因此,规则字和不规则字在部件数、笔画数和结构类型上的差异可能对规则性效应造成了干扰,因此我们决定在对上述因素进行匹配之后再对规则字和不规则字的偏误进行对比分析。

(三)匹配频率、部件数、笔画数及结构类型等因素之后规则字和不规则字的分析

1. 材料的匹配

为了将字频、部件数、笔画数和结构类型等因素和规则性因素分离出来,我们以 1 891 个形声字为基础,对规则字和不规则字再次进行了筛选。首先,将 1 891 个形声字按照 HSK 等级进行分组,然后分别在甲、乙、丙、丁四个组中对规则字和不规则字进行配对选择,匹配的项目包括字频、部件数、笔画数、结构类型

[①] 参见彭瑞祥、喻柏林《不同结构汉字再认的研究》,普通心理与实验心理学年会论文,1980 年;喻柏林《汉字形码和音码的整体性对部件识别的影响》,《心理学报》1990 年第 3 期,第 232—239 页。

[②] 参见 Zhu, X. & Taft, M. Complexity effect in Chinese character processing. Paper presented to the Asian-Australian workshop on cognitive processing of Asian languages, 1991. 张武田、冯玲《关于汉字识别加工单位的研究》,《心理学报》1992 年第 4 期,第 379—385 页;彭聃龄、王春茂《汉字加工的基本单元:来自笔画数效应和部件数效应的证据》,《心理学报》1997 年第 1 期,第 8—16 页。

等一些影响汉字认知的主要因素。这样做的目的是为了平衡上述因素在规则字和不规则字之间造成的不均衡影响,以便我们能够更加客观、准确地分析读音规则性这一因素对汉字认知所产生的影响。在经过上述匹配之后,我们共保留了 112 个规则字和 112 个不规则字。在这 224 个汉字中,按 HSK 等级划分共有甲级字 82 个,乙级字 96 个,丙级字 26 个,丁级字 20 个;按结构类型划分共有上下结构 22 个,左右结构 192 个,半包围结构 8 个,嵌入结构 2 个;按部件数划分共有 2 部件字 78 个,3 部件字 112 个,4 部件字 34 个。

2. 匹配后 224 个规则和不规则汉字频率、部件数及结构类型分析

我们在 HSK 等级和结构类型因素上,对 112 对规则字和不规则字进行了一一对应的匹配,因此两组汉字在这两方面不存在任何差异。除此之外,为了进一步检验规则字和不规则字在字频、部件、笔画数和结构类型等因素上是否达到了匹配,我们对这两组汉字的上述几项因素分别进行了分析和检验。

表 5-11 所选规则字和不规则汉字的频率、部件数和笔画数的分布

读音规则性	HSK 等级	频率	部件数	笔画数
不规则	1	0.4470	2.78	8.68
	2	0.1312	2.96	9.27
	3	0.0585	2.69	8.62
	4	0.0202	3.00	9.80
规则	1	0.4811	2.78	8.68
	2	0.1318	2.96	9.17
	3	0.0574	2.69	8.62
	4	0.0207	3.00	9.80

表 5-11 列出了 224 个规则字和不规则字在字频、部件数和笔画数等方面的分布。对这些因素采用 One-Way ANOVA 分析,结果显示,规则字和不规则字在字频($F_{(1,196)} = 0.062, p = 0.80$)、部件数($F_{(1,222)} = 0.00, p = 0.10$)和笔画数($F_{(1,222)} = 0.038, p = 0.85$)等方面的差异均未达到显著水平。这一结果表明,经过匹配,规则字和不规则字在 HSK 等级、结构类型、字频、部件数和笔画数等影响汉字认知的主要因素上达到了平衡。

3. 欧美、日、韩学生 224 个规则字和不规则字的错误分析

表 5-12 列出了欧美、日、韩留学生在 224 个规则字和不规则字上的平均错误率。对此进行国籍(母语)、HSK 等级和规则性三因素的 repeated-measures-ANOVA 分析,结果显示,国籍($F_{(2,432)} = 1.23, p = 0.30$)、HSK 等级($F_{(3,216)} = 0.86, p = 0.46$)和规则性($F_{(1,216)} = 0.28, p = 0.60$)三个因素的主效应以及相互间的交互作用都没有达到显著水平($p > 0.2$)。

表 5-12 欧美、日、韩留学生 224 个规则字和不规则字平均错误率分布(%)

读音规则性	HSK 等级	欧美留学生	日本留学生	韩国留学生
不规则字	甲	5.1	4.4	4.4
	乙	5.7	4.5	5.1
	丙	3.7	5.9	7.8
	丁	5.0	1.1	2.5
规则字	甲	4.8	3.0	5.0
	乙	4.2	6.6	5.2
	丙	6.2	5.9	5.2
	丁	3.3	2.2	8.9

4. 讨论

分析结果显示,欧美、日、韩留学生规则字和不规则字的错误率没有表现出差异,这似乎表明他们对规则字和不规则字的认知学习机制没有差异。在字形方面,无论是规则字还是不规则字,它们的部件—整字关系都是部分相似的;在字音方面,规则字的部件—整字关系是一致的,而不规则字的部件—整字关系不一致。如果外国留学生和汉语母语者一样,对形声字的加工也依赖字音的话,那么他们在规则字和不规则字的错误率方面应该表现出差异;如果只依赖字形的话,则不应在错误率上表现出规则性效应。分析结果显示,各国留学生在错误率方面没有表现出规则性效应,由此推断外国留学生对形声字的认知加工主要依赖于字形信息,这一结论和笔者以前的研究结果是一致的。①

如果情况果真如此,那么我们可以推论,形声字的部件如果成字,其熟悉度必然高于不成字部件,其在形、音方面的加工也必然较不成字部件具有优势,那么由成字部件构成的形声字应该在认知加工方面较由不成字部件构成的形声字有更强的优势,其错误率也应该更低一些。为此,我们对由成字部件和不成字部件构成的形声字的错误率进行了进一步的比较分析。

---

① 参见高立群《音、形信息对外国留学生汉语阅读中汉字辨认的影响》,《世界汉语教学》2000年第4期。

三 成字部件形声字和不成字部件形声字的比较分析

(一) 材料的选择

首先从 1 891 个形声字中选择 2 部件的上下和左右结构汉字,然后对这些汉字在匹配笔画数、HSK 等级和字频的基础上,分别选定部件成字性不同的汉字共 54 个,其中部件成字性为 0 的 12 个,为 1 的 28 个,为 2 的 14 个。所谓部件成字性是指构成整字的两个部件是否都可以独立成字,如果都可以独立成字,则部件成字性为 2,如只有一个部件可以独立成字,则为 1,如果都不能独立成字,则为 0。

表 5-13 列出了部件成字性不同的 54 个汉字的 HSK 等级、字频和笔画数分布。对此进行 ONE-WAY 的 ANOVA 分析,结果显示,部件成字性不同的汉字之间在 HSK 等级($F_{(2,51)}=0.35, p=0.71$)、字频($F_{(2,51)}=0.06, p=0.94$)和笔画数($F_{(2,51)}=1.62, p=0.21$)的分布上均没有显著差异。

表 5-13 54 个成字和不成字部件构成汉字的 HSK 等级、字频和笔画数分布

部件成字性	HSK 等级	频率	笔画数
0	1.50	0.4418	6.08
1	1.39	0.4010	7.25
2	1.57	0.4416	7.00

(二) 部件成字性不同的 54 个汉字的错误率分析

表 5-14 部件成字性不同的 54 个汉字的平均错误率(%)分布

部件成字性	欧美留学生	日本留学生	韩国留学生
0	7.23	3.45	7.98
1	3.28	2.98	3.30
2	4.95	2.37	3.84

表 5-14 列出了欧美、日、韩留学生在部件成字性不同的 54 个汉字上的平均错误率,对此进行国籍(母语)和部件成字性两因素的 repeated-measures-ANOVA 分析,结果显示,国籍($F_{(2,102)} = 7.08, p = 0.001$)的主效应达到了非常显著的水平,部件成字性($F_{(2,51)} = 2.53, p = 0.089$)和两因素间的交互作用($F_{(4,102)} = 2.32, p = 0.062$)都达到了边缘显著水平。

进一步的简单效应分析显示,欧美学生在 0 部件成字水平上的错误率显著高于 1 部件成字水平($F_{(1,38)} = 5.68, p = 0.022$),但 0 和 2($F_{(1,24)} = 0.66, p = 0.43$)、1 和 2 部件成字水平之间没有差异($F_{(1,40)} = 1.04, p = 0.31$);韩国学生在 0 部件成字水平上的错误率显著高于其他两个水平($F_{(2,51)} = 4.04, p = 0.024$),1 和 2 部件成字水平之间则没有差异($F_{(1,40)} = 0.20, p = 0.66$);日本学生则没有表现出部件成字性效应($F_{(2,51)} = 0.29, p = 0.75$)。

(三) 讨论

分析结果显示,欧美和韩国学生对 0 部件成字水平的汉字表现出高的错误率,这在一定程度上支持了我们的观点,即成字部件构成的汉字优于不成字部件构成的汉字是由于成字部件在形的加工方面优于不成字部件。结合以前的研究结果,①我们认为,外国留学生对形声字的加工主要依赖于形的信息,这一点符合直通模型的观点。

外国留学生对汉字的认知主要依赖于字形信息,这一点与汉语母语者的汉字加工特点不同。研究表明,汉语母语儿童在汉字认知发展中,要经历一个由主要依赖字音逐渐过渡到依赖字形的过程。② 而外国留学生之所以缺乏依赖语音的阶段,主要原因有二:一是汉字本身的同音、近音字很多,单纯依靠字音区别字义比较困难,因此他们在学习过程中逐渐形成了主要依赖字形区别字义的策略;二是外国留学生在汉字的学习中,主要困难来自于对汉字的书写,因此可能会花较多的时间来练习,同时教师在教学过程中也比较注重汉字的书写,因此字形信息在留学生的汉字认知和学习中就逐渐成为了主导的因素。

当然,成字部件在音的方面也优于不成字部件,这也可能是导致成字部件构成的形声字错误率低于不成字部件构成的形声字的原因。但是由于在语料分析的研究中难以将成字部件和不成字部件的形、音因素分离开来,因此我们要确定成字部件构成的形声字错误率低于不成字部件构成的形声字到底是由形、音中哪个因素导致的,进而推论出外国留学生汉字认知中所依赖的信息,还需要进一步寻找其他实

---

① 参见高立群《音、形信息对外国留学生汉语阅读中汉字辨认的影响》,《世界汉语教学》2000 年第 4 期。

② 参见宋华、张厚粲、舒华《在中文阅读中字音、字形的作用及其发展转换》,《心理学报》1995 年第 2 期,第 139—143 页。

验证据的支持。

日本留学生在各成字水平汉字的错误率上没有表现出差异,其原因可能有二:一是日本留学生对形声字的认知倾向于整字识别,因此不受部件特性的影响;二是因为所选汉字的使用频率较高,加之日本学生在汉字的整体水平方面都远高于欧美和韩国学生(中介语语料库中日本学生所用汉字数量几乎两倍于欧美和韩国学生),从而形成日本学生在各个水平的形声字上错误率都很低的高限效应(ceiling effect),难以观察到部件成字性的效应。当然,具体原因还有待于进一步的研究。

第五节 拼音文字背景的外国学生汉字书写偏误分析[①]

一 文字书写错误的相关研究

研究文字学习过程中文字书写法知识的形成和发展规律的方法之一,是分析学习者的书写错误。在已有研究中,既有对拼音文字学习者书写错误的研究,也有对表意文字学习者书写错误的探讨。

(一) 拼音文字学习者书写错误的研究

西方对拼音文字学习者的书写错误的研究比较多,对儿童

[①] 本文原标题为"拼音文字背景的外国学生汉字书写错误研究",作者江新、柳燕梅。原载《世界汉语教学》2004年第1期。

读写能力发展感兴趣的研究者大都十分关注儿童的书写错误，研究者把儿童的书写错误看成是了解儿童正字法知识的一个窗口。在这里，正字法（orthography）指文字的规范、标准的书写法或书写规则。Read 对学龄前儿童的书写错误研究发现，英语儿童的错误反映了儿童对音形对应关系的认识（例如用字母名称代替元音，把 my 写成 mi，you 写成 u），认为拼写能力是一种复杂的认知技能，是逐渐发展形成的。① Henderson 研究了小学儿童乃至成人的英语书写错误，提出英语拼写能力的发展是分阶段的，由最初的字母阶段（用字母代替词，例如 Are you deaf-RUDF），到语音型式阶段（对拼写规则的探索）和意义阶段（理解词之间的派生关系），学习者的拼写错误反映了他们对字母与语音、字母与语音型式、字母与意义等关系的认识。② Lennox 和 Siegel 研究了 420 名 6—16 岁的书写差者和书写正常者在听写测验中的书写错误，发现书写差者的同音错误比书写正常者少，而形似错误比书写正常者多，这个结果表明，书写正常者更多地利用语音策略，而书写差者更多地利用字形策略。③ 也就是说，当一个人的语音技能发展得不好时，他更可能利用字形技能。

---

① 参见 Read, C. *Children's categorization of speech sounds in English*. Urbana, IL: National Council of Teachers of English, 1975.

② 参见 Henderson, E. H. Developmental concept of word. In E. H. Henderson & J. W. Beers (eds.), *Development and cognitive aspects of learning to spell: a reflection of word knowledge* (pp. 1—14). Neward, DE: International Reading Association, 1980.

③ 参见 Lennox, C., & Siegel, L. S. The development of phonological rules and visual strategies in average and poor spellers. *Journal of Experimental Child Psychology* 62.1, 60—83, 1996.

对英语书写障碍儿童的研究发现,书写困难的产生主要是由音—形转换阶段的问题导致的。语音因素在英语书写错误的产生中起最关键的作用。

总之,有关拼音文字的书写错误的大多数研究表明,儿童的书写错误有一定的发展模式,其错误反映了儿童正字法知识发展的规律。通过研究书写错误可以了解儿童的正字法知识,并为书写教学提供有益的启示。

(二) 表意文字学习者书写错误的研究

和拼音文字的学习者一样,表意文字的学习者所犯的书写错误也反映了学习者正字法知识的发展规律。有人认为正字法主要针对拼音文字而不是表意文字,[①]但实际上不同文字有不同内容的正字法。[②] 对表意文字而言,正字法指符合规范、标准的书写规则。为了避免误解,我们将表意文字的正字法知识称为书写法知识。对属于表意文字体系的汉字书写错误的研究虽不及拼音文字的多,但也获得了一些有意义的结果。

1. 日语学习者汉字书写错误的研究

日语文字存在假名和汉字两套符号系统,在书写一个句子时,人们可以用假名来书写汉字词,只不过给人的印象是书写者受教育程度不高。Hatta、Kawakami 和 Tamaoka 认为,探讨被试在自主选择是否书写汉字的条件下所犯的汉字书写错误,可以在一定程度上了解汉字书写的认知机制,并为汉字教学提供

[①] 参见 Richards, J. C., & Platt, J., & Platt, H.《朗文语言教学及应用语言学辞典》,外语教学与研究出版社 2002 年版。

[②] 参见陈天泉《汉字正字法》,湖北人民出版社 1983 年版。

第五节 拼音文字背景的外国学生汉字书写偏误分析

一些建议。① 因此他们对以日语为母语的学习者(日本大学生)和以日语为第二语言的学习者(澳大利亚学生)学习日语时出现的汉字书写错误进行了研究。他们先分析了2 200名日本大学生在考试作文和书信时出现的374个双字词书写错误,结果是,在所有错误中,与语音有关的汉字书写错误最多(60.0%),这类错误包括同音错误(9.1%,如"社会"/sha kai/误写为"社回"/sha kai/)、音同形似错误(23.5%,如"意識"/i shiki/误写"意織"/i shiki/)、音同义近错误(22.5%,如"精神"/sei shin/误写为"精心"/sei shin/)、音同形似义近错误(1.6%,如"浸透"/shin to/误写为"侵透"/shin to/)等4种错误。与字形有关的错误居第二位(43.6%),也包括形似错误(17.9%,如"季節"/ki setsu/误写为"委節"/i setsu/)、音同形似错误(同上)、形似义近错误(0.5%,如"持"/sei shin/误写为"待"/sei shin/)、音同形似义近错误(同上)等4种。与语义有关的错误最少(29.7%),包括近义错误(1.6%,如"潜伏"/sen puku/误写为"潜存"/sen zou/)、音同义近错误(同上)、形似义近错误(同上)、音同形似义近错误(同上)等4种。由于语音相关错误很多,所以他们认为汉字书写教学不但要重视字形和字义特点,还应该重视字音特点(例如加强同音字的比较)。

他们还分析了39名初学日语的澳大利亚大学生在每周一次的汉字测验中出现的408个汉字书写错误,发现与日本学生不同,澳大利亚学生出现的错字很多(76%)(日本出现

---

① 参见 Hatta, T., Kawakami, A., & Tamaoka, K. Writing errors in Japanese kanji: A study with Japanese students and foreign learners of Japanese. *Reading and Writing* 10, 457—470, 1998.

的错字只占书写错误的 15%),而且,字形相关错误(13.9%)比字音相关错误(3.9%)、语义相关错误(7.4%)多。(这是重叠计算的数据)如果单独考虑形音义各个因素的作用,也是字形相关错误(10%)比字音相关错误(1.2%)、语义相关错误(4.2%)多。可见澳大利亚学生与日本学生的结果有差别。

Hatta 等人对汉字学习者的书写错误进行了细致的分类和统计,但是该研究只有描述统计,没有进行推论统计。

2. 汉语学习者汉字书写错误的研究

Shen 和 Bear 探讨了汉语儿童书写错误的发展模式。① 他们从 1 200 名儿童的自然书写材料中收集了 7 000 个汉字书写错误,发现随着年级的升高,儿童的书写错误中基于语音的错误逐渐减少,而基于字形的错误和基于语义的错误逐渐增多,其结论是儿童的汉字书写策略存在一个发展趋势,低年级儿童以语音策略为主,随着年级升高,语音策略的使用减少,字形和语义策略的使用增加。Shen 和 Bear 还发现无论是哪个年级,汉语儿童与语音有关的汉字书写错误最多,与字形有关的错误次之,与语义有关的错误最少。

以汉语作为第二语言的学习者,其汉字书写的发展规律有何特点呢?近些年来,有不少研究者对外国学生学习汉字过程出现的错误感兴趣并进行了初步研究。这类研究集中于将学生

---

① 参见 Shen, H. H., & Bear, D. R. Development of orthographic in Chinese children. *Reading and Writing* 13, 197—236, 2000.

的汉字错误进行分类并对每种类型的错别字举出例字。① 其中施正宇以母语使用拼音文字的外国学生2 000多例汉字书写错误为材料,分析了汉字形符书写错误,把形符书写错误分为形似形符的替代(例如:昨—眧)、意近形符的替代(例如:饮—欤)、相关形符的替代(例如:奶—孖)、形符类推(例如:提高—提搞)。此外还有研究者专门探讨形声字的书写错误或听写错误,例如高立群和陈慧。②

总的来说,大多数研究(不包括高立群、陈慧)对外国学生的书写错误进行分类之后,对错别字出现的原因进行分析并提出教学对策,但是对每种错误出现的多少(例如频度、比率)作数量统计的研究很少,按字形错误和字音错误、错字和别字来划分错误的研究也极少。然而,孙清顺、张朋朋、吴英成的研究是例外。③

孙清顺、张朋朋曾对在北京语言大学学习的近50名来自非

---

① 参见陈阿宝《汉字现状与汉字教学》,载《第一届国际汉语教学讨论会论文选》,北京语言学院出版社1986年版;杜同惠《留学生汉字书写差错规律试析》,《世界汉语教学》1993年第1期;范可育《从外国学生书写汉字的错误看汉字字形特点和汉字教学》,《语文建设》1993年第4期;吴英成《学生汉字偏误及其学习策略的关系》,载《第三届国际汉语教学讨论会论文选》,北京语言学院出版社1991年版;施正宇《外国留学生形符书写偏误分析》,载《第六届国际汉语教学讨论会论文选》,北京大学出版社2000年版;肖奚强《外国学生汉字偏误分析》,《世界汉语教学》2002年第2期;梁彦民《笔画层次的汉字区别性特征初步分析》,第七届国际汉语教学讨论会论文,上海,2002年。

② 参见陈慧《外国学生识别形声字错误类型小析》,《语言教学与研究》2001年第2期;高立群《外国学生规则字偏误分析——基于中介语语料库的研究》,《语言教学与研究》2001年第5期。

③ 参见孙清顺、张朋朋《初级阶段留学生错别字统计分析》,《北京语言学院第三届科研报告会论文选》,1985年;吴英成《学生汉字偏误及其学习策略的关系》,载《第三届国际汉语教学讨论会论文选》,北京语言学院出版社1991年版。

洲法语区的留学生初级阶段听写生词、句子时出现的错别字进行分类统计,他们把错别字分成形错字(即减笔、增笔、部分变化、形近别字等)和音别字(即同音别字、音近字)两类,发现形错字比音别字多(在 750 个错别字中,形错字为 623 个,占 83%,音近字为 127 个,占 17%),而且随着学习时间的增加,形错字所占的比率逐渐下降,音别字的比率逐渐上升(形近字的比率由第一册时的 94% 下降到第二、三、四册时的 80%—82%,音别字由第一册时的 6% 上升到第二、三、四册时的 18%—20%)。这是我们看到的第一个将外国学生的汉字书写错误按照字形错误和字音错误来划分的研究。但是该研究只有描述统计,没有推论统计,而且在统计形近别字和音近别字时如何处理形音相近的别字,没有说明。后来,朱志平、哈丽娜将学生的别字分为形近、音近和形音皆近三类,但是对不同错误出现的数量和比率没有进行统计。①

吴英成的研究将汉字错误分为错字和别字。他对新加坡一所学院高中一年级学生 30 人在听写一篇 130 字的短文时出现的汉字错误进行分类统计,发现错字比别字少得多(在 364 个错误中,错字和别字分别占 11.2%、88%),他认为这是由于现代汉字中同音字数量多、学习者经常混淆音同或音近字造成的,而且认为,这个结果表明由于字音相同或相近造成的学习难度大于字形相近造成的难度。在我们看到的汉语作为第二语言的相关研究中,吴英成的研究是第一个采用了统一方法收集汉字书

---

① 参见朱志平、哈丽娜《波兰学生暨欧美学生汉字习得的考察、分析与思考》,《北京师范大学学报》(社会科学版)1999 年第 6 期。

写错误并详细描述了收集方法的研究。但由于吴英成的研究没有作推论统计，而且探讨的是新加坡中学生在听写任务中出现的汉字书写错误，其结果是否能够推论到自然写作任务下其他语言背景、语言水平的外国学生的书写行为，还需要进一步研究。

总而言之，已有研究还存在一些值得改进的地方。外国学生在汉字书写错误中反映的汉字书写知识的形成和发展规律还不清楚。本文就拼音文字背景的外国学生的汉字书写错误所反映的书写法知识、字形字音作用及其与识字量的关系等问题作进一步探讨。

本研究探讨两个主要问题：(1)拼音文字背景的汉语初学者汉字书写错误中错字数和别字数是否有差异？与识字量的关系如何？(2)字形错误和字音错误的比率是否有差别？与识字量的关系如何？

二 方法

(一) 被试

北京语言大学汉语速成学院参加汉字选修课程的 A 班学生 33 人，其中美国、英国、德国等欧美国家学生 24 人，印尼、泰国、马来西亚、菲律宾等亚洲国家学生 9 人。他们分别是两个汉字选修课班上的学生。所有被试的第一语言的文字都是拼音文字。

(二) 书写错误材料的收集方法

本研究从学生的作文中收集汉字书写错误。在汉字课上要求学生看图作文，图画描写的是儿童日常生活的简单场景，由

3—4幅图构成一个小故事,图画故事选自 *Fold A Book: Individualized Storybooks for Language Development*,这是一本为促进儿童语言文字技能发展而编写的图画故事书。一共选了8个图画故事,每次课只写一个故事。每周1次课,需要8周时间完成。不同被试所写作文的篇数和字数不等,有的被试写了8篇作文,有的被试只写了1篇。有1名被试所写作文字数太少(只有13个字),因此其数据不参加统计。其余32人的作文最多为1147字,最少为63字,平均每人429字。

(三) 识字量测验

全部看图作文完成后,对被试的汉字识字量进行测验。识字量测验是自编的,从《汉字信息字典》[①]的前1 000个高频字中随机选取100个汉字,要求被试写出这100个汉字的汉语拼音。在33名被试中,有3人没有参加识字量的测验(其中包括那名作文字数为13字的被试)。从完成作文到进行识字量测验,间隔时间为1周。

30名被试的平均识字量为687.3个字,标准差为108.3,最少为440个字,最多为870个字。

三 结果

(一) 不同识字量学生的错字和别字比较

将学生的汉字书写错误分成错字和别字两类:错字指形体不正确的字,别字指形体正确但使用错误的字。书写错误中的错字和别字都是学习者汉字学习过程的一种中介状态,但它们

---

① 上海交大汉字编码组《汉字信息字典》,科学出版社1988年版。

却是不同层次的错误,反映了学习者对汉字结构单位和组合关系具有不同层次的认识,反映了正字法知识水平的高低。错字的笔画部件本身、笔画部件出现的位置或笔画部件的组合关系不符合规则,例如"豿"、"狥"、"狗",它反映了学习者对汉字的结构规则的认识还处在一种比较低的层次。别字的笔画、部件出现的位置和组合关系都符合汉字的组字规则,只是在使用过程中错把甲字当成了乙字,学习者在心理词典中已存储了甲字的字形,但缺乏其形音义对应的知识,别字反映了学习者对汉字的结构规则的认识比错字加深了一步。在这点上,施正宇、朱志平提出了类似的观点。①

因此通过比较学习者的错字和别字出现的比率,我们可以了解学习者正字法知识的多少和深浅。

表5-15 学生汉字书写的错字和别字的总数、百分比及平均数

错误类型	总数	平均数	占全部错误的百分比
错字(样本 n=32)	281	8.78	55.64%
别字(样本 n=32)	224	7.13	44.36%
总计	505	15.91	100%

从表5-15可以看到,错字所占的比例大于别字的比例(从下面的方差分析的结果看到,被试的错字和别字之间的差异接近显著,$p=0.053$)。

将被试分为识字量大小两个组,识字量最大的15名被试为

---

① 参见施正宇《外国留学生形符书写偏误分析》,载《第六届国际汉语教学讨论会论文选》,北京大学出版社2000年版;朱志平《汉字构形学说与对外汉字教学》,《语言教学与研究》2002年第4期。

识字量大组(平均识字量为774.0个字),识字量最小的15名被试为识字量小组(平均识字量为600.7个字)。比较这两组被试错字和别字错误比率(如表5-16所示)。

表5-16 不同识字量的学生的错字、别字平均数

识字量	错别字类型	
	错字	别字
识字量小(n=15)	10.27	5.60
识字量大(n=15)	8.00	9.00

2(错别字)×2(识字量)混合设计的方差分析结果显示:(1)错别字类型主效应接近显著($F_{(1,28)}=4.084, p=0.053$),即被试的错字(平均值8.78)比别字(平均值7.13)多。(2)识字量主效应不显著($F_{(1,28)}=0.065, p=0.800$)。(3)错别字类型与识字量之间的交互作用显著($F_{(1,28)}=9.754, p=0.004$)。对交互作用进行单纯效应的检验,结果显示,错别字类型在识字量小的水平上显著,$F_{(1,28)}=13.23, p=0.001$,即识字量小的被试的错字比别字多;错别字类型在识字量大的水平上不显著,$F_{(1,28)}=0.61, p=0.442$,即识字量大的被试错字与别字之间没有显著差异。

也就是说,随着识字量增加,被试汉字书写中的错字错误减少,而别字错误增多。这个结果表明,识字量大小与被试汉字书写知识有关。当识字量增加时,被试的汉字书写法知识随之增加。

(二) 在错别字中的字形相似错误和字音相似错误比较

1. 总体比较

将被试的错误分为字形相似错误、字音相似错误、形音相似错误和其他等四类。(1)字形相似错误,又称字形错误,指被试

的错别字在字形上与正确字相似,但字音不相同或不相似,或读不出音(指非字)。例如:今—令、孩—孩(非字)。(2)字音相似错误,又称字音错误,指被试的错别字在字音上与正确字相同或相似,但字形不相似。例如:星期—星起,现在—先在。(3)形音相似错误,即不但字形相似,字音也相似或相同,例如:放在—方在,天气—天汽。(4)其他错误:意义相关错误和无关错误。例如:整齐—净齐,环境—环惯。

表5-17 学生错别字中不同错误类型的错误数、错误平均数和比率

错误类型	错误数	错误平均数	占总错误数的比率(%)
字形相似错误	366	11.44	72.4
字音相似错误	69	2.16	13.67
形音相似错误	55	1.72	10.89
其他	15	0.47	2.97
总计	505	15.79	100

表5-17的数据显示,学生的汉字书写错误中字形相似错误最多(占72.4%),字音相似错误位居第二(13.67%),形音相似错误位居第三(2.97%),由语义等其他因素造成的错误所占比例非常小,位居最后。

字形相似错误比字音相似错误多得多,表明该阶段的留学生汉字书写错误主要是由字形混淆引起的,由字音相同或相似导致的书写错误相对较少,这个结果表明,在留学生汉字书写中字形的作用远远大于字音的作用。

2.不同识字量学生的字形相似错误和字音相似错误比率比较

将被试分为识字量大、识字量小两个组,识字量最大的9名

被试为识字量大组(平均识字量为 814.4 个字),识字量最小的 9 名被试为识字量小组(平均识字量为 563.3 个字)。比较这两组被试字形相似错误和字音相似错误比率(如表 5-18 所示)。

表 5-18 不同识字量的学生的字形错误、字音错误占错别字数的比率(%)

识字量	错误类型	
	字形	字音
识字量小(n=9)	83.9	14.3
识字量大(n=9)	66.2	33.9

方差分析结果显示:(1)错误类型的主效应非常显著($F_{(1,16)}=57.011$, $p=0.000$),字形错误的比率(平均值 75.0%)大于字音错误的比率(24.1%)。(2)识字量的主效应不显著($F_{(1,16)}=1.000$, $p=0.332$),识字量小的被试两种错误比率(平均值 49.1%)与识字量大的被试(平均值 50.0%)没有显著差异。(3)错误类型和识字量之间的交互作用显著($F_{(1,16)}=7.625$, $p=0.014$)。对交互作用进行单纯效应检验,结果显示,识字量效应在字形错误水平上显著,$F_{(1,16)}=6.39$, $p=0.02$,表现为识字量大的被试的字形错误少于识字量小的被试。识字量效应在字音错误水平上也显著,$F_{(1,16)}=8.79$, $p=0.009$,表现为识字量大的被试的字音错误多于识字量小的被试。

也就是说,随着识字量增大,被试汉字书写中的字形错误减少,而字音错误增多。这个结果表明,识字量大小可能会影响被试汉字书写中字形和字音的作用,识字量增大会导致被试汉字书写中字形的作用减弱、字音的作用增强。

上面的结果表明,在所有错别字中字形错误比字音错误多得多,而且识字量大小与字形错误、字音错误的比率有关。但是由于所有错字都被归为字形相似错误,这可能是造成字形相似错误比率大于字音相似错误比率的主要原因,因此下面剔除错字,单独考察别字中的字形相似错误和字音相似错误比率。

(三) 在别字中的字形相似错误和字音相似错误比较

1. 总体比较

表5-19 学生的别字错误中字形错误、字音错误的比率

错误类型	错误数	错误平均数	占总错误数的比率(%)
字形错误(样本 n=32)	85	2.66	37.95
字音错误(样本 n=32)	69	2.16	30.80
形音错误(样本 n=32)	55	1.72	24.55
其他(样本 n=32)	15	0.47	6.70
总计	224	7.01	100

表5-19的数据显示,学生的别字错误中,字形错误的比率最大,其次是字音错误、形音错误,其他因素造成的错误占的比率非常小,位居最后。别字的这个结果与全体错别字的结果是一致的,即学生汉字书写的别字错误中主要是由字形混淆引起的,由字音相同或相似导致的别字错误相对较少,这个结果也表明在留学生汉字书写中字形的作用远远大于字音的作用。

2. 不同识字量学生的字形相似错误和字音相似错误比率比较

将被试分为识字量大、识字量小两个组,取识字量最大的9名被试作为识字量大组,识字量量小的9名被试作为识字量小组。比较这两组被试在别字中字形相似错误和字音相似错误的比率(如表5-20所示)。

表 5-20 不同识字量学生的别字错误中字形错误、
字音错误的平均比率(%)

识字量	错误类型	
	字形	字音
识字量小(n=9)	34.8	17.6
识字量大(n=9)	32.7	40.4

方差分析的结果显示,识字量的主效应不显著($F_{(1,16)} = 2.082$,$p = 0.168$),错误类型的主效应不显著($F_{(1,16)} = 0.216$,$p = 0.648$),识字量与错误类型的交互作用也不显著($F_{(1,16)} = 1.469$,$p = 0.243$)。从平均比率来看,识字量大组的字形相似错误比率低于识字量小组,而识字量大组的字音相似错误比率高于识字量小组,虽然这种差异尚未达到统计上的显著水平,但是数据也显示出一种趋势,即字形、字音错误的比率会随识字量大小而变化。识字量与错误类型的交互效应达不到显著水平,可能与本研究的两组被试的识字量差异还不够大且每组被试数量比较少有关。

四 讨论

(一) 错字、别字与识字量大小的关系

我们的研究以处于初级汉语学习阶段的母语采用拼音文字的外国学生为被试,采用统一的看图作文的方法收集自然写作样本中出现的书写错误,并对学生的汉字识字量进行了测量,对数据进行了推论统计。研究结果显示,被试汉字书写错误中错字比别字多,而且随着识字量增大,被试汉字书写中的错字错误减少,而别字错误增多。这个结果表明,识字量大小与被试汉字书写法知识有关,当识字量增大时,被试的书写法知识随之增加。

第五节 拼音文字背景的外国学生汉字书写偏误分析

被试汉字书写错误中错字比别字多,这个结果与吴英成《学生汉字偏误及其学习策略的关系》对新加坡中学生的研究结果不一致。吴英成发现新加坡中学生在听写中出现的错字比别字少得多(在 364 个错误中,错字和别字分别占 11.2%、88%),他认为这是由于现代汉字中同音字数量多、学习者经常混淆音同字或音近字造成的,而且认为这个结果表明由于字音相同或相近造成的学习难度大于字形相近造成的难度。但我们认为吴英成的结果与被试的汉语背景和听写任务的使用有关。首先,吴英成的被试为新加坡中学生,他们虽然以汉语作为第二语言学习,但是他们的汉语水平很可能高于我们研究的处于初级学习阶段的外国学生。由于随着汉语水平的提高和识字量增加,汉字书写法知识不断增加,汉字书写错误中别字的比率会逐渐增加,因此到某个阶段(例如吴英成研究中的新加坡学生),别字错误数量就可能大于错字数量。两个研究结果不同可能是因为被试的汉语水平不同造成的。其次,吴英成研究的是听写任务中出现的书写错误,我们现在研究的是自然写作任务中的书写错误,二者的错误模式也可能并不相同。

朱志平《汉字构形学说与对外汉字教学》的研究为这一点提供了支持证据。朱志平对初、中、高三个水平的欧美学生的汉字错误按照错字和别字进行了分类统计,发现随着汉语水平的提高,错字占错别字的比率下降(由 65% 下降到 37%),而别字的比率上升(由 35% 上升到 63%,这里的别字包含原文的"真字"和"别字")。这个结果表明,随着学生汉语水平的提高,汉字书写法知识不断增加,但是该研究对被试、汉字错误收集的方法等关键问题没有详细说明,对数据没有推论统计,因此无法了解其研究数据和结果的可靠性。

我们的研究在研究方法上作了改进,收集的数据比较真实地反映了拼音文字背景的汉语初学者在自然写作条件下的书写行为,也作了推论统计,因而结果的可靠性、可推论程度更强。

(二) 字形相似错误、字音相似错误与识字量大小的关系

本研究的结果还显示,随着识字量增大,被试汉字书写中的字形错误减少,而字音错误增多。这个结果表明,识字量大小可能会影响被试汉字书写中字形和字音的作用,随着识字量增大,被试汉字书写中字形的作用减弱、字音的作用增强。

这个结果与孙清顺和张朋朋《初级阶段留学生错别字统计分析》的研究结果是一致的。孙清顺和张朋朋发现非洲法语区学生随着学习时间增加,形错字所占的比率逐渐下降,音别字的比率逐渐上升,但他们只对数据进行了描述统计。本研究不仅对数据做了描述统计,而且作了推论统计,因此增强了结果的可推广程度。

更重要的是,我们发现被试汉字书写中的字形错误比字音错误多,表明对于初级阶段的学生来说,汉字书写中字形的作用比字音的作用大。这个结果与 Hatta 等人对以日语作为第二语言学习的澳大利亚学生的研究结果也是一致的。Hatta 等人发现澳大利亚学生的日语汉字书写错误中字形相关错误比字音相关、语义相关的错误多。这两个研究结果表明,无论是汉语还是日语作为第二语言学习,汉字书写中字形和字音的作用可能具有相似的模式。

为什么汉字初学者在书写汉字时字形的作用大于字音的作用? 对此有几个可能的原因。第一,汉字是表意文字,汉字比拼

音文字复杂的形体结构使得书写者对字形比较关注;第二,汉语作为第二语言的初学者,识字量比较小,同音字不多,因此同音字的干扰作用比较小;第三,初学者对汉字读音的掌握还不够熟练,这使得他们在书写汉字时更多地利用字形策略,在对拼音文字书写的研究中也得到了与此类似的结果。① 这些可能的解释值得进一步研究。但有必要指出的是,这个结果提示我们,对初学者的汉字书写教学要非常重视字形的特点,要重视汉字的一点一画之差,重视形体相似字的比较。要设计丰富多样的针对汉字字形的练习方式,使学生通过练习,对汉字字形的敏感性得到增强。

本研究还发现,随着识字量增大,被试汉字书写中的字形错误减少,而字音错误增多,这个结果与 Shen 和 Bear 对中国小学生的研究结果不一致。Shen 和 Bear 发现,随着年级的升高,儿童的书写错误中基于语音的错误逐渐减少,而基于字形的错误逐渐增多。我们认为,这可能与两个研究采用的被试是母语学习者还是第二语言学习者有关,以汉语为母语的学习者和以汉语为第二语言的学习者可能具有不同的汉字书写法知识发展模式。也可能与两个研究对语音错误的统计方法有关,我们的研究不把学生的"拼音替代汉字"的错误归为基于语音的书写错误,学生的这类错误也极少;而 Shen 和 Bear 把被试书写中的"拼音替代汉字"归为基于语音的错误,而且这类错误在小学一年级学生的语音错误中占大多数(以研究 A 为例,93%),随着

---

① 参见 Lennox, C., & Siegel, L. S. The development of phonological rules and visual strategies in average and poor spellers. Journal of Experimental Child Psychology 62, 1996.

年级升高,这个比例逐渐降低,到六年级时只占很小的比例(4%)。"拼音替代汉字"可能只反映了被试书写汉字的一种回避策略(遇到不会写的汉字就用拼音代替),不能反映被试的书写法知识。如果 Shen 和 Bear 的研究将"拼音替代汉字"错误从基于语音的错误中剔除,那么,小学生书写中基于语音的错误就不是随年级升高逐渐减少,而是逐渐增加。

但是,我们的结果与 Hatta 等人对日语母语者学习日语汉字的研究结果也不一致。Hatta 等人对日语母语者学习日语汉字的研究也发现基于语音的错误(60%)比基于字形的错误多(43%)。但值得注意的是,以上三种错误类型的计算有重叠,有的错误可以属于形音义多个类型,我们不知道这些错误究竟是由单个因素引起的还是由多个因素引起的。如果抛开那些可能不是由单一因素引起的错误,单独考虑形音义各个因素引起的错误,那么基于字形的错误(17.9%)比基于语音的错误(9.1%)多,基于语义的错误(1.6%)最少。从这方面看,我们的结果与 Hatta 等人(1998)的结果还是一致的。

此外,由于篇幅和本节的研究兴趣所限,本节没有对基于字形的主要错误即错字作进一步分类统计以发现字形错误的规律,这是本研究的一个遗憾。

五 结论

本研究通过探讨拼音文字背景的汉字初学者在自然写作中出现的汉字书写错误类型,探讨汉字学习过程中书写法知识的形成和发展规律。研究结果显示:(1)在书写错误中错字比别字多,但随着识字量增加,被试汉字书写中的错字错误减少,而别字错误增多,这个结果表明随着识字量增大,汉字书写法知识增加。(2)在全体汉字书写错误中,由字形相似导致的错误多于由字音相似导致的错误,但随着识字量增加,被试汉字书写中的字形错误减少,而字音错误增多。在别字错误中字形和字音错误也存在类似的趋势。这些结果表明,拼音文字背景的汉语初学者在汉字书写中字形的作用大于字音的作用,而且随着识字量增大,字形作用减弱,字音作用增强。

附录:收集汉字书写错误时使用的看图作文图画和作文举例

小王是八罗他有黑头发今天
是星期六没有上课所他出个
好主意他可以做人小鸟房子
他做完了他去外面挂在树上
因为他觉像在花园有很多鸟
鸟房子里他方鸟喜欢吃的东
西他佳准备好了就坐下等一
等十分中以俊三只鸟厂来

第六章

汉语中介语研究

第一节 国外早期的中介语理论研究[①]

一 早期中介语理论的历史回顾

(一) 早期中介语理论的历史界定

如果从时间上来界定,早期的中介语理论是指 20 世纪 60 年代末至 70 年代初由 Selinker 等人提出的关于"第二语言学习者的语言系统"的理论假设。Selinker1972 年发表的《中介语》一文标志着这种理论的建立。[②] 但是,早期的中介语理论显然不是 Selinker 一个人建立的,这一理论的代表还应包括 Corder、Nemser 等几位应用语言学的先驱。尽管这几位学者用于描写和阐述早期中介语理论的术语不同,但是他们所提出的理论假设却有许多相似之处。

到了 80 年代,中介语研究产生了许多新的理论模式。有些理论模式是在早期中介语理论的基础上发展起来的,如 Ellis 本人就声称,他和 Torane 关于中介语的"可变能力模式"(variab-

---

[①] 本文原标题为"历史回眸:早期的中介语理论研究",作者王建勤。原载《语言教学与研究》2000 年第 2 期。

[②] 参见 Selinker *Interlanguage*. International Review of Applied Linguistics 10, 1972.

le competence model)就是在最初的中介语理论的基础上发展起来的。① 但是有些理论模式,如 Shumann 的"文化适应模式"(the acculturation model of L2),Micheal Long 的"言语输入与交互作用模式"(the model of input and interaction)在理论方法上与最初的中介语理论已有相当大的分别。② 因此,Ellis 将以 Selinker 为代表的最初的中介语理论称作"早期的中介语理论"。③ Meara 将早期的中介语理论称作"传统的中介语研究",与"当今的(中介语)研究"相对。④

国外学者这种划分实际上反映了中介语研究发展的两个不同的历史阶段:即早期的中介语理论阶段和后期中介语研究的理论发展阶段。我们之所以将后者称作"中介语研究"的理论发展阶段,是因为后期的理论发展,实际上并不完全是早期中介语理论的发展。后期的理论发展有很多理论模式,这些理论模式都是以中介语系统为研究的客体。显然,后期产生的理论模式与早期的中介语理论的理论假设是有很大分别的。这是我们界定早期的中介语理论的一个重要因素。

---

① 参见 Ellis *The Study of Second Language Acquisition*. Oxford University Press,1994,p.351.

② 参见 Shumann *The Acculturation Model for Second Language Acquisition*. In R. Gingras(ed.) Second Language Acquisition and Foreign Language Teaching. Arlington, VA.: Center for Applied Linguistics, 1978. Micheal Long *Native Speaker/Non-native Speaker Conversation and the Negotiation of Comprehensible Input*. Applied Linguistics 4/2. 1983.

③ 参见 Ellis *Understanding Second Language Acquisition*. Oxford University Press, 1985, p.47. Ellis *The Study of Second Language Acquisition*. Oxford University Press, 1994, p.351.

④ 参见 Meara *The Study of Lexis in Interlanguage*. In Davies etal. (eds.) 1984.

另外,理论假设不同必然导致研究方法的不同。Corder 关于中介语系统的理论假设在某种程度上脱胎于偏误分析的理论;Nemser 和 Selinker 的理论假设,由于历史的局限,与对比分析有着千丝万缕的联系。因此,早期中介语理论的研究方法不可能超越历史的局限。而后期中介语研究的社会语言学模式、心理语言学模式以及语言学模式都大大拓宽了中介语研究的眼界。其研究方法也与早期的中介语理论大不相同。从这个意义上说,对早期的中介语理论进行科学的历史定位也是至关重要的。

(二) 早期中介语理论产生的历史背景

早期中介语理论的发生、发展有着深刻的历史原因。若要对其作出科学的界定,必须追溯其发生、发展的历史源头。Sharwood Smith 在阐述 60 年代到 80 年代第二语言研究领域的理论发展时,将这段历史大致分为三个阶段。[①] 概括地说,即 60 年代"对比分析"阶段,70 年代中介语理论产生的阶段与 80 年代各种理论模式发展的阶段。60 年代是对比分析的兴盛时期。70 年代初开始衰落,反映了一种历史的必然,因为这种理论方法无论在理论上还是实践上都面临着严重的危机。对比分析的初衷是试图以行为主义心理学和结构主义语言学作为理论支撑,来解决第二语言学习与第二语言教学中的问题。因此,语言学家们为语言教师勾画了这样一幅图景:首先,语言学家们通过两种语言系统(L1 和 L2)的对比,为语言教师提供一个详细的菜单。这个菜单包括两种语言的相同点与不同点。然后,语

---

① 参见 Sharwood Smith *Second Language Learning*: *The Theoretical Foundations*. Longman,1994,p.23.

言教师便依据这些不同点来预测学习者的难点,并据此来编写教学大纲和教材。但是后来的教学研究和实践证明,语言学家的许诺仅仅是一幅理想的图画而已。70年代初,对比分析遭到激烈的批评。一种批评来自对对比分析的预测能力的怀疑;另一种批评涉及两种语言对比的可行性问题;此外,还有来自教学实践的批评。归结起来,对比分析所面临的理论危机主要包括三个方面:(1)关于行为主义学习理论。以乔姆斯基为代表的心灵学派认为,行为主义学习理论借助实验室条件下的动物的学习行为来解释人类在自然条件下的语言学习是毫无意义的。刺激一反应的理论无法解释人类语言学习的复杂性,模仿与强化的概念也无法说明人类语言学习的创造性。(2)对比分析的两个虚假命题。根据对比分析的"强式说"①,第二语言学习者产生的错误完全可以通过两种语言的对比来预测。由此推论,语言的"差异"(difference)等于学习的"难点"(difficulty);学习的"难点"必然导致语言表达的"错误"(error)。问题是,语言的"差异"是语言学上的概念,学习的"难点"则是心理学上的概念。学习的"难点"无法直接从两种语言差异的程度来推测。教学实践也证明,依据对比分析确认的难点事实上并不完全导致错误的产生。(3)分类范畴的普遍性问题。两种语言的对比涉及作为对比基础的范畴的普遍性问题,但是,试图寻求两种语言系统分类范畴的一致性,抑或是表层结构的普遍一致性都是不现实的。即使是表层结构看起来对等的两个句子,其交际功能也很难

---

① "强式说"和"弱式说"(weak version)是对比分析假设的两种观点。强式说强调系统地对比两种语言系统,可以预测学习者的难点。弱式说则从语言干扰所提供的证据来说明两种语言系统的异同。

一致。因此,系统的对比面临分类范畴不一致的问题。失去对比范畴的一致性,科学恰当的或者说有意义的对比便无从谈起。

对比分析的理论方法存在的致命弱点,如果归结为一句话,那就是,人们试图用简单的语言学的方法去解决复杂的心理学的问题。语言习得涉及学习的主体和客体的方方面面,对比分析却仅仅局限于语言系统的对比,忽略了学习者这一主体以及作为学习客体的学习过程。由于对比分析在理论与实践上的危机,人们呼吁一种新的理论的诞生,并要求这种新的理论把目光投向学习的主体和客体。早期的中介语理论正是在这种历史背景下产生的。

早期的中介语理论,首先在理论导向上实现了所谓"教学中心"的观点(teaching perspective)向"学习中心"的观点(learning perspective)的根本转变。对比分析声称其目的是为第二语言教学"教什么"、"怎么教"提供理论依据,其研究对象是学习者的母语和目的语。中介语理论则把目光投向学习者特有的语言系统,并将其作为一个独立的、与学习者的母语和目的语系统并列的系统来考察。也就是说,中介语研究不仅要考察学习者的母语和目的语系统,还要考察学习者的中介语系统,考察学习者自身及习得过程,这标志着第二语言习得研究方向的根本转变。Ellis 在评价早期的中介语理论时指出,中介语理论是第二语言习得研究的一个恰当的起点,因为这一理论是第一次旨在为第二语言习得提供解释的理论。[①]

[①] 参见 Ellis *The Study of Second Language Acquisition*. Oxford University Press, 1994, p.351.

一个新的理论的出现,总是要提出一些新的理论问题,并对这些问题作出理论解释。中介语理论将学习者的语言系统置于第二语言习得研究的核心,试图对这个系统产生的心理过程作出科学的阐释。尽管早期的中介语理论还不够成熟,还有许多当时无法回答的理论问题,但是,早期中介语理论提出了前人没有提出的理论问题。

二 早期学者对中介语理论的贡献

70年代,Corder、Nemser 和 Selinker 三位学者对早期中介语理论的形成和发展作出了杰出的贡献。这三位学者几乎是同时提出了相似的理论观点,这种不谋而合是理论发展的必然。

(一) Corder 的理论观点及其贡献

Corder 将学习者的语言系统称作"过渡能力"(transitional competence)系统或"过渡方言"(transitional dialect)。[①] 所谓"过渡能力"是指学习者现时的心理规则系统,在他看来,这个规则系统不是一成不变的。学习者在对目的语规则假设的不断检验的基础上逐步地更新这个系统,学习者在习得过程中所产生的系统偏误,恰好是这种过渡能力的表现。所谓"过渡方言"是 Corder 从社会语言学的角度来描述学习者的语言系统。学习者的语言可以看成是目的语的一种方言,但不是一种社会方言,因为它不属于任何一种社会群体。因而,Corder 称其为学习者特有的"特异方言"(idiosyncratic dialect)。由于这种特异方言

[①] 参见 Corder *The Significance of Learner's Errors*. IRAL, 5, 1967. Corder *Idiosyncratic Dialects and Error Analysis*. IRAL, 9, 1971.

的不稳定性，Corder认为，也可以称其为过渡方言。无论是"过渡能力"还是"过渡方言"，都是强调学习者语言能力形成的动态过程。

Corder 的理论贡献主要有以下几个方面：

1. 关于"失误"(mistakes)与"偏误"①(errors)的观点

按照 Corder 的解释，"失误"与 performance 相关，是非系统性的；"偏误"则与乔姆斯基所说的 competence 相关，具有系统性。区分这两个概念的意义在于，失误是学习者在偶然的情况下产生的，如遗忘、疲劳、心理原因等，母语使用者也会产生这种情况。这种失误的描写对语言习得的研究是没有意义的。偏误反映了学习者现时的语言知识或过渡能力(transitional competence)，可以作为观察学习者语言习得过程的窗口。Corder 的观点从根本上改变了以往人们对学习者的偏误的看法，在 Corder 看来，学习者的偏误不再被看作一种偏离目的语规则的、消极的现象，而是作为表明学习者习得过程特定阶段的证据。

2. 关于"输入"(input)与"内化"(intake)的观点

Corder 认为，"输入"是外部环境提供的语言材料，"内化"则是由内在的程序来决定。并不是所有的语言材料，包括课堂教师提供给学习者的语言材料都符合作为言语输入的条件，因为，"输入应该是吸收的东西"(what goes in)而不是"用来作为吸收的材料"(not what is available for going in)。为了区分二

---

① 今沿用"偏误"这种译法，但是"偏误"这种说法实际上与中介语理论的基本假设是相悖的。因为"偏误"意味着对目的语的偏离。按照 Selinker 的看法，学习者的语言系统作为一个独立的系统，无所谓偏离可言。

者，Corder 将学习者所接触的语言材料称作"输入"(input)，将语言材料的吸收叫做"内化"(intake)。很显然，言语的输入与教师控制的"外在大纲"(external syllabus)相关，语言材料的内化则与学习者控制的"内在大纲"相关。Corder 这一观点表明了早期中介语理论的一个基本假设，即学习者的语言系统是一个自主的系统，这个系统的发展是由学习者的内在大纲决定的。

3. 关于"内在大纲"的观点

所谓内在大纲是指学习者拥有的一种控制学习目的语规则的程序化的序列，这个序列并不因为外界因素（如教学序列）的影响而改变。Corder 之所以提出这个问题，是因为它与第二语言教学的根本问题密切相关。Ferguson 曾经指出第二语言教学领域存在的一个普遍的问题，即当时所依据的教学大纲最多是建立在主观判断与构想的理论原则的基础上，很少考虑学习者的需要，更少对学习者的习得过程进行系统的考察。① 教师如果不了解学习者的内在大纲，在课堂教学中引入新的规则，学习者还没有处于一种"预备"(ready)状态，便无法获得新规则。教师只有在学习者内在大纲适当的切入点引入新规则，学习才能获得成功，过早地引入应该在以后学习的规则似乎是浪费时间。问题是，是否存在这样一个内在大纲以及怎样描写这个大纲。对于前者，人们似乎已越来越认可这一假设，并引发了一系列关于习得顺序的研究；至于后者，Corder 给我们开的处方是

---

① 参见 Ferguson *National Sociolinguistic Profile Formulas*. In Bright Sociolingguistics: Proceedings of the UCLA Sociolinguistic Conference, 1964. The Hague: Mouton, 1966.

通过纵向的跟踪调查,系统地描写学习者的偏误,因为学习者的偏误是这个系统(或曰内在大纲)的最好证据。

4. 关于假设检验与过渡系统的建构的观点

Sharwood Smith 曾对这一过程作过简单明了的描述。[①] 按照 Sharwood Smith 的解释,当学习者接触到外在的言语输入时,其内在的习得机制作为系统生成器便通过对输入信息的加工建立所谓"过渡的规则系统"。当新的规则信息与目前的过渡系统不一致时,这种新的规则信息便反馈给系统生成器,学习者的内在习得机制便像一个"小语言学家"一样引导过渡系统规则的更新。比如,当学习者接触到动词过去时的规则形式 walked、pulled 同时接触到动词过去时的不规则形式 ran 时,系统生成器便生成一个用于所有动词过去时的规则形式,这一规则便作为过渡系统的一部分。当学习者运用这一规则的时候,不仅会生成 walked 这种形式而且还会生成 runned 这种所谓"错误"的形式,当学习者不断地接触到 ran 这种形式时,系统生成器便将这两种形式进行比较,当发现 runned 这种形式与输入的形式不一致时,便会生成一个例外的规则,runned 这种过渡规则便会消失。从这个过渡系统的构建过程可以看出,当学习者接触到新规则后,便会形成关于规则的假设,即表过去时一律在动词后加后缀-ed,当出现例外时,学习者便会对原有假设进行检验,修改原有的假设,建立正确的规则假设。Corder 的观点揭示了学习者构建过渡系统的操作过程及学习策略,阐明了

---

① 参见 Sharwood Smith *Second Language Learning*: *The Theoretical Foundations*. Longman, 1994.

学习者语言系统的动态过程和过渡性特征。Corder 的这一假设成为支撑早期中介语理论的一个基本观点。

(二) Nemser 的理论观点及其贡献

早期中介语理论的代表中还有一位不应忽视的学者 William Nemser。他提出的理论假设与 Selinker 的理论有许多共同之处。

Nemser 提出了"近似系统"(approximative system)的概念,用来描述学习者的语言系统。① 所谓"近似系统"是相对于目的语系统而言的。在 Nemser 看来,学习者的语言系统是逐渐接近目的语系统的、不断变化的连续体。一方面,学习者不可能在瞬间接触到整个目的语系统,而是需要对有限的言语输入逐步消化。换句话说,学习者在逐渐地建立自己的近似目的语的系统。Nemser 用 La 来表示近似系统,用 $La_1\ldots n$ 来表示近似系统不同发展阶段构成的连续统;另一方面,学习者的母语系统是一种干扰源,使学习者的语言系统偏离目的语系统。另外,Nemser 特别强调"近似系统是学习者在学习目的语时,实际运用的偏离的语言系统"。换言之,他认为学习者的语言是一种"偏误"(deviant),或者说是对目的语系统的背离超在这一点上 Nemser 与 Selinker 的观点是不同的。②

Nemser 的理论假设可以从三个方面来概括:1. 学习者的言语是其近似系统在特定时间的"定型产物"(patterned product)。这种近似系统有其内在的结构,既不同于学习者的母语

---

① 参见 Nemser *Approximative Systems of Foreign Language Learners*. International Journal of Applied Linguistics 92, 1971.

② 参见 Selinker *Rediscovering Interlanguage*. Longman, 1992, p.175.

系统,也不同于学习者的目的语系统。Nemser 的这个结论直接来源于他的实验研究。所谓"定型产物"可以理解为近似系统所表现出来的语言现象是大量的、系统的、有规律的固定模式。Nemser 列举了三种定型产物的表现:一是所谓移民的言语模式。他发现许多英语比较熟练的德国移民经常把英语的辅音/sw/发成[šv],他还发现许多说英语的匈牙利人经常在表数量的短语中省掉复数标记,等等。二是模式化的个体方言。如出租车司机、旅馆服务员以及酒吧服务员用于简单交际的语言。三是学习者的洋泾浜。另外,Nemser 在实验中发现了近似系统中既不同于母语结构也不同于目的语结构的所谓"自主结构"(structural autonomy)。如匈牙利人把英语的/θ/读作/fθ/或/sθ/。这种现象表明,中介语系统除了母语和目的语的来源还有其自主的成分。在这一点上,Nemser 的假设与 Selinker 的假设是相合的。2.学习者在习得过程的不同阶段的近似系统构成了一个不断变化的连续统。Nemser 认为,在最初阶段,学习者试图运用目的语 Lt 便产生了所谓 La_1,即最初的近似系统,到了高级阶段,学习者的 La 越来越接近 Lt,由此构成了近似系统的连续统。3.相同阶段的学习者的近似系统大体相似。这一点表明了学习者的近似系统具有规律性和普遍性。

除上述三点之外,Nemser 也描述了 Selinker 所说的"僵化"现象,他在实验中发现这些现象是大量的,因此,他认为有效的教学意味着尽可能地预防和推迟这种永久性的中介系统。

Selinker 在评价 Nemser 的语音实验研究时指出,从对比分析到中介语理论的发展过程中,有一位学者站在研究方法的转折点,那就是 William Nemser。在 60 年代初,Nemser 就认识到对比分析在观察第二语言学习方面存在的缺陷。他第一个选择实验的方法来检验跨语言情境中的音位系统对比的研究,这在当时"规范描写研究"(normative descriptive studies)势力强大的情况下被看作是非常偏激的。

(三) Selinker 的理论观点及其贡献

在早期的中介语理论中,Selinker 的理论假设是最具代表性的。"中介语"的概念提出后,许多学者都提出了自己的看法。正像 Ellis 指出的那样,"中介语"这个术语现在被理论家们解释为许多不同的含义,而且几乎成为一种中性理论。① 他认为,中介语可以解释为学习者拥有的一种潜在的(implicit)第二语言的知识系统,随着时间的推移,学习者将系统地修正这个系统。但是,Ellis 这个定义并非 Selinker 当初提出这一假设的认识,因为早期的中介语理论并没有区分"潜在的"(implicit)和"明晰的"(explicit)这两种不同的知识系统。Corder 的观点可以代表最初人们对中介语理论的认识。② Corder 认为,可以从横向和纵向两个方面来描述中介语。从横向的角度,中介语指的是学习者在特定的时点构建的语言系统;从纵向的角度,中介语指的是学习者经过的不同的发展阶段。换句话说,前者指的是 product of interlanguage,后者指的是 process of interlanguage。Sharwood Smith 则认为,中介语基本上是指语言事件,

---

① 参见 Ellis *The Study of Second Language Acquisition*. Oxford University Dress,1994,p.354.

② 参见 Corder *"Simple Code" and the Source of the Learner's Initial Heuristic Hypothesis*. Studies in Second Language Acquisition,1,1977.

可以实际观察到并记录下来,而不是不可见的语言系统。① 因为只有这样,我们才能谈论中介语的样本,假定作为样本基础的中介语系统的存在。由此看来,人们对中介语的理解可以说是见仁见智。

那么,Selinker 本人是怎样看待中介语系统的呢？Alan Davies 在评价 Selinker 提出的中介语的概念时指出,目前有两种理解:一种是任何第二语言习得的共时状态都被看作中介语,所有学习者说的都是中介语;另外一种理解较为严格,即中介语被看作对第二语言习得的一种特定的假设。② 我们认为,第二种理解更符合 Selinker 本人的理论假设。在此,我们有必要引述 Selinker 本人的理论阐释:"由于我们可以观察到这两种话语(目的语和中介语——引者注)是不一致的,那么,我们在建立第二语言学习理论的理论建构时,人们完全有理由,或者说,不得不假定存在着一个独立的、以可观察到的言语输出为基础的语言系统……我们把这种语言系统叫做'中介语'。"③很显然,Selinker 所说的中介语首先是指 Alan Davies 所说的第一种理解。但是 Selinker 还进一步指出,"在有意义的表达情境中,成功地预测这些行为事件,将使人们更加确信本文所讨论的、与潜在的心理结构相关的这种理论建构。"从 Selinker 的理论阐述可以看出,他所关注的不仅仅是中介语系统这一特殊的语言现

---

① 参见 Sharwood Smith *Second Language Learning*：*The Theoretical Foundations*. Longman, 1994, p.7.

② 参见 Alan Davides *Introduction*. In Interlanguage. Edinburgh University Press, 1984.

③ 参见 Selinker *Interlanguage*. International Review of Applied Linguistics 10, 1972, p.35.

象或言语行为事件,他更为关注的是一种能够对学习者的语言系统作出科学的解释的心理语言学理论的框架。这种理论框架是以第二语言学习者"潜在的心理结构"(latent psychological structure)为基础的,这种结构与 Lenneberg 所说的"潜在的语言结构"(latent language structure)是不同的。① 简单地说,"潜在的语言结构"与乔姆斯基所说的语言习得机制(LAD)相关,而"潜在的心理结构"在很大程度上与其他认知结构重合。也就是说,潜在的心理结构是一种认知结构。Selinker 承认存在着 Lenneberg 所说的结构,但是他强调,除此之外,还存在着能够说明95％的不成功的学习者的习得过程的心理结构。那5％的学习者之所以获得母语使用者的语言能力,是因为他们重新激活的是 Lenneberg 所说的潜在的语言结构。而大多数学习者所激活的是一种与前者完全不同的心理结构。这种潜在的心理结构不受成熟期的影响,与普遍语法没有直接的对应关系,不能保证完全被激活,因而不能保证习得获得成功。因此,我们可以说,潜在的心理结构旨在说明那些不成功的学习者的心理机制,因而它是面向大多数学习者的习得理论。那么,这种潜在的心理结构是怎样构成的呢？Selinker 列举了五个当时在他看来最重要的心理过程:语言的迁移过程,由训练造成的迁移过程,目的语语言材料的泛化过程,学习策略与交际策略。在说明这五个过程之前,我们有必要澄清这样两个概念,即作为一种结果的 IL product 和作为一种心理过程的 IL processes。Sharwood

---

① 参见 Lenneberg *Biological Foundations of Language*. New York：Wiley and Sons,1967,1972.

Smith认为,中介语这个术语实际上是一语双关,它既可以用来指前者,即实际可以观察到的学习者的言语行为或语言表达,也可以用来指后者,即各种潜藏在学习者言语行为之后的心理过程。通过对学习者言语行为的调查和分析,我们可以推断出这些心理过程。Selinker提出的这五个心理过程恰好是为了阐释学习者的中介语系统或行为模式。在前三个心理过程中,语言迁移过程在Selinker的理论框架中是一个重要的心理过程。

在Selinker提出的五个心理过程中,后两个过程是属于另一种类型的心理过程,即学习者在习得过程中试图采取某种方法以解决某些特定的问题,Selinker称其为"策略"。一是所谓"交际策略",当学习者在表达意义出现困难时,便借助某些"补偿策略",如手势或相近的词语来表达,使交际顺利进行。二是"学习策略",学习者为了记住某些难点,便采取重复、复述等方法帮助记忆。Selinker的这两个观点提出后引起很多争论。争论之一是,交际策略和学习策略的划分问题。比如"简化策略"(simplification)既是一种交际策略,也是一种学习策略。学习者在交际中为了表达意义,往往省略一些不影响交际的功能词,这是出于交际的考虑,与此同时,这也是学习者以简驭繁的一种学习策略。争论之二是,为什么语言的迁移和泛化不列为学习策略,简化策略实际上也应该列入中心过程。Selinker在后来的理论阐述中对这些观点都作了相应的修改。

除了上述五个过程,Selinker还提出了"僵化"(fossilization)的概念。这个概念在Selinker看来是一个非常重要的概念。它是Selinker用以说明大多数学习者无法获得与母语使用者相同的语言能力的这一事实的心理学基础。Lenneberg提出的"关键期"的假设是从生物学的角度,即由于大脑功能的侧化而导致大脑可塑性的丧失,来解释成熟期后语言学习为何变得更加困难。Selinker则从心理学和神经学的角度来解释语言能力僵化的现象。他认为,第二语言学习者获得语言能力的心理学基础与母语习得是完全不同的,或者说,他们的习得机制是完全不同的,因为关键期之后,原有的习得机制已经退化,第二语言学习者所依据的是一种完全不同的机制,证据就是第二语言学习者语言能力获得的僵化现象。按照Selinker的观点,95%的第二语言学习者在语言能力的获得上出现僵化现象,即语言能力的发展出现停滞的状态,即使继续学习和训练仍然不能得到改善,换句话说,95%的学习者仍然停留在中介语阶段。

语言能力的僵化现象对第二语言研究的理论家们提出了挑战,这就是说,任何一种学习理论都必须对这一现象作出解释。Selinker的观点很明确,母语习得的习得机制与中介语的创造系统完全不同,僵化现象的产生是因为与母语习得机制完全不同的机制在起作用,实际上Selinker提出的五个心理过程可以看作是僵化产生的心理学基础。

从上述分析中可以看出,Selinker的中介语理论实际上为当时的第二语言习得研究提出了一个心理语言学框架,他试图通过这个框架去解释第二语言学习者的语言系统,为第二语言习得研究奠定科学的理论基础。

三 早期中介语理论的基本假设及其评价

(一)早期中介语理论的基本假设

关于中介语理论的基本假设,早期的理论阐述与后期的理论阐述,应该说有很大的分别。当然,后期的理论阐述在某些方面比早期理论的阐述更全面、明确、深刻。Sharwood Smith 评价早期中介语理论的基本特征时指出,三位学者的观点有三个共同的特征:(1)学习者的语言系统是一个独立的系统;(2)学习者的语言系统存在着内在的连续性;(3)学习者拥有一个复杂的、创造性的学习机制。① 这三个特征反映了早期学者对中介语理论最基本的看法。但是这三个基本特征还不能完整地概括早期中介语理论的基本假设。我们认为,至少应该包括以下五个方面。

1. 关于中介语的本质

早期的中介语理论普遍认为,学习者的语言系统是与母语使用者的语言系统不同的、独立的语言系统。也就是说,除了学习者的母语系统、目的语系统,还存在着与前两个系统并列的中介语系统。Corder 把中介语系统看作是某一特定目的语的方言。强调其动态与发展的过渡特征;Nemser 认为中介语系统是不断向目的语系统靠近的近似系统,强调向目的语系统的发展;Selinker 强调的是中介语作为一种"语言"的系统自主性。三位学者的理论假设反映了他们不同的观察视点。但是,三位学者都首先把中介语系统看作是 IL product,一种可以观察到的语言系统。

那么,后期的理论是怎样阐释中介语的本质的呢?Ellis 在阐述"中介语"这个概念时,对这一理论假设做了如下的概括:第

---

① 参见 Sharwood Smith *Second Language Learning：The Theoretical Foundations*. Longman, 1994, p.30.

二语言学习者建构了一个抽象的语言规则系统,作为理解与生成第二语言的基础。① 这个规则系统被看作一种"心理语法",即所说的"中介语"。

Ellis 的阐释可以从两方面来理解:首先,学习者所建构的是一个"抽象的"语言规则系统,不是在言语情境中实际生成的言语,即 IL product。其次,中介语系统被看成是一种"心理语法"。这与早期中介语理论假设的理论基础是根本不同的。Selinker 把中介语系统首先看作一种"可以观察到的"语言系统,这种语言系统是"以学习者试图用目的语进行表达而产生的可观察到的言语输出为基础的"。② 可见,早期的中介语理论并没有把中介语看作抽象的规则系统,也没有将其看作心理语法。Ellis 的观点显然带有明显的心灵学派的理论色彩。Sharwood Smith 认为,中介语首先应被看作一种存在于客观外界的语言系统,我们通过观察学习者的言语行为,直接处理和测量学习者的言语输出,在此基础上来推理学习者的中介语产生的心理过程。Sharwood Smith 的观点与早期的中介语理论的假设是相吻合的。

2. 关于中介语的系统性

早期的中介语理论普遍认为中介语具有系统性。Corder 将学习者的偏误分为系统偏误与非系统偏误,而系统偏误反映了学习者的内在大纲,因而学习者的语言系统具有系统性;

---

① 参见 Ellis *Second Language Acquisition*. Oxford University Press,1997, p.33.

② 参见 Selinker *Interlanguage*. International Review of Applied Linguistics 10,1972,p.35.

Nemser 认为学习者的近似系统是具有"内在结构"的语言系统,表明这一系统具有系统的内在一致性;Selinker 则认为,以潜在的心理结构为基础的理论建构中,学习者的言语行为或行为事件是可以预测的,如某些潜在的心理过程、母语迁移、规则泛化等是普遍存在的,有规律可循。由此看来,中介语的系统性这一点是没有争议的。但是,在如何看待中介语的系统性这一问题上,学者们却有不同的看法。Selinker、Swain 和 Dumas 在阐释中介语的系统性时指出,所谓系统性,我们认为,不是指在特定情况下根据语法规则可预测到的言语特征,而是指这些言语特征所显示的可辨认的策略,如母语迁移、目的语规则泛化以及简化策略。[①] 这种观点看起来似乎有些费解。但是,如果我们把这种观点与 Selinker 的观点联系起来,就可以看出它的来龙去脉。Adjemian 就 Selinker 等人的观点提出了质疑。[②] 他认为,"系统性"这一概念应该严格地限制在其语言学意义上,如果我们承认中介语是一种自然语言,那么系统性就意味着构成中介语的语言规则与特征具有内在的一致性。如果按照 Selinker 等人的观点,我们面临的首要问题是区分学习策略与其产生的语言规则之间的对应关系。但事实上,某个规则的形成可能与多个心理过程或学习策略的交互作用相关,如果要区分二者之间一一对应的关系是极为困难的,甚至是不可能的。我们认为,中介语作为一个独立的语言系统,它的系统性首先表

---

① 参见 Selinker, Swain and Dumas *The Interlanguage Hypothesis Extended to Children*. Language Learning 25, 1975.

② 参见 Adjemian *On the Nature of Interlanguage Systems*. Language Learning 26, 1976, p.301.

现为语言规则的系统性,语言规则的系统性反映了学习者运用学习策略的普遍性。没有学习策略的普遍性,自然谈不上语言规则的系统性。

3. 关于中介语的动态特征

关于中介语动态特征这一理论假设有两种不同的描述。一是 Adjemian 提出的"可渗透性"(permeability)的观点;二是 Corder 提出的"过渡性"的观点。按照 Adjemian 的观点,中介语的可渗透性特征主要表现在两个方面:一是母语规则向中介语系统的渗透;二是目的语规则的泛化。母语规则的渗透以母语规则的"入侵"为特征,目的语规则的泛化则以目的语规则的扭曲或变形为特征。我们认为,"permeability"这个概念可以作两种解释:一是所谓"可塑性",就学习者的整个语言系统而言,它是不断发展变化的。所谓中介语的连续统正是中介语可塑性的线形表现。二是"可渗透性",渗透是指规则的渗透,表明中介语系统的开放性。总之,无论是可塑性还是可渗透性,都是中介语系统的动态特征的表现。

所谓"过渡性"是指学习者不断地改变他们的语法,通过增加或删除某些规则重构整个中介语系统,学习者在不同发展阶段的中介语法构成了中介语的连续统。后期学者对这一理论假设基本上沿袭了早期的理论表述,只不过在理论阐述上有所不同而已。

4. 关于"僵化"现象产生的心理机制

Selinker 认为,只有 5% 的学习者可以达到与母语使用者相同的心理语法水平,大多数人在半路上停顿下来。"回退"现象普遍存在(即在早期出现的错误又重复出现),是一种典型的僵化现象,僵化现象是第二语言习得过程的独特现象。那么,为什么大部分成人学习者,包括在关键期前的儿童第二语言学习者①不能获得与母语使用者同等水平的语言能力呢?换句话说,如何解释大多数学习者普遍存在的僵化现象呢?这个问题的本质是如何解释僵化的心理机制。Selinker认为,僵化的心理机制就是所谓潜在的心理结构。我们在前边已经谈到,成功的学习者之所以成功,是因为他们激活的是潜在的语言结构。而大部分成年人在关键期后无法激活这种特定的语言习得机制,他们所能求助的只能是Selinker所说的这种一般的认知结构,也就是因为这种潜在的心理结构,使大多数学习者无法企及习得过程的终点,僵化的产生是必然的。

5.关于学习者的策略

早期的中介语研究表明,学习者运用各种学习策略促进中介语的发展,学习者产生的偏误的种类不同反映了不同的学习策略。

关于学习策略的定义可以说是众说纷纭,莫衷一是,甚至对学习策略的分类至今都踬有一个统一的看法。但是,早期的中介语理论提出的关于学习策略的假设是与第二语言习得的特定心理过程相联系的。比如"省略"反映了学习者通过忽略某些语法特征来简化学习任务。被省略的这些语法特征要么是一些不影响意义理解的功能词,要么就是一些目前还没有掌握的语法项目。Selinker提出的两个策略,即交际策略和学习策略与规则泛化和语言迁移的心理过程相提并论。可见,早期的理论假

---

① Selinker提出的关于中介语的理论假设认为,潜在的心理结构在关键期后可以被激活。但他在1975年的研究表明,这种观点是不恰当的。中介语的理论假设应该扩展到儿童的第二语言习得背景。

设在"策略"与"过程"这两个概念上的区分是比较模糊的。后来,Selinker将学习者的学习策略归纳为母语迁移、目的语规则泛化和简化策略。理论观点的变化说明,当时对学习者策略的研究还不系统,不够成熟。

(二) 对早期中介语理论的评价

回顾早期中介语理论的产生与发展,我们认为,有以下几个问题值得进一步探讨。

1.关于学习者的语言能力问题

从早期学者的理论观点中可以看到,早期中介语理论对学习者语言能力的看法基本上属于"单一语言能力"(homogeneous competence)的观点。如Adjemian将乔姆斯基的观点直接用于中介语的研究。把语言学家构建母语使用者的语言知识结构与第二语言研究的学者构建第二语言学习者的语言知识结构等量齐观。Selinker,Corder,Nemser的研究基本上局限于学习者单一的语言能力范围,间接地反映了单一语言能力的假设。如果说他们所研究的学习者的语言能力与乔姆斯基所说的语言能力有什么不同的话,那就是,乔姆斯基研究的是母语使用者那种先天的完整的语言能力,而Selinker等人研究的是后天的、不完整的、第二语言学习者的语言能力。但是,自从海姆斯提出交际能力概念后,人们对语言能力的理解更加宽泛。按照Bachman的说法,学习者的语言能力还应包括语用能力和组织能力。[①] 具体地说,包括社会语言学能力、言语施为能力、话语

---

① 参见 Bachman *Fundamental Considerations in Language Testing*. Oxford University Press,1990.

能力、语法能力。而早期的中介语理论把学习者的语言能力的发展仅仅看作语言学能力,这是历史的局限。

2. 关于语言的变异问题

早期中介语理论由于"单一语言能力"观点的限制,无法解释学习者的语言变异问题。Krashen 和 Bialystok 提出了"明晰的"与"潜在的"语言知识的概念,用这两种不同获得方式的知识来解释学习者的语言变异。Ellis 和 Torane 提出了"可变能力模式",从社会语言学的角度来解释学习者的语言变异。但是早期的中介语理论最初涉及的主要是潜在的语言知识,因而无法解释语言的变异问题。Selinker 虽然提出了"回退"(backsliding)与僵化的观点,似乎也能在某种程度上解释语言变异现象,但是,这种认识在现在看来已经远远不够了。

3. 关于方法论问题

理论和方法常常是联袂而行的。早期中介语理论的研究方法自然受其理论观点的制约。Corder 的理论与偏误分析方法紧密地联系在一起。他的过渡能力的观点就是建立在学习者系统的偏误分析的基础上的。对比分析虽然在后期受到普遍的批评,但是 Selinker 本人对对比分析的研究方法却有相当大的保留。他认为,对比分析可以作为中介语研究的起点,他本人的实验研究就是建立在对比的基础上。但与传统的对比分析不同的是,他的对比是将学习者的母语、目的语和中介语三个系统放在同一个理论框架中。但不管怎样说,建立在对比分析和偏误分析基础上的中介语研究,大大地限制了人们的眼界。后来的中介语研究的理论模式显然在研究领域和研究方法上都大大地突破了早期中介语理论的局限。回顾历史不是为了苛求前人,而是为了发掘它的理论价值。Sharwood Smith 在评价 70 年代第二语言习得研究领域的早期理论时指出,70 年代,在欧洲特别是北美的第二语言习得研究领域的确是理论多产的年代。这个领域的先驱们提出的理论观点就像种子一样落入肥沃的土地。早期提出的基本理论至今还是争论热烈的话题。早期的中介语理论正像 Sharwood Smith 所说的那样,已经落地、生根、发芽了。

第二节　中介语研究的理论与方法[①]

一　两种研究方法的比较

在一个偶然的机会,我们收集到了一段非常具有启发意义的中介语片段。限于篇幅,仅将与我们所讨论的问题相关的部分摘录如下:

A:你打算在这学习五个月?

B:可能在这住一个年。在澳大利亚我还没毕业,我还有一年半……一个半年……

B:在中学毕业后,我一个年没学,转到另一个大学学习中文一年,再没学一年,再学一个半年,没学一个年……

我们注意到,在引文中共出现了八处"一+(个)年"的表达方法。其中有五处出现了量词误用的情况。这种表达形式对有

[①] 本文原标题为"关于中介语研究方法的思考",作者王建勤。原载《汉语学习》2000 年第 3 期。

经验的对外汉语教师来说并不陌生。我们甚至还可以举出许多类似的情况,如"一个天""这个年"等。问题是,为什么在这两段短语的对话中连续出现量词"个"误用的情况。特别值得注意的是,学习者几乎是在同一时间、同一地点、同一个情境中运用同一个规则,其言语表达的形式却明显不一致。一会儿"一年",一会儿"一个年",让人摸不着头脑。这种复杂的语言现象,显然不是一两句话能说清楚的。我们认为,研究任何问题,首要的是方法要对头。方法不对,不仅仅是事倍功半的问题,很可能会南辕北辙,偏离研究的最终目的。为了更为真切地说明中介语研究的理论与方法在这一特定的研究领域的重要性,我们试图对量词误用用例的两种研究方法进行比较,提出关于中介语研究方法的一些思考。

以往我们最熟悉的研究方法,是采用语言描写的方法。通过目的语使用规则的描写,对学习者产生的所谓偏误做出解释。那么,以往的语言描写是怎样解释上述量词误用的语言偏误的呢?通常的解释是,汉语"年"、"天"、"分钟"等被称作"准量词"[1]或"带有量词性的名词"[2]以及"自主量词"[3]。也就是说,"年"这类词具有量词属性,因而不能在前面加量词。按照这种解释,学习者混淆了量词"年"与名词"月"、"天"的用法,误以为"年"与"月"和"天"一样都是名词。这种分析应该说不无道理。但是,这种直接移植语言学的描写方法来解释学习者在第二语言习得过程中出现的问题,其解释力是很有限的。

---

[1] 参见刘月华等《实用现代汉语语法》,外语教学与研究出版社 1983 年版。
[2] 参见李德津、程美珍《外国人实用汉语语法》,话语教学出版社 1988 年版。
[3] 参见钱乃荣《汉语语言学》,北京语言学院出版社 1995 年版。

原因之一,所谓"量词误用"实际上是一种语言学的标签。研究者根据对目的语规则的描写,发现学习者的中介语与目的语规则不同的地方,然后用通常语言学描述的概念贴上"某某词误用"之类的标签。这种粘贴语言学标签的研究方法,给人一种隔靴搔痒之感。一位有经验的对外汉语教师,只要将"一个年"这种非目的语形式与目的语规则做一个简单的比较,就会发现问题出在哪里。这是显而易见的。贴一个语言学概念的标签,暂且不说是否恰当,应该不是什么费力的事。问题是,这种贴标签的方法只能标明问题出在哪里,并不能说明学习者为什么会出现这种问题,更不要说对学习者在同一情境中交替使用同一规则的两种不同形式这种语言变异的原因作出解释了。所谓"混淆"或"误用"之类的说法,可以看作这种研究方法为学习者的病因开的一副包医百病的药方,可以用来解释任何问题,但是最终仍然不能说明任何问题。

原因之二,语言规则的描写,目的是对学习者晓之以理。但是实践告诉我们,语言能力的获得并非靠晓之以理所能奏效的。Michael Long 在评价对比分析用语言学的分析方法来解释语言习得的弊病时指出,按照这种观念,在社会生活中的语言问题似乎只要依靠对语言知识的了解就能解决。[1] 但问题在于这种观点忽视了其他方面的问题,如学习者和学习者的环境。当然,我们并不是说语言描写不重要,问题是对第二语言学习者的语言系统的研究只关注目的语规则的描写是远远不够的。我们不

---

[1] 参见 Long, M, and Charlene Sato Methodological issues in Interlanguage studies. In Alan Davies (ed.) *Interlanguage*, 1984, p.255.

应该忽视我们真正的研究对象,即学习者的语言系统及其习得过程。语言学描写的研究方法实际上是把学习者的习得过程简单化的一种学习假设。这种假设把学习者言语输入与言语输出看作一种简单的因果关系。用公式来表述就是,如果 X,那么就 Y。也就是说,有了正确的言语输入(语言规则),老师教得得法,学习者的言语输出就应该是正确的。这种假设似乎与我们熟悉的行为主义学习理论有某些相似。按照这种假设,学习者学了"一+年",就应该输出"一年"而不是"一个年"。但是,结果与这种假设并不吻合。

原因之三,语言学描写方法的局限。James 在评价对比分析的研究方法时明确地指出,对比分析把解释第二语言学习的某些方面看作他们的目的,但是,他们的工具是对学习者的母语和第二语言进行描写和比较。换句话说,他们的目的是属于心理学,他们的工具却来自语言科学。[①] James 的批评表明,第二语言习得研究与语言学研究不同,套用语言学的描写方法来解决语言习得的心理问题具有很大的局限性。

从上述分析可以看出,理论方法的选择不是凭空而来的。这种选择是由我们的研究对象和研究目的决定的。中介语研究作为一个特定的研究领域,不能简单地套用语言学理论和方法,中介语研究必须采用与其相适应的理论和方法。如果我们的研究对象是学习者的语言系统及其习得过程,那么,我们必须选择一种能够系统阐释学习者的习得规律的理论和方法。我们的着眼点应该放在"学习者的语言系统"的描写与解释上。按照这种

---

① 参见 James *Contrastive analysis*. Harlow: Longman, 1980.

思路,我们试图用另外一种方法对上述所谓"量词误用"的现象做一个简要的分析。

首先,我们对上述量词误用的情况做一个简单的分类。见下表。

表 6-1 汉英中介语分类表

目的语形式	非目的语形式 1	非目的语形式 2
一年	一个年	一个半年
一年	一个年	一个半年
一年半	一个年	

分类表中有三种情况:一种是目的语形式,另一种包括两种非目的语形式。"一个年"与"一个半年"这两种非目的语形式,表面上看,似乎是目的语中量词"个"泛化造成的。理由是,英语中不存在量词"个"。但是,如果我们认为只是量词"个"的泛化,我们便无法解释"一个半年"产生的原因,因为在汉语中不存在"一半年"的说法。所以,我们怀疑是其他原因造成的泛化。在英语中有 a year 和 a half year 的表达形式。如果不定冠词 a 被译成"一个",这种泛化便不是量词"个"的泛化,而是教学或翻译的原因造成的数量结构"一个"的泛化。那么如何从理论上解释这种泛化过程的心理机制呢?

按照 Ellis 的阐述,[①]我们认为,这种泛化产生的原因与学习者在习得过程中形成的假设(hypothesis formation)与假设检验(hypothesis testing)有关。从某种意义上说,第二语言的

---

① 参见 Ellis *Understanding Second Language Acquisition*. Oxford University Press, 1985.

习得过程是学习者不断形成关于目的语规则的假设并对这种假设不断进行检验的过程。那么,学习者在习得新规则的时候是怎样形成关于目的语规则的假设的呢？Faerch 和 Kasper 认为,学习者主要通过三种方式构成关于目的语规则的假设:一是通过自己已有的语言知识;二是通过输入的语言材料推论;三是前二者兼而有之。① "一个年"显然是学习者通过已经获得的目的语知识进行推论的结果。一般来说,这种泛化是建立在学习者已有的目的语规则的基础之上的。当学习者在掌握了"一个月""一个星期"之类的表达形式之后,在表达"年"的概念时,便会将前者的表达方法推及后者。如果我们认为"一个年"是数量结构"一个"的泛化。那么,这种泛化实际上是建立在"一个"这种结构的搭配规则的假设的基础之上的。换句话说,"一个"这种数量结构的泛化是学习者关于目的语规则的假设的具体表现。另外,泛化作为第二语言学习者的一种重要学习策略,还体现在对已有的假设进行的检验上。因语料的限制,在此,我们无法观察学习者是通过何种策略对其假设进行检验的。按照他们的解释,如果学习者得到母语使用者的肯定或否定的反馈,比如,学习者将获得的言语输入与自己的假设进行比较,根据得到的反馈不断地修正自己的假设,并最终获得目的语规则。

那么,如何解释目的语形式与非目的语形式交替出现这种语言变异现象呢？这个问题涉及所谓"自由变异"(free variability)的理论。Gatbonton 运用"扩散模式"(diffusion model)

---

① 参见 Faerch & Kasper Process and strategies in foreign language learning and communication. *Interlanguage Studies Bulletin*, Utrecht 5, 1983.

描写学习者的语音发展的过程中发现一个非常有趣的现象。[①]学习者在其中介语规则发展的第一个阶段将一种语言形式用于所有的环境。当导入第二语言形式时,便在所有的语言环境交替使用两种语言形式。换句话说,这两种语言形式被用作自由变体,即两种语言形式对应于一种语言功能。"一年"和"一个年"是一种典型的自由变异现象。学习者之所以在同一言语情境交替使用这两种语言形式,是因为他把这两种形式作为可以互换的自由变体。这说明,学习者在现阶段还不能确定这两种形式与其表达的功能之间的映射关系。Ellis 认为,第二语言习得是一个形式与功能不断分类、整合的过程。自由变体的存在表明这种整合不是一次完成的。也许需要几次的分类与整合,自由变体才能消失,最终建立符合目的语规则的形式与功能的关系。许多学习者也许永远都无法建立这种对应关系。由于语料的限制,我们无法考察这个学习者是否最终习得了这种对应关系。但是,一般来说,学习者到了语言习得的"替代期"(replacement phase),通过规则的再分类与重新组合,便有可能建立正确的形式与功能的映射关系。自由变体由于和言语的经济原则相冲突,便自动消失。总之,自由变体的出现是造成中介语不稳定性的一个重要原因。它可以揭示学习者获得目的语规则的内在的动态过程。自由变体的消失也意味着新规则的最终获得。通过学习者语言系统中存在的自由变体现象,我们可以大致确定学习者在习得过程中的特定发展阶段。

---

① 参见 Gatbonton Patterned phonetic variability in second language speech: a gradual diffusion model. *Canadian Modern Language Review* 34, 1978.

从上述两种分析方法可以看出,选择恰当的理论与方法对中介语的研究是至关重要的。由于我们面对的是"学习者的语言系统",我们在研究类似"一个年"这类"特异的"(idiosyncratic)语言现象的时候,不能简单地套用语言学的方法。因为语言学研究与第二语言习得研究的对象及其性质不同,采取的研究方法也应该不同。如果将语言学的研究方法直接移植到中介语这个特定的研究领域,必然要削足适履,大大限制我们观察问题的视野。

二 关于中介语研究方法的思考

上一节我们的分析虽然仅限于对量词误用这个语言片段的分析,但是两种观察问题的不同角度和分析方法却带有普遍意义。量词误用的两种不同分析方法的对比,提出了中介语研究中许多值得思考的问题。

思考之一:关于中介语的研究方法的理论定位。所谓研究方法的理论定位是指研究方法所依据的理论基础或理论假设。任何一种研究方法的选择都意味着对某种理论的选择,不管这种选择是有意识的还是无意识的。Hatch 和 Farhady,Bialystok 和 Swain 等指出,不同的研究问题来自于不同的理论导向,自然需要不同的研究方法和程序。[①] Michael Long 和 Charlene Sato 也认为,研究方法是由研究者的理论导向来决定的。中介语的研究也不例外。研究方法问题总是反映这个领域

---

① 参见 Hatch & Farhady Research design and statistics for applied linguistics, Rowley, Mass: Newbury House, 1982. Bialystok & Swain Methodological approaches to research in second Language 218 learning. *McGill Journal of Education* 13, 1978.

的理论导向。

Ellis 就此发表了不同的看法。① 他认为,特定的理论观点与特定的研究方法之间不存在必然的联系。研究方法可以描述为三个维度的一系列选择:(1)研究的时间维度;(2)语料的收集方法;(3)语料的处理方法。时间维度包括共时研究和历时研究;语料收集的方法包括自然语言的收集,通过实验任务收集,通过内省的方法等;语料的处理包括定量分析和定性分析。实际上,任何一种研究都通过上述的选择进行组合。

很显然,Hatch 等人与 Ellis 关于中介语研究的理论与方法的关系问题看法是不一致的。但是,在我们看来,他们的看法之所以不一致,是因为他们讨论的不是一个层面上的问题。Hatch 等人讨论的是中介语研究中的理论方法问题,也就是通常所说的理论导向问题,他不涉及具体的研究方法。Ellis 所说的研究方法则是指实现特定研究、具有可操作性的技术路线。因此,我们有必要区分"理论方法"(methodology)与一般研究中涉及的"具体方法"(technique)这两个不同层面的概念。Ellis 所说的研究方法的三个维度,是在大部分研究中都要选择的一般研究方法。但是即使是这种具体的研究方法也是由研究者所要研究的问题、研究的动机以及语料的类型决定的。正如Hatch 等人指出的那样,关于特定时间的语言变异和不同时间特定语言结构的演变,通过横向的共时研究是无法回答的。关于智力的作用以及教育水平的社会心理学问题无法通过单一被

---

① 参见 Ellis A discussion on the methodological issues in Interlanguage studies. In Alan Davies (ed.) *Interlanguage*, 1984.

试的历时的个案研究来回答。

我们赞成这样的观点,任何一种研究方法的选择都蕴涵着某种理论的选择与定位。即使这种选择没有明确的理论定位,但至少蕴涵着某种潜在的理论假设。在"一个年"的不同分析方法中可以看到,用语言学的描写方法来解释第二语言习得的问题,客观上反映了一种潜在的行为主义学习理论的假设。第二种研究方法中,用自由变异的观点来解释"一+年"两种表达方式共存的现象。这种研究方法实际上是建立在这样一种理论假设的基础上,即第二语言习得是一个形式与功能不断分类、整合的过程。用建立假设与假设检验的观点来分析"一个年"这种量词误用的现象,反映了研究者把学习者习得新规则的过程看作是学习者不断形成关于目的语规则的假设并对这种假设不断进行检验的过程。由此看来,理论与方法总是并行不悖的。理论的证明可以采用多种方法,但是方法的选择却要受到理论的制约。中介语作为一种特定的研究领域,自然在研究方法上受到其理论假设、材料类型以及研究目的的影响。目前,在对外汉语教学界流行着这样一种看法,所谓中介研究,无非是将学习者的目的语规则描写清楚,然后与其母语进行对比。目的是要找出差别,找出差别问题也就解决了。这种看法实际上是国外60年代流行的对比分析方法的翻版。实践证明,这种建立在行为主义的学习理论基础之上的研究方法无论在理论上还是在实践上都是行不通的。如果一种声称是预测和分析学习者习得过程中问题的理论,在研究方法上却置学习者及学习者的语言系统于不顾,而仅仅热衷于两种语言的语言学描写和对比,怎么能对学习者的习得过程做出科学的解释呢!

如果有这样一种理论,那么这种理论只是一种脱离学习者实际的理论。

思考之二:中介语语料的收集方法。中介语作为一个特定的研究领域,其语料的收集方法自然与其特定的理论导向有着密切的关系。在中介语语料的收集过程中,我们遇到的第一个问题就是语料的真实性问题。什么是真实的语料?不同的理论对这个问题的看法有很大的差别。

Torane 列举了三种不同的看法:①第一种是 Adjemian 提出的"单一能力"(homogeneous competence)的研究范式。② 在他看来,与学习者的"言语表达"(speech product)相对应的"语法直觉"(grammatical intuitions)反映了学习者真实的语言能力。那么,真实的语言材料"一定是那些学习者根据语法直觉生成的语言材料,而不是在面谈时偶尔记录下来的那些语言材料"。也就是说,只有那些能反映学习者的语法直觉能力的语言材料才是真实的。

第二种是 Krashen 提出的"双重能力"(dual competence)的研究范式。③ 他认为,第二语言学习者的中介语是由两个完全独立的知识系统构成的。一种是通过习得获得的知识(implicit knowledge);一种是通过学习获得的知识(metalinguistic knowledge)。语言能力只有通过习得才能获得,学习获得的知

---

① 参见 Torane On the variability of Interlanguage systems. *Applied linguistics* 4,2,1983.

② 参见 Adjemian On the nature of Interlanguage systems, *Language Learning* 26,1976.

③ 参见 Krashen Second language acquisition and second language learning. Oxford: pergamon Press, 1981.

识只起监控的作用。因而,在他看来,学习者在自然状态下通过习得的知识系统生成的语言材料才是反映学习者真实语言能力的真实材料。在语言监控很好的条件下生成的语言材料并不能反映学习者真实的语言能力。

第三种是 Torane 提出的"可变能力连续统"(variable capability continuum)的研究范式。① 在她看来,学习者的语言能力是由不同的语言风格构成的连续统。连续统的一端是随便体,另一端是严谨体。当学习者在非正式的场合,很少注意语言的形式,他的语言输出便是一种随便体;当学习者在正式的场合,比较注意语言输出的形式,便形成一种严谨体。此外,学习者的语言风格的变异与不同的学习任务有关。在自由交谈、朗读语言片段、模仿造句以及语法判断等不同的交际任务情况下,学习者的语言输出便呈现不同的语体风格,发生不同的变化。由此构成一个连续统。由于这种语言的变异,为研究者提供了不同风格的语言材料。按照 Torane 的理论,在这些不同风格的语言材料中,只有随便体才是最真实的语言材料。

上述三种研究范式中,前两种显然具有一定的局限性。我们知道,各种环境变量对学习者的中介语系统有着直接的影响,自然对我们所收集的中介语语料的信度和效度也产生直接的影响。因此,Torane 的理论具有重要的方法论价值。收集中介语语料不能不考虑环境因素和任务效应的影响。在具体的研究中,到底哪些语料是真实的语料,这主要取决于研究者要研究的

---

① 参见 Torane Interlanguage as Chameleon, *Language Learning* 29,2, 1979. Torane Systematicity and attention in Interlanguage, *Language Learning* 32,1, 1982.

问题。Ellis 认为,如果研究者对随便体的语言风格感兴趣,就需要那种即兴的语言材料。如果他对严谨体的语言风格感兴趣,就需要通过诱导的方法获得语言监控条件下产生的语言材料。如果是对中介语的整个变异系统感兴趣,那么就需要来自各种条件下的语言材料。因此,所谓"真实"也是相对而言的。① 不过,按照Labov的观点,随便体的语言材料是最稳定的。② 因为它代表了说话者最真实的语言。语言监控条件下的语言输出与自然条件下的语言输出有很大的差别。与其他类型的中介语风格相比,随便体的语言风格是更能够反映学习者真实语言能力的基本的语言材料。

在中介语语料的收集过程中,我们遇到的第二个问题就是如何获得真实的语料。收集语料的方法是多种多样的。Herbert W. Seliger 和 Elana Shohamy 曾就典型的材料收集方法做过系统的描述。③ 他们把定量分析和定性分析作为材料收集方法这个连续统的两端,并列举了连续统中所包含的收集材料的方法,如观察法、交谈法、口头报告法、问卷法、测试法等。Ellis将语料收集的方法分为三类:自然语言的收集、通过实验任务收集以及通过内省的方法收集。④ 显然,不是所有的方法都

---

① 参见 Ellis *Understanding Second Language Acquisition*. Oxford University Press, 1985, p.89.

② 参见 Labov The study of language in its social context. *Studium Generale* 23, 1970.

③ 参见 Seliger *Second language research methods*. Oxford University Press, 1989.

④ 参见 Ellis A discussion on the methodological issues in Interlanguage studies. In Alan Davies (ed.) *Interlanguage*, 1984.

适合特定的研究。因此,要获得真实的语料,选择恰当的收集方法才是最为重要的。其中,一个重要的原则就是要根据所要研究的问题选择适当的收集材料的方法。这是因为,收集材料的方法取决于研究设计的方法,研究设计的方法取决于所要研究的问题的性质。因此,收集材料的方法最终取决于研究问题的性质。以"一个年"这类量词误用的情况为例,如果我们在学习者的言语表达中发现了"一个年"与"一年"两种形式并存的现象,就应该考虑语言变异的问题。那么,收集语料时就应该考虑语言环境与任务效应的影响。要收集学习者在自然状态下输出的语言材料。比如在学习者完全没有意识到的情况下自由交谈与年份表达相关的话题。因为只有在这种条件下的语言材料才具有稳定性,因而能够比较系统地观察语言变异的系统与非系统变化。如果研究者要考察学习者的语言监控效应,就不仅要考察自然状态下的言语输出,而且要观察语言监控比较好的情况下的言语输出。比如,给出带有年份表达的正误两种句子,让被试者进行语法判断。然后将两种情况下的语言输出的统计数据进行比较,就可以看出是否存在语言监控效应。如果只考察一种情况下的语言表达形式的变化,这种方式获得材料是不足以说明语言监控效应的。这个例证表明了这样一个原则:中介语语料的收集要考虑学习者语言变异连续体的全距(range)。我们可以称其为语料收集的范围原则。

中介语语料收集要考虑的第二个原则是所谓数量原则。如果研究者选择定量分析的研究方法,没有一定的量在统计学上是不足以说明问题的。Lightbown 指出,如果我们的研究主要是由观察到的数据开列的名单和逸闻趣事构成——无论多么有趣和真实,这样的研究对我们理解第二语言的习得过程都不会带来任何实质性进展。① 由于学习者的个体差异,其语言系统的变化千差万别。没有量的统计很难发现其规律性。而且许多中介现象的印证都需要大量的语料统计。比如关于母语负迁移现象,"我吃饭在五道口",从表面上看来,这种负迁移现象似乎确定无疑。但是,Selinker 曾经指出,母语负迁移的现象不是一个有与无的问题,这种现象应该在概率的层面上来认定。② 如果我们收集的材料只是来源于某个学习者或某个群体,就不具有代表性。如果被试者数量很少,也难以进行统计推理。

第三个要考虑的问题就是在收集材料时要切忌材料来源不清。所谓材料来源不清,一是收集材料的对象的背景不清。如果我们要考察学习者母语负迁移的现象和原因,必须清楚学习者的母语背景。因为母语背景对学习者的语言输出有直接的影响。母语不同,母语负迁移的情况也不同。二是材料收集方式不清。研究者获得的语料是口语还是书面语,是自然语料还是诱导的语料。如果混淆在一起,便无法做出正确的结论。

最后一个问题是收集语料的方法和信效度问题。Seliger 认为,信度和效度是保证语料收集的质量的两个最重要的标准。③ 效度可以提供这样一种信息,即语料收集的方法是否准确地收集到了研究者所需要的材料;效度所提供的信息则是,研

---

① 参见 Lightbown The relationship between theory and method in second language acquisition research. In Davies and Criper (eds.) 1984.

② 参见 Selinker *Rediscovering Interlanguage*. London: Longman, 1992.

③ 参见 Seliger *Second Language Research Methods*. Oxford University Press, 1989.

究者选择的收集材料的方法在多大程度上反映了研究者所要收集的材料。工欲善其事,必先利其器。为了保证收集方法可靠有效,一是尽量采用已有的方法,省事便利;二是修改已有的材料收集的方法。通常情况下,研究者很难找到与自己的研究完全一致的收集方法。这种情况下,选择一种相近的收集方法,做些适当的删改,不失为一种好办法;三是创造一种适合自己研究的新的收集材料的方法。

总之,语料的收集方法决定研究的成败与否。大原则应该是根据自己研究的问题来选择材料收集的方法。同时要考虑到中介语研究的理论模式对所选择的收集方法的要求和限制。

思考之三:中介语语料的分析方法。就一般的分析方法而言,语料分析的方法不外乎定性分析方法和定量分析方法。中介语的语料分析虽然也离不开这种两种方法,但是中介语的研究作为一个特定的研究领域,语料分析的方法往往与研究者采用的理论模式或假说有密切的关系。Michael Long 认为,研究者不能凭空去选择收集语料和分析语料的方法。他们总是要受收集的语料类型、研究目的与动机的影响。换句话说,研究者的理论导向决定了语料收集以及语料分析的方法。

从第二语言习得研究发展的历史来看,中介语的研究总是在一定的理论背景下进行的。对比分析流行的年代,大部分第二语言习得的研究都是在对比分析的理论框架范围内进行的。在这种理论背景下,学习者的语言系统还未成为研究的对象。研究者的目光主要放在两种语言的对比上。偏误分析作为中介语研究的开端,把研究的目光集中在学习者产生的偏误上。研究者们大量地收集学习者的语言偏误,对其进行分类,试图对学习者的偏误产生的原因做出解释。但是偏误分析从一开始就没有一个系统的理论框架，因而受到许多批评。从 Corder 开始，偏误分析试图对学习者的习得过程做出解释。中介语理论的产生使得学习者的语言系统的分析纳入了认知研究的理论框架。Selinker 的研究基本上还是采用对比的定量分析方法；Nemser 采用的是实验的方法。随着中介语研究的发展，产生了许多理论模式。研究者们在各自的理论模式中采用的分析方法也各不相同。Hatch 的 foreigner talk 研究采用的是话语分析的理论和方法；Michael Long 采用的是话语交际中的话语交际功能的分析方法。这些研究中采取的语料分析的方法都是与他们的理论密切相关的。因此，中介语的研究在分析方法的选择上首先要考虑分析问题的理论框架，应该以科学的理论为导向。

三 目前中介语研究在方法上存在的问题

Lightbown 在讨论第二语言习得在研究方法上存在的问题时，提出了六个方面的问题。现摘引如下：(1)在研究方法上一个最严重的问题是不能进行重复性研究；(2)在对第二语言学习者的言语行为进行解释时，没有考虑到足够的相关材料；(3)只在单一的情景运用单一的方法收集中介语语料；(4)收集数据的方法不恰当；(5)在假设检验的研究中满足于对逸闻趣事的材料进行分析，缺乏定量分析；(6)在实验研究中或获得基线数据时，收集数据的手段不可靠。

笔者认为，这六个方面的问题基本上反映了汉语中介语研究在研究方法上存在的问题。目前汉语作为第二语言的学习者的中介语研究,采用定量分析的研究比较少。即使个别的定量分析,其他研究人员无法在原来研究的基础上进行重复性或检验性研究,或者说经不起重复性检验。在对学习者的中介语进行描写和解释方面,缺少明确的理论框架。有些研究基本上是袭用语言学的描写方法,开列名单式的病句分析。Lightbown认为,这种描写研究所做的解释大部分是胡猜,是一种事后的解释性猜测。

关于语料的收集方法,目前最大的问题是有些研究由于收集的方法不当,对材料进行分析和解释时以偏概全。有的研究仍然还局限于枚举式的研究,缺少足够的相关材料和数据。另外一个问题是,用偏误分析的方法分析语料时,缺少基线语料(baseline data)的收集。研究者往往通过个人直觉来判断,缺少中介语语料与基线语料的对比。收集语料的手段缺少信度和效度。主要表现在问卷的设计、调查表的项目设计上。有些研究提出的观点缺少可靠性,主要是因为问卷的设计缺少明确的理论支持,调查项目有时并非是研究者所要研究的问题。另外有些统计基本上是原始数据的描述,缺少推理统计数据。

上述研究方法上存在的问题不仅仅是研究方法问题。理论是基础,方法是实现研究目的的手段。有了科学的理论导向,中介语的研究才会有深厚的基础。有了科学的方法,中介语研究才会健康地发展。

第三节 汉语中介语的语篇分析①

一 中介语的诸层次和语篇层次

（一）

中介语这种随着学习者语言学习和习得的进展向目的语的正确形式逐渐靠拢的动态的语言系统，因为对它的"研究和分析有助于研究第二语言学习者的语言表现及其与相关因素的关系，可以全面带动语言学习理论的研究"，而且这种研究"对语言学习理论的建立和完善具有举足轻重的作用"②，所以近年来受到国内对外汉语教学界越来越多的关注和重视。如果中介语这一系统是存在的，那么，汉语中介语研究的目标之一，就是发现汉语中介语系统并进行系统的描写。这一系统和母语、目标语一样，必然也在语音、词汇、语法、语用诸层次上表现出特定的状态。国内现有的对中介语这一假定系统的描写的尝试，主要停留在前三个层次（语音、词汇、语法）上。③ 这对于一种语言系统的描写是必要的基础。但从语言交际功能的角度上看，却又是

---

① 本文原标题为"论中介语的语篇层次"，作者彭利贞。原载《第五届国际汉语教学讨论会论文选》，北京大学出版社 1997 年版。
② 参见吕必松《论中介语的研究》，《语言文字应用》1993 年第 2 期。
③ 参见鲁健骥《中介语理论与外国人学习汉语的语音偏误分析》，《语言教学与研究》1984 年第 3 期；鲁健骥《外国人学习汉语的词汇偏误分析》，《语言教学与研究》1987 年第 4 期；吴英成《学生华文作文的偏误与其学习策略关系的初探性研究》，《语言教学与研究》1990 年第 2 期；王魁京《"中介语"的产生与言语行为主体的思维活动》，载《中国对外汉语教学学会第四次学术讨论会论文选》，北京语言学院出版社 1993 年版。

远远不够的。这是因为对一个语言形式,特别是词汇、语法形式,"掌握还是没掌握,要放在更大的背景下去检验。更大的背景,一般可以指超句结构,语境和语用"。有时候,形式虽然对了,如果"不是真正掌握,往往就会前言不搭后语,在语用上就会不得体"①。因此,很有必要在一个更大的背景之下观察和描写中介语这一语言系统,以期向"具体描写"中介语这一目标前进一步,为关于中介语的这种"很有发展前途的理论"②提供更多的实证。

(二)

这种具有交际上的独立性的语义单位,这种"一次交际过程中使用的完整的语言体"③,作为观察中介语的对象和标本,具有独特的意义。首先,这种超句(super-sentences)语言单位,最能体现语言学习者语言输出(output)的总体特征,又因为它是人们交际活动的最基本的单位,所以较有可能从中得出语言学习者体现在某一学习阶段中介语里的综合运用目标语的能力的较全面的估计。其次,语篇中的各个语言成分,从理论上讲都是语境化(contextulization)的,它和孤立的、静态的、离境化(decontextulization)的语言成分不一样,具有语篇特征(texture)。④只有以语篇特征为标准来判断中介语语篇里的每一个语言成分,才能知道语言学习者对一个语言单位是否"真正掌握",从而给培养语言学习者语言运用能力的教学实践提供参

---

① 参见鲁健骥《中介语研究中的几个问题》,《语言文字应用》1993年第1期。
② 参见吕必松《论中介语的研究》,《语言文字应用》1993年第2期。
③ 参见廖秋忠《篇章与语用和句法研究》,《语言教学与研究》1991年第4期。
④ 参见黄国文《语篇分析概要》,湖南教育出版社1988年版。

考的依据。最后,语篇作为言语的一个层次,当然也作为语言研究的一个重要的层次,与语音、词汇、语法相比,具有其独特的价值,对语篇层次的中介语的有关内部组成成分(或要素)进行描写和解释,在整个中介语理论的发展和完善过程中应该占有不可替代的地位。

(三)

在语篇层次上观察中介语的意义在于,语言学习者学得某一语言成分以后,作为孤立的词汇、语法项目,即在无上下文的情况下输出的这些语言单位,其表面上是正确的,但入境(contextulized)以后,却有可能出现语篇分析角度上的偏误(error)。表现在以话轮为单位的话语(discourse)中,其输出可能在形式上是正确的,但语用上是不得体的。鲁健骥曾引用过的①就属于这种情况。①

①a. A 老张要下午五点才回来吗?
　　B * 对了。
　b. A 我这样做,你会支持吧?
　　B * 对了。

表现在篇章中则有两种情况。其一,语篇的特点之一是在语篇的底层中存在语义的关联,即连贯(coherence)。这种连贯使语篇中的每一个成分都处于一种有机联系着的语义网络之中。但中介语状态下的语篇,其中的有些语言成分抽取出来并无形式上的错误,但入境以后,这些成分有离境化的倾向,脱离

---

① 参见鲁健骥《中介语研究中的几个问题》,《语言文字应用》1993年第1期。

该语篇的语义网络,造成语句间逻辑语义关联方面的偏误,如②③中画线的句子。

②我打算赶快写信或者打电话给您,但到杭大后,匆匆忙忙得过日子,<u>今天就写信了</u>。

③我来中国住了七个月,以前不是这样,<u>喝了很多酒,听了很多音乐</u>,把窗口靠着看向外面很长时间。我做这样,原因是下雨。

其二,语篇在表层形式上会有一定的特点,这就是存在表达各种语义联系的相应的语言表达形式,主要是篇章中的各种连接成分。① 但由于语言学习者对汉语深层的逻辑关系如何处理方面的知识了解有限,或由于对各种语义关联成分习得有限,在输出这方面的语言成分时会出现多余、遗漏、误用等偏误,④就是一个连接成分冗余的例子。

④下午来的时候,乌龟和兔子准备好,每个动物都来看这个比赛,大家大声说:"一二三,去!"<u>兔子</u>跑得很快,<u>它</u>跑得很远,<u>兔子</u>看后边的时候,<u>它</u>看不见那个乌龟,所以<u>兔子</u>决定休息一会儿。

(四)

我们拟从以上提及的一些方面对语篇层次上的中介语,主要从中介语的语篇中出现的偏误的角度,作一初步的举隅性的描写,并分析中介语语篇层次上的基本表现特征。我们还将对

---

① 参见廖秋忠《现代汉语篇章中的连接成分》,《中国语文》1986 年第 6 期;廖秋忠《现代汉语篇章中指同的表达》,《中国语文》1986 年第 2 期。

产生这些现象的原因作一些尝试性的探讨。

我们的语料主要是学生的作文,还有一些学生课堂上口语语段练习的录音。这些学生大都有了一定的汉语基础,有一定的作文和成段运用汉语说话的能力。由于观察角度的特殊性,我们并没有对学生的国别和母语来源作区别性的限定。

二 语篇层次的中介语的基本特征

(一)

中介语性质的语篇和目标语语篇的一般特征应该是相似的。作为语篇,在深层语义上有内在的关联,在语形表层上有词汇、语法形式上的照应手段使这种深层语义上的联系表现出来。中介语语篇也有这样的特征。但是,中介语语篇具有明显的逐渐过渡的动态性质,表现为有语篇特征的语言成分和反语篇特征的偏误性语言成分杂合在一个语篇中。这是中介语语篇和目标语语篇的本质区别。如例⑤。

⑤a. 我喜欢去买东西。b. 一个人去逛街,看卖什么东西,我觉得很有意思。c. 我来到杭州还五天,所以不习惯于逛街,买东西。d. 今天我去杭大附近的市场买清扫用具。e. 中国的拖布和日本的样子不一样。f. 但是我觉得在中国用中国式的拖布打扫房间就房间里干净。g. 我已经去过延安路买东西。h. 街上人很多,很热闹。i. 我买房间里铺的地毯,售货员说:"在留学生楼打麻将?"我买的好像是打麻将时用的。j. 我错了,但是我还喜欢买东西。

这是一篇关于"买东西"的小作文。一方面,⑤作为一个相对完整的语篇,具有语篇的基本特征。深层语义的联系,表现在这整个语篇都是围绕 a 这个句子展开的,句子 b,句子 c,句子 d、e、f,句子 g、h、i 和句子 j 分别形成一个语义单位,共同组成一个叙事结构,以 a 为中心,其他各个语义单位互为照应,组成一个在语义深层上有基本联系的相对完整的语篇。在语形表层上,也有基本的表现语义关联的照应手段,表现在⑤中,其照应主要是通过词汇手段中词汇重复同形回指或部分同形回指来实现的。a 中的"买东西",b 中的"卖……东西",c 中的"买东西",d 中的"买",g 中的"买东西",j 中的"买东西",使⑤通过语形上的照应实现了语义的关联。另一方面,⑤中的有些句子,虽然局部具有语篇特征,但上升到更高层次的语篇时,这一句子就在语义深层上显示出非语篇特征的倾向,例如 h 和 g 在语义上是有联系的,语形上也有"延安路"和"街上"这样的词汇照应手段,但处于⑤这个更大的语篇中,语义关联就显得突兀。又如,e 和 d、f 在语义上有关联,但进入⑤这个语篇组成的语义网络时,就显得游离于语篇之外。从整个语篇来看,有些地方明显地缺少必要的起承转合的关联手段,形式上过于简略,使某些句子在语感上成了独立于语篇之外的个体。比如说,b 的第三个分句加上作为指同手段的代词"这"而成为"我觉得这很有意思",可使这一分句和前两个分句联系得更紧密。又如,在 f 前加上"虽然如此"这样的逻辑关联词和回指代词,可使它和 e 的结合更为紧密。i 的第三个分句前加上类似的"听她的意思,看来"这样的关联手段,会使这一分句有和前边分句浑然一体的感觉。而 j 中的后一分句,按汉语语篇组合中的零形回指规则,"我"这一同形同指手段显得多余。所有这些,都可以看作是这一语篇中具有的非语篇特征成分。

下面我们将进一步从语篇特征的两个方面,即深层的语义关联和表层的语形连接表现于中介语语篇中的偏误,来对中介语语篇的基本特征作一初步的描写。

(二)

孤立状态下合式的语言成分进入语篇后,不能处于该语篇的语义网络之中,成了语篇中具有非语篇特征的成分。初级阶段的汉语教学,基本上停留在词汇和句型的单项练习上,学生按照对词汇意义的理解,按照汉语的各种句法规则,生成的语言成分大都是完整的单句。这种完整的单句是在孤立状态下生成的,不考虑语篇特征这一要素。这样,在学生生成的语篇中,就存在大量的这种语言成分:作为孤立状态下的语言成分,它们是合适的,但作为语篇中的具有语篇特征的成分,却是不合适的,是游离于语篇之外的。例如①中的"对了",作为孤立的语言成分,并没有问题,但处于①这一语篇时,是不合适的。又如②中"今天就写信了"表示很快就做了某件事这样的语义,而这一语义和前边分句的语义显然不能形成关联。再如③中的"喝了很多酒,听了很多音乐",从语篇中抽离出来,语形、语义上完全是合适的,但进入语篇后,却是不正确的。

这一点,我们还可以分以下几方面进一步进行描写。

1. 在会话结构中正确的句子因不能完成交际而在语篇中成了不得体的成分。本来在语法语义上完全正确的语言成分,进入会话结构以后,因为不能完成交际而破坏了会话结构。如①中的"对了"就属于这种情形。又如⑥:

⑥老师:卖水果的柜台有蛋糕卖吗"

学生：不是。

"不是"作为一个否定回答，抽离⑥这个话语结构之后，语法语义上都无错误，但当它处于⑥这一会话结构中时，就是不合适的了。

2. 正确的句子进入语篇而不能和语篇中的其他组成成分形成语义关联，游离于语篇的连贯之外。孤立状态下的句子，在进入某一篇章以前，是正确无误的。但这种孤立状态下正确的句子，进入语篇后，或者跟语篇中的其他语言成分没有内在的联系；或者因为某种句法语义因素的影响，和其他语言成分深层语义的联系上出现偏离；有的甚至和处于这一语义网络中的本该有的语义内容恰恰相反。②中的第三个分句，③中"喝了很多酒，听了很多音乐"就属于这种情形。下面是另一些这样的例子。

⑦杭大真不错，我有三个老师，对语法有一位，对口语有一位，和对听力有一位。

⑧我看，他不相信我们。我们走着聊天一会儿，然后我们看见我们的朋友。

⑨我们到了付钱的地方，售货员告诉过我们多少钱，我们才给她钱。但是我们的钱都忘了。

⑩母亲一看见父亲的背，就喜欢他。她在相看一见钟情。因为母亲的家属比较瘦，两肩也不宽，父亲也瘦了，但两肩比较宽。所以母亲觉得新颖。

⑪三月十三日的信收到了。今天的作业有点多，但是下午才做完。晚上没有什么事，给你写封信。

例⑦的画线部分虽然语法语义上是对的,但和同一语篇中的其他部分没有必然的联系,在这一个语篇片段中,它是没有语篇特征的。

例⑧⑨⑩中画线部分的句子,除⑧的本身有点问题以外,别的句子孤立地看,语法语义上也是合适的,但进入各自的语篇之后,就能看出它们都是不合适的。⑧"我们走着聊一会儿天"(改正后的句子),一般出现在"建议、祈使"这种语用条件下,即"我们走着聊一会儿天吧!"在这种语篇环境下是合适的。但在⑧的语篇中,合适的形式应该是"我们走着聊了一会儿天"。同样,⑨中的"售货员告诉过我们多少钱",应该是"售货员告诉了我们多少钱"。而⑩的"父亲也瘦了",表示一种变化过程的结果,这一语义要素和语篇中的语义网络有出入,合适的句子应该是"父亲也瘦"。表面上看起来,这三个句子都是在情态助词使用上的语法问题,但这种语法问题在脱离它们各自的语篇或者说进入别的语篇中时是不存在的,这种问题因此也只有在中介语的语篇层次上才有解决的必要。换句话说,这是一种在语篇中的动态的语法语义错误,是语言学习者在编制语篇时出现的偏误。

例⑪想表达的意思大概是,虽然"今天的作业有点儿多",但是"下午很快就做完了","下午才做完"表示的意思跟语篇中语义网络要求这一句表达的内容恰恰相反,上升到语篇层次,这一句就是错误的,在这里,该用"就"而用了"才",也只有在动态的语篇中才能发现它的错误。

3. 在低一层次的句际关系明确的组合(如复句),进入高一层次的组合时,由于句际间形成新的组合关系网络,导致在语篇层次上句际层次关系的含混不清。在用单句、复句编制语篇时,句际关系是有层次性的。但在学生编制的中介语语篇中,在这种层次性上表现出一定程度的混乱。如⑫。

⑫a. 关于我的中国老师,b. 说什么我真不知道,c. 这是一个很难的问题,d. 因为我认识他们不多,e. 我们只有在上课的时候见面,f. 但是我可以说他们的特点都很亲切和耐心。g. 这个特点是很主要,h. 因为我们的汉语水平跟小孩差不多。

这个语篇片段的局部 a 和 b,c,d 和 e,g 和 h 的句际关系基本是明确的,但组成作为更大的语言单位的语篇时,就显得层次不清。⑫应作如下调整,才较合乎汉语语篇的语义逻辑层次关系,即"a,b。e,d,c。f。g,h。"并把 d 前的"因为"去掉,在 e 前加上"因为",在 c 前插入"所以"。

(三)

前面说的是中介语语篇在深层语义方面表现出的一些中介语特征,上升到语形表层,中介语语篇又呈现一种怎样的状态呢?

从总体上看,中介语语篇中的帮助形成语义关联的连接成分和目标语的篇章相比,显得相当匮乏,常常出现遗漏,而使句际关系变得模糊,这是一个方面;另一方面,有些可因句子语义本身形成关联的句子之间,反复出现多余的连接成分;再者,由于对连接成分的习得有限或对句际逻辑语义关系本身理解的有限,出现连接成分的误用和混用。

1. 多余

语篇中的语义连贯,表现到语形表层上是各种连接成分。

反过来说,语义连贯要靠各种连接成分来实现。学生在进行孤立的非语境的词汇、句型练习时,总是力求句子中各个成分的完整无缺。但把这些句子动态地组合到一个语篇中时,由于句际间在排列中位置上的关系或其他因素的影响,许多具有连接作用的成分在特定的语篇中成了多余的因素。它们有时不但不能成为使语篇的语义连贯得以实现的有效手段,反而使语篇中在深层语义上已具有语义网络联系的句子显得孤立而出现游离于语篇之外的倾向。这一点在④中表现得很清楚,该用同形回指或零形回指的地方都没有使用这些连接手段,而让语篇给人一种不流畅或支离破碎的语感。更多的例子如⑬⑭⑮。

⑬我从小孩子到少年的时候,我决定了不要结婚。我想要是我有妻子,我不能幸福,所以我不要结婚。

⑭从前,有某一对老鼠夫妻,那老鼠夫妻有一个女儿。女儿是漂亮而且妙龄的老鼠。

⑮第二天,青年醒的时候,姑娘已以起床了。她做早饭。姑娘向他表示谢意,她帮助他的工作。

这三个语篇的片段和④存在同样的问题。

有时候,这种同形回指的连接手段使用过多或不当,会出现指代错误,造成同一形式在同一语篇中的多义,也就是常说的指代不明。⑯就是这样一个例子。

⑯……我看,他不相信我们。我们走着聊天一会儿,然后我们看见我们的朋友。我们一起谈话的时候,我的朋友说:"我是美国人,她们三个是澳大利亚人。"我们赶快说:"不是,我们两个是德国人,她是从澳大利亚来的。"

一个短短的语篇片段中的同形的"我们",竟有三种不同的含义,使得语篇中的语义连贯有点含混不清。

在实现逻辑语义关系连贯时,由于学生力求完整,在使用逻辑关系连接成分即关联词时,也会出现多余的情况。这使得本身有语义关联的语篇显得累赘,或者因为这种连接成分的过多使用,反而导致逻辑语义关系含混不清。例如,"所以"这一表示因果关系置于后一分句的关联词,在学习过程中很长一个阶段的学生语篇练习中,存在不该用而用的情况。如例⑰。

⑰我和朋友要到百货大楼买一些东西。所以我们坐了公共汽车去。……我们也要买一些肉可是找不到,所以我问一位,说……

有时连接成分太多,反会使本来明确的句际关系和语篇内的层次关系含混不清,如例⑱。

⑱在那个饭馆,因为她是正式职员,所以她应该带头打工人们,而且有的时候她应该说一顿。那样的时候她的语调很怕人,而且说法也不太标准,所以更加可怕。其实她以前是耍流氓。不过说了一顿之后,有她的温和、有魅薛的微笑。那时候我知道她既严格但又有爱情。

虽然有九个句际间的连接成分,但是不但不能给人语义连贯紧凑的感觉,反而因太多的连接成分而损害了语篇内的语义连贯。

2. 缺损

相对于连接手段(成分)多余的特点来说,在中介语性质的语篇中,连接成分的缺损就表现得更为突出。在学生组织的中介语语篇中,篇章中的连接成分比之目的语篇章要匮乏得多。在叙事结构中,可能缺少各种表时间关系的连接成分,在阅读这种语篇中,常常要靠句子排列的先后顺序来理解事件发生发展的过程。在说明、论证结构中,则表现为缺少表达逻辑语义关系的连接成分。有时候,因为缺少必要的显示逻辑语义关系的连接成分,使得语篇中的某些句子失去了和其他句子的语义关联,成了无语篇特征的孤立的句子;或者还有可能造成句际逻辑关系的歧解。例如:

⑲如果你起床起得晚,( )经常来得(应为"不")及上课,( )老师没("没"应为"不")生气。( )他可能生气,但是没说明。这样的("的"应该去掉)做是我的中国老师的礼貌。

⑳虽然在杭州大学我有两个老师,(外边有很多)( )我去旅行的时候,管我朋友叫口语老师。

㉑如果我不去,我( )失掉最后跟她一起去旅行的机会,所以我马上决定了。一起去旅行的四个人都是日本人的太太。但是除了我以外都住在北京,( )我一个人经过北京去昆明了。

⑲⑳㉑的句际关系都显得比较模糊,原因就是缺少必要的表现这种句际关系的关联词语,在这三个语篇片段的括号里,加上适当的表示逻辑语义关系的连接成分,可以加强所在句子的语篇特征,从而进入该语篇的语义网络之中。这种连接成分的缺损,比较普遍的现象是,复句中成对出现的关联词语少了其中的一个,而导致语篇内部该复句的分句间句际语义关系的含混。

3. 误用或混用

在学生编制的中介语语篇中,句际关系本来要求用某一连接成分,而处于该位置的连接成分不能承载该语义内容而出现连接成分的误用。或者该使用某种连接成分而使用了与它们有某方面的相似性的别的连接成分,而造成混用。例如,

㉒a. 我希望以后我的中国老师会说英语,<u>所以</u>学汉语出来快一点儿,b. <u>虽然</u>老师不会说英语,<u>但是</u>这个办法也是好机会为大家用汉语。c. <u>如果</u>老师会说英语,别的国家的学生也听不懂。d. 拿日本人来说,经常听不懂英语。e. 我觉得那么只会一个语言还不可以呢。

㉓刚刚回来的时候,我觉得人们说的话比以前快一点儿。可能听力比以前降低了。本来我不善于说,<u>可是</u>那时一句话也说不出来。我着急了。

㉔为了你们的进步,不应该抽烟,不应该喝酒,<u>再说</u>中国武术就会对你们身体健康非常好。

㉒a 的"所以"不符合该复句两个分句间语义关系的要求,因为两个分句并不存在因果关系。b 相对于 a,已有一个转折,所以 b 中的"虽然"应为"但是",而第二个分句中的"但是"则应该去掉。根据上文和③的第二个分句,c 的第一分句中的"如果"应为"即使"。同样,㉓中"可是"所在的分句并不是要表达一个转折的语义内容,而㉔中的"再说"所在的分句应该表达的也不是递进关系。

在学生编制的中介语语篇中,"而且"出现在很多不该出现的地方,它的出现不是纯粹的多余现象,而是因为对两个分句的

关系的错误理解造成的。也就是说,虽然用"而且"连接了两个句子,但是两个句子间不存在"而且"表示的递进关系。

三 产生语篇的中介语特征的原因

(一)

我们在描写语篇层次中介语的基本特征的时候,已对它产生的原因有所涉及。总的说来,语篇层次的中介语同样是第二语言学习者大脑思维成果的外现。其来源主要是目的语语内规则的泛化,但有些现象也能从学习者的母语中找到痕迹。如"所以"、"而且"的过分的使用,在英语为母语的学生编制的中介语语篇中,有明显地受英语影响的痕迹。又如⑫所表现出来的汉语语篇的句际关系的层次混乱,同样可以看到英语迁移的痕迹。大概因为在英语中形成因果关系组合时,表因的分句倾向于置后,以英语为母语的学生在组合汉语的因果关系复句时,也有把表因的成分置后的倾向。作为孤立的因果复句时汉语中也在强调原因时把表因的分句移到后边,但是这种低层次的组合和高一层次的组合发生句际关系时,在汉语的语篇中常常会造成语义关系或语义层次关系的混乱。

与语音、词汇、语法诸层次相比较,中介语的编制主体对逻辑语义及语义关系的认知状况,在语篇层次的中介语生成过程起了更重要的作用。在语篇中,某些中介语成分的"化石化"现象,严重地影响着汉语学习者一定阶段的汉语总体运用水平的提高。即他们在长期的学习过程中形成了对某一语言成分的使用习惯,当这些习惯对语言成分的语篇特征产生影响时,这些习惯就会阻碍学生组织语篇的能力的发展。

我们进一步粗略地分析一下产生语篇的中介语特征,或者说在学生编制的语篇中出现偏误的主要原因。

(二)

认知上的错误造成语义关联的偏误。这里的认知主要指的是对句际关系的认知。当然这种认知也有时和真实世界即所谓的大语境的认知不无关系,例如⑫中所表现的句际关系层次的混乱,从汉语的思维习惯这一角度上看,也可以说这种混乱是对句际关系的认知错误所造成的。因为在思维定势上,就因果复句这一点,汉语倾向于前因后果,同样在其他偏正复句上,也有前偏后正的倾向。

下面㉗㉘两个语篇片段也存在对句际关系认知上的错误,而㉘则和真实世界的认知有密切的关系。

㉗a. 中国跟澳大利亚不一样,b. 但是中国有很多人,而且很多自行车保

㉘b. 现在是春天,b. 可是常常下雨,c. 听说这样是杭州的典型的天气。

㉗的 a 和 b 并不存在转折这种句际关系,因为对这种关系的误认,造成了连接成分"但是"的误用。㉘的 a 和 b 在真实世界中就不存在转折这种语义关系,也许从该学生生活的所在地天气的角度来说地对的,即在他的生活经历中,存在这么一种前提:春天是不下雨的。但这一前提在中国的江南特别是㉘中的"杭州"这一特定的地方并不成立。

(三)

无语境意识造成某些形式上正确语言成分(主要是句子)的

离境化的倾向。所谓无语境意识就是语篇的编制者在使用某语言成分编制语篇时,并没有从动态的角度把这一语言成分看成是语篇的语义网络中的因素。这一点和学生的语言学习过程发展有关。初级阶段的学习,总是从单项练习开始的,单项练习一般都是离境的。在学生用这些已学得的正确语言成分编制语篇时如果不自觉地让这些语言成分动态化,就会导致本来正确的语言成分进入语篇时出现偏误。例①②③⑥⑦⑧⑨⑩⑪⑫中出现的问题,都可以看作是这一原因所致。

(四)

因为习得的连接成分有限而出现交际策略性的连接成分的过分省俭。在汉语学习的初级阶段,学生习得的语篇连接成分是比较少的、有限的。用这些有限的连接成分来帮助编制具有纷繁复杂的句际关系的语篇,难免捉襟见肘。语篇的编制者或者头脑的语料库中未储存某些连接成分,或对自己已知的某些连接成分缺乏使用信心,而采取一种回避策略。连接成分的缺损,一般是这样原因造成的。

(五)

某些规则在处于同一语篇中的结构相同或相似的句子间过分类推。学习过程中进行单项练习时,按照语法规则力求各个成分的完整。在编制语篇时,前句各个成分完整的句子常常作为一种不变的规则对后边的句子发生影响而出现类推作用,这种类推达到过分的程度,就会造成语篇中某一成分的多余。各种连接成分的多余可以看成这一原因导致的结果。

(六)

两种或两种以上的具有形式上或语义上相似性的目的语规

则相互迁移。一方面是学习者学得的连接成分相对地少,另一方面是在学习者大脑语料库中储存的一些连接成分之间的相似性,这种相似性可以是形式上的,比如"不是……就是……"与"不是……而是……","只要"与"只有";也可以是语义上的,如"或者"和"还是",这种相似性会导致它们之间的相互干扰,而出现前文中所说的连接成分的误用或混用。

四 余论

我们提出中介语的语篇层次研究,目的是为了给中介语研究的其他层次作必要的补充。语言的静态研究和动态研究相结合的原则,要求我们在对中介语系统作在语音、词汇、语法诸层次静态研究的基础之上,从动态的角度对中介语进行综合的观察和分析。而语篇层次上的中介语研究,为这种动态的研究提供了有效的途径。

从语言教学交际化的角度上看,中介语的语篇层次的研究,为给教学实践提供更直接的参考展示了更为广阔的前景。从交际的角度考察,只有在语篇中正确的语言成分,语言的学习者才算已经"真正掌握",而中介语语篇层次的研究则有可能对交际中的语言学习的偏误作出某些预测并给是否"真正掌握"某一语言项目提供一定的检验手段或标准。

中介语的语篇层次,体现了语言学习者综合运用所学语言的能力。我们可以从外国留学生编制的汉语语篇中分析他们汉语的综合水平。对语篇层次的中介语的观察和分析的成果,也可以为对外汉语教学中的语篇阅读教学和语篇训练教学提供有益的参考。

中介语上升到语篇层次,构成的更是一个无比庞杂纷繁的系统。我们只是举隅性地对中介语的语篇中一些现象进行了描写和分析,对它的特征的概括和产生原因的分析也不可能是全面的。一方面,语料的有限带来的局限是不言而喻的,没有足够广泛的语料让我们对某一现象进行反复的对比性的相互印证,给确定某一现象的代表性带来了困难;另一方面,当前现代汉语这一目标语的语篇研究的成果还不足以给我们的分析提供充分的参照。我们希望随着观察中的语料的不断扩展和对现代汉语语篇研究的不断深入,语篇层次上的汉语中介语研究能够取得进展。

一种从它诞生到现在只有仅仅二十多年的年轻的理论,它的逐步成熟和完善,需要很多人共同努力,希望我们的中介语语篇层次的研究这一尝试,对这种"很有发展前途的理论"的研究取得进展,会有一定的意义。

后　记

　　偏误分析和中介语研究对汉语习得研究的影响是巨大的。因此,这方面的成果也非常丰富。我们在收集文章时,希望尽可能地反映这个领域各个层面的研究成果。但由于这个领域的发展不够平衡,有些章节的篇目偏多,有的章节偏少。我们没有刻意平衡各章节的篇目,目的是客观地反映各领域的发展水平。特别需要指出的是,汉语中介语研究的篇目只选了3篇,显得非常单薄。原因是,这些年来,汉语中介语的研究除了一些理论探讨的文章外,其他研究大都属于偏误分析,尽管标题是关于中介语的研究。因此,我们在收选这部分文章时,排除了那些属于偏误分析的文章。我们认为,这也许更能真实地反映这个领域的研究情况。我们在"综述"中评价这个领域的研究现状时已经作过说明,即,中介语理论在汉语习得研究领域已经不是目前的理论热点,这是造成这个领域值得关注的研究文章比较少的主要原因。

　　至此,我们依然怀着诚惶诚恐的心情向读者奉献我们编选的文集。限于编者的理论水平,选文失当之处,评述不切之处,恳请读者批评指正。

编　者

2006年2月25日